"农家书屋"工程推荐图书

肉鸭养殖技术

岳永生　主编

中国农业大学出版社

主　　编　岳永生
副 主 编　陈红菊　公维华
编写人员　公维华　李玉霞　岳永生
　　　　　陈红菊　董夫才

责任编辑　周　伟
封面设计　郑　川

前　言

我国在肉鸭养殖方面居世界养鸭业的前列，养殖历史悠久，品种资源丰富，饲养数量大，既有传统的养殖方式，又有现代生产技术，特别是北京鸭对世界肉鸭业的贡献是巨大的。由于我国地源辽阔，各地气候、降雨量、生产习惯等的不同，各地的养鸭方式也多种多样。近年来，随着养禽业的发展，特别是随着人民生活水平的提高，肉鸭生产已逐步走上规模化、产业化的道路。为了促进养鸭业的大发展，加快农民奔小康的计划，适应加入WTO后经济发展的需要，我们收集了国内外有关肉鸭养殖的最新材料、先进技术，结合本地生产实践经验编著了此书。本书对有关肉鸭的品种、遗传、繁育、饲料、营养、饲养管理、疾病防治等方面做了详尽的介绍。对肉鸭生产专业户和养鸭厂来说是一本比较全部、系统而又实用的参考书。但肉鸭生产受许多因素的影响，在实际应用中需要因地制宜，灵活掌握。

本书的显著特征是科学性、先进性、系统性和实用性，不仅可供肉鸭养殖专业户使用，亦可作为教学、科研人员的参考资料。

由于编者水平有限，尚有不妥之处敬请读者批评、指正。

编　者

2002年8月

目　录

第一章 肉鸭的品种及生产性能

肉鸭是人们为了生活、生产的需要以食肉为主要目的一种鸭。根据肉鸭品种的来源、起源、在动物分类学中的位置以及品种的形成历史，可将肉鸭品种分成地方肉鸭、培育（育成）肉鸭、引进肉鸭。

第一节 我国地方优良肉鸭

一、北 京 鸭

北京鸭原产于我国北京近郊，以玉泉山和护城河一带为主产区。它具有丰富的遗传基础，使之既可以向产肉多、脂肪低的肉用型方向培育，又可以用做母系向产蛋方向培育。美国、英国等国家早将其列为标准品种引入本国，并作为主要育种素材，育成新的鸭种。加之北京鸭羽纯白、生长迅速、肉质优良、繁殖力强、适应性广、胴体美观等，使其被输出到世界各地，成为驰名全球的标准肉用鸭品种。

（一）体型外貌

北京鸭体型硕大，体躯长宽，呈长方形，头大腿短，身体强健。全身羽毛丰满，紧凑，洁白，没有杂色。眼大而深凹，虹彩灰蓝色，颈粗而中等长。胸部丰满，前胸高平，背阔，腹部深广下垂但不拖地。翅小，紧贴体躯。喙、脚、蹼呈橙黄色或橘红色。雏鸭则呈乳黄羽毛。公鸭头大，体躯方正而长，尾部有4枚上卷的雄性羽，步态雄健有力；母鸭体躯方正而宽，腹部丰满，尾尖稍呈弧形，两脚位置偏后，站立似呈垂直姿态。

（二）生产性能

由于近年来采用家系繁殖、品系繁育，在配合力测定的基础上建成了几个配套系，使北京鸭的生产水平大有提高，成年公鸭体重4.0～4.5 kg，成年母鸭体重3.5～4.0 kg。母鸭开产日龄150～170天，500日龄产蛋量180～200枚，蛋重90～100 g，蛋壳乳白色。公母配比1∶5，种蛋受精率90.4%，受精蛋孵化率80%～90%，1只母鸭可年产150只肉鸭，1～7周龄的成活率85%～94%。肉仔鸭出生体重50 g，7周龄体重可达3.45 kg。公母鸭半净膛屠宰率分别为91.62%和91.32%，全净膛屠宰率分别为84.02%和84.43%。Z_1系北京鸭的胸腿占胴体重的29.5%，脂肪占胴体重的35.7%，料肉比2.70∶1。北京鸭有较好的肥肝性能，填肥2～3周，肥肝重达300～400 g。仔鸭经填饲育肥后，可作为著名佳肴烤鸭的原料。

北京鸭与任何鸭的杂交，一般都有很高的配合力与杂交优势。

二、建 昌 鸭

建昌鸭是肉用性能优良，以生产大肥肝著称的肉蛋兼用型麻鸭，素有“大肝鸭”的美称。产于四川省的西昌、德昌、冕宁、米易和会理等县。西昌古称建昌，因而得名。产区位于青藏高原和云贵高原之间的安宁河河谷地带，属亚热带气候。当地素有腌制板鸭、填肥取肝、食用鸭油的习俗，经过长期的选择，育成了以肉为主、肉蛋兼用的品种。

(一)体型外貌

建昌鸭体型中等大小,体躯宽阔,头大颈粗。公鸭头、颈上部羽毛墨绿色,具光泽,颈下部 1/3 处有一白色颈圈,尾羽、性羽黑色,喙墨绿色,前胸及鞍羽红褐色,腹羽银灰,故有“绿头、红胸、银肚、青嘴公”之称。母鸭羽毛褐色,有深浅之分,以浅褐色麻雀色居多,喙橘黄色。

建昌鸭中还有约 15%的白胸黑鸭,其公母羽毛相同,前胸白色,体羽乌黑,喙、胫蹼黑色。近年来,四川农业大学又从建昌鸭中分离出一个白羽品系。

(二)生产性能

成年体重:公鸭 2.2~2.5 kg,母鸭 2~2.3 kg。

1. 产蛋性能　年均产蛋量 150 枚左右,平均蛋重 72.9 g。蛋壳以青壳者居多,占 60%~70%,壳厚 0.35 cm,蛋形指数 1.37。公鸭性成熟日龄 120 天左右,母鸭开产日龄 150~180 天,公母配比 1:28,受精率 90%,受精蛋孵化率 85%左右。

2. 产肉性能　建昌鸭生长较快,初生体重 37.4 g,1 月龄体重 302.5 g,2 月龄体重达 962.5 g,3 月龄体重 1 655.8 g,4 月龄公鸭体重 1 844.0 g,母鸭体重 1 694.7 g。其相对增重高峰期出现在 8 周龄前,13 周龄后则增重急剧下降,28 周龄时接近成年体重。肉用仔鸭 8 周龄活重 1.3~1.6 kg。6 月龄半净膛屠宰率公鸭为 78.9%,母鸭为 81.84%。全净膛屠宰率公鸭为 72.3%,母鸭为 74.08%。6 月龄胸、腿肌总重公鸭为 327.38 g,母鸭为 318.60 g。三肌占屠体重的比例,公鸭为 25.84%,母鸭为 24.27%。56 日龄肉料比为 1:3.07,7 月龄填肥 21 天的肉料比为 1:11.07。

肥肝:7 月龄建昌鸭填肥 14 天平均肝重 229.24 g,最大者达 455 g,肝料比为 1:23.81,填肥 21 天平均肝重324.36 g,

最重达 545 g。

三、巢湖鸭(肉蛋兼用)

生产区在安徽省中部的巢湖附近,分布于巢湖周围的庐江、巢县、肥西、肥东、舒城、无为、和县、含山等县。产区地理位置属江淮分水岭以南,大别山以东,长江北岸的低洼湖沼冲积平原地带,具有良好的放牧条件。

(一)体型外貌

体型中等大小,呈长方形,结构紧凑。公鸭的头、颈上部羽毛呈墨绿色,有光泽,前胸和背、腰部羽毛褐色,缀有黑色条斑,腹部白色,尾羽黑色,喙黄绿色,虹彩褐色,胫、蹼橘红色,爪黑色。母鸭体羽浅褐色,缀黑色细条纹,呈浅麻细花形,翼部有蓝绿色镜羽,眼上方有白色或浅黄色眉纹。巢湖鸭体质健壮,行动敏捷,抗逆性强,采食性能好,是制作无为熏鸭和南京板鸭的良好材料。

(二)生产性能

成年体重:公鸭 2.1~2.7 kg,母鸭 1.9~2.4 kg。

1.产蛋性能　年产蛋量 160~180 枚,平均蛋重70 g,蛋壳以白色居多,占 87%,青壳蛋占 13%,母鸭开产日龄 140~160 天,公母配比早春为 1∶25,清明后为 1∶33。种蛋受精率 90%以上,受精蛋孵化率 89%~94%。利用年限,公鸭为 1 年,母鸭为 3~4 年。

2.产肉性能　肉用仔鸭 70 日龄活重 1.5 kg,90 日龄活重 2 kg。全净膛屠宰率 72.6%~73.4%,半净膛屠宰率 83%~84.5%。

四、四川麻鸭(肉蛋兼用)

四川麻鸭属体型较小的肉蛋兼用型品种,它广泛分布于四川省水稻田产区，以绵阳、温江、乐山、宜宾、内江、万县、达县等地区最为集中。比较早熟，放牧适应能力强，胸腿肌比例较高。

(一)体型外貌

四川麻鸭体型较小，坚实紧凑，羽毛紧密，颈长头秀，喙橘黄色，喙豆多为黑色，胸部发达、突出，胫、蹼橘红色。公鸭体型狭长，性指羽2～4根，向背弯曲。母鸭羽毛较杂，以麻褐色居多。公鸭羽毛较为一致，可分为两种：其中一种称"青头公鸭"，此公鸭的头和颈的上1/3或1/2处的羽毛为黑白相间的青色，不带翠绿色光泽，肩、背为浅黄色细芦花斑纹，前胸赤褐色，腹部绒羽为白色，性指羽为灰色。

(二)生产性能

在放牧条件下平均年产量在150枚左右，平均蛋重72 g左右，蛋壳以白色为主。公母鸭比例为1∶10，受精率90%左右。利用年限：母鸭2～3年，公鸭1年。肉用仔鸭90日龄体重1.6 kg。舍养条件下生产性能会更高些。

五、云南鸭(肉蛋兼用)

云南鸭属云南省中型肉蛋兼用地方良种，在云南省分布较广，除西北部地区外，全省各地区均有饲养。

(一)体型外貌

公鸭头和颈上部羽毛绿色带有光泽，颈下部有白色羽环，胸、背深褐色，腹部灰白色，尾羽黑色，镜羽墨绿色。母鸭羽色分黄麻和黑麻两种。喙、胫、蹼橘黄色，虹彩红褐色，部分灰色。

(二)生产性能

成年体重：公鸭1.8 kg，母鸭1.7 kg。母鸭开产日龄为150天，年产蛋量150枚左右，蛋壳分为白色和青色两种。

公母鸭配比为1∶12,受精率90%。仔鸭70日龄体重1.5 kg,110日龄用于加工腊鸭的肉鸭体重为1.7～2.0 kg。

六、桂西鸭(肉蛋兼用)

桂西鸭产于广西的靖西、德保、那坡等地,属中型肉蛋兼用麻鸭。

(一)体型外貌

桂西鸭体型中等大,有3种羽色,呈深麻雀色的称“马鸭”;呈浅麻雀色的称“凤鸭”;黑背白腹的称“乌鸭”。

(二)生产性能

成年体重:公母鸭在2.4～2.7 kg。母鸭开产日龄130～150天,年产蛋量140～150枚,蛋重80～85 g,白壳蛋居多,有少数青壳蛋。公母配比1∶(10～20)。肉用仔鸭70日龄体重2 kg左右。

七、兴义鸭(肉蛋兼用)

兴义鸭主要产于贵州省兴义地区,属小型肉蛋兼用地方良种。主要产区在贵阳至六枝、水城铁路以南各县。作为肉蛋兼用种,可以加工板鸭用和生产食用鸭蛋。

(一)体型外貌

该鸭种为绿色头鸭型麻鸭,公鸭头和颈上部羽毛墨绿色而有光泽,有白颈圈,胸部褐,背黑褐,腹灰白,尾羽黑色。母鸭有着深麻雀羽。公母鸭喙、胫、蹼橘黄色或虹彩褐色。

(二)生产性能

成年体重:公母鸭在1.5～1.6 kg。母鸭开产日龄,春雏鸭为5月龄,秋雏鸭为6月龄,可年产蛋量170～180枚,蛋壳约90%为白色,10%为青色。公母鸭配比为1∶(10～15),种蛋受精率为85%。利用年限:母鸭2～3年,公鸭1

年。肉用仔鸭 70～90 日龄体重 1.40～1.45 kg。

八、连城白鸭(肉蛋兼用)

连城白鸭生产于福建省连城县,是中国麻鸭中独具特色的白色变种。

(一)体型外貌

连城白鸭体型狭长,头大,颈细长,前胸浅,腹下垂,觅食力强,富于神经质。该鸭雌雄全身羽毛洁白紧密,有性指羽 2～4 根,喙黑色,胫、蹼灰黑色。

(二)生产性能

成年体重:公鸭 1.4～1.5 kg,母鸭 1.3～1.4 kg。第一产蛋年产蛋量 220～230 枚。蛋壳颜色以白色居多,少数为青色。母鸭开产日龄为 120 天左右,公鸭 180 天配种,公母鸭配比为 1:(20～25);公鸭利用年限为 1 年,受精率 90%以上。肉用仔鸭 90 日龄体重 1 300～1 500 g。

九、大余鸭(肉蛋兼用)

大余鸭主产区在江西省南部的大余县,分布于赣西南的遂川、崇义、赣县、永新等县和广东省的南雄县。

(一)体型外貌

大余鸭体型中等大小,不具白色颈圈。翼部有墨绿色镜羽。喙青色,胫、蹼青黄色。公鸭头、颈、背部羽毛红褐色,少数个体头部有墨绿色羽。母鸭体羽褐色,杂有较大的黑色雀斑,故有“大粒麻”之称。

(二)生产性能

成年体重:公母鸭在 2～2.2 kg。

1.产蛋性能　年产蛋量 180～220 枚,平均蛋重 70 g 左右,蛋壳白色。母鸭开产日龄 180～200 天,公母配比

1∶10,种蛋受精率81%～91%,受精蛋孵化率90%以上。

2.产肉性能　在放牧条件下,90日龄仔鸭活重1.4～1.5 kg,再经1个月的育肥饲养,体重达1.9～2 kg,即可屠宰加工板鸭。半净膛屠宰率公鸭为84.1%,母鸭为84.5%;全净膛屠宰率公鸭为74.9%,母鸭为75.3%。

以大余鸭腌制的南安板鸭(大余旧称南安)在广东和东南亚地区久负盛名,其特色是皮薄肉嫩,骨脆可嚼,腊味香浓,耐人寻味。

十、高邮鸭(肉蛋兼用)

高邮鸭为我国较大型的麻鸭品种,属肉蛋兼用型。产于江苏省高邮、宝应、兴化等,分布于江苏北部京杭运河沿岸下河地区。全国许多省市均有引进,以广东、云南、贵州、湖南、江西、安徽等省饲养较多。

(一)体型外貌

高邮鸭体躯呈长方形,胸深背阔肩宽,发育匀称,具有典型的兼用型种鸭体型。喙豆黑色,虹彩深褐色,爪黑色。公鸭体型较大,头、颈上部的羽毛深绿色,有光泽,背、腰、胸部均为褐色芦花羽,腹羽黑色,喙青绿色,胫、蹼橘红色,有"乌头白裆青嘴雄"之称,母鸭颈细长,羽毛紧密,后躯发达,体羽褐色,杂有黑色细斑,呈麻雀色,胫、蹼灰褐色。雏鸭羽色为黑斗星,青喙、黑喙豆,黑线背,黑尾巴,黑胫,黑蹼,黑爪。

(二)生产性能

成年体重:公鸭2.3～2.4 kg,母鸭2.6～2.7 kg。

1.产蛋性能　年平均产蛋量140～160枚,高产群可达180枚。平均蛋重75.9 g,其中70 g以下者占15.3%,78 g以上者占4%。双黄蛋约占0.3%。蛋壳白色居多,约占

82.9%，青壳蛋占17.1%左右。蛋形指数1.43。高邮鸭繁殖力较强，公鸭70日龄后即有性行为，母鸭开产日龄110～140天。公母鸭配比1∶(25～33)，受精率92%～94%，受精蛋孵化率85%以上。

2. 产肉性能　高邮鸭生长速度较快，一般在放牧条件下，70日龄体重可达1.5 kg，在较好的饲养条件下可达1.8～2 kg，以40～70日龄期生长最快。采用配合饲料饲喂，50日龄平均体重可达1.78 kg。屠宰率半净膛为80%左右，全净膛为70%左右。料肉比1.5∶1。

高邮鸭肉质好，觅食能力强，耐粗杂食，善潜水，生长快且易肥，产蛋大，且有较多的双黄蛋，饲料报酬高。适于放牧饲养。

十一、临武鸭(肉蛋兼用)

临武鸭是产于湖南省临武县，分布于武水河两岸的肉蛋兼用型地方品种。

(一)体型外貌

临武鸭体型中等偏小，体躯较长，结构匀称，胸部发达，后躯挨地。头大眼突，喙扁而宽，呈黄褐以或黄红色，上颚宽于下颚，尖端微向下钩，中段微微上拱，采食有力，被称为"拱嘴鸭"、"勾嘴鸭"及"挖嘴鸭"。颈较细长，翅膀收缩有力，翅尖交叉，尾羽呈三角形，尾尖上翘。母鸭毛色以黄褐色为主，杂有白、绿色斑。具白色颈圈。公鸭头、颈上部羽毛绿色发亮，颈圈明显，腹部多棕黄色或灰白色。

(二)生产性能

成年体重：公鸭1 770 g，母鸭1 813 g。开产日龄140～160天，年产蛋量160～180枚，平均蛋重67.4 g。

临武鸭习性广，易肥育，加工成板鸭味道鲜美。

十二、昆　山　鸭

昆山鸭又称昆山大麻鸭，系江苏省苏州地区培育的品种。采用北京鸭与当地鸭杂交，经 14 年的选育和推广，于 1978 年通过鉴定。

（一）体型外貌

昆山鸭体型似北京鸭，头大，颈粗，体躯呈长方形，宽而深。羽毛似娄门鸭。公鸭头、颈上部羽毛墨绿，有光泽，体背部和尾羽墨褐色，体侧灰褐色有芦花纹，腹部白色，翼部镜羽墨绿。母鸭全身羽毛深褐色，缀黑色麻雀斑纹，眼上方有白眉，翼部有墨绿色镜羽。昆山鸭的喙呈青绿色，胫、蹼橘红色。

（二）生产性能

成年体重：公鸭 3.5 kg，母鸭 3 kg。开产日龄 180 天左右，年产蛋量 140～160 枚，平均蛋重 80 g 左右，蛋壳乳白色，少数青色。60 日龄仔鸭体重 2.4 kg 左右。

十三、沔　阳　鸭

沔阳鸭系湖北省沔阳县畜禽良种场经 20 年选育而成的兼用型鸭种，先以高邮鸭做父本，荆江鸭做母本杂交，杂种鸭自群繁殖 3 年后，再次用高邮鸭进行杂交，最终培育而成。

（一）体型外貌

体型中等大小，体躯长方形，背宽胸深。胫、蹼橘黄色，公鸭头、颈上部的羽毛绿色，有光泽，体背部羽毛深褐色，臀部羽毛黑色，胸、腹和副主翼羽白色。喙黄绿色，虹彩浅褐色。母鸭羽毛以褐色为主，分浅麻色和深麻色两种，主翼羽均为黑色。喙青灰。眼上左右一道白眉。

(二)生产性能

成年体重 2.2~2.3 kg。开产日龄 140~150 天,年产蛋量 160 ~ 180 枚,平均蛋重:第 1 年 74.5 g;第 2 年 79.6 g;蛋壳以白色居多,占 93%,青壳蛋仅 7%。公母配比 1:(20~25)。种蛋受精率 90%以上。受精蛋孵化率 85%以上。利用年限:公鸭 1 年,母鸭 4~5 年。

十四、吉安红毛鸭

吉安红毛鸭是加工板鸭优质原料的鸭品种。其特点是生长快,抗病力强,瘦肉率高,产蛋多。

(一)体型外貌

公鸭羽灰红色,体绒和尾羽呈灰白色,被羽褐红色,脚蹼为橘红色,喙为褐红色;母鸭与公鸭羽色相似,体绒和腹部羽毛以白色为主,背被羽毛褐红色,喙、蹼为橘红色。

(二)生产性能

成年体重:公鸭 1 750~2 000 g,母鸭 1 650~1 900 g,母鸭 115 天左右开产,年产蛋量 220 枚,受精率达 90%,孵化率为 92%。

第二节 我国育成肉鸭新品系

一、四川天府肉鸭

天府肉鸭是四川农业大学从 1989 年开始,经过 9 个世代选择而培育成功的二系配套大型肉鸭新品系,采用建昌鸭与四川麻鸭杂交配套选育而成。具有生长速度快、饲料报酬高、腿胸比率高、饲养周期短、适于集约化饲养、经济效益高等优点。天府肉鸭是制作烤鸭、板鸭的上等原料。

(一)体型外貌

天府肉鸭体格大,体质坚实紧凑,羽毛紧密,颈长头秀,胸部发达、突出。公鸭体型狭长,性指羽2～4根,向背弯曲。母鸭腹部丰满,羽色较杂,以褐麻雀色居多,在颈下2/3处有一白色颈圈,胫呈橘红色。

(二)生产性能

天府肉鸭生长整齐度好,35日龄和49日龄体重分别达到2.31 kg和2.84 kg,料肉比分别为2.31∶1与2.84∶1,在35～49日龄体重与料肉比呈极显著($p<0.01$)正相关。随着体重的增长,维持需要增加,因而料肉比降低。天府肉鸭上市体重是影响养鸭经济效益的重要原因之一。从屠体品质的角度推荐,以水盆鸭出售,可在4周龄左右上市;以烤鸭和板鸭为目的,大约于6周上市为宜;用于生产分割肉,则应以7～8周龄较为理想。四川省畜禽繁殖改良站,研究出了一个天府肉鸭最佳效益出栏体重的计算公式,若最佳效益体重为:W(kg),肉鸭价格为P_1,饲料价格为P_2,则$W=0.94\ P_1/P_2-1.31$,公式中考虑了肉鸭增重与耗料的关系,例如,饲料价格为每千克2.2元,商品鸭价格为每千克8元,则$W=\frac{0.94\times 8}{2.2}-1.31\approx 2.11$即天府肉鸭在2.11 kg体重时出售,可获得最大收益。

二、广东珠海优质麻鸭(KT101、102、103三个品系)

(一)种鸭生产性能

22周龄开产,入舍母鸭产蛋数200～225(40周龄累计)枚,种蛋受精率93%～95%。

(二)商品代生产性能

8周龄活重3.3～3.5 kg,料肉比(2.6～2.8)∶1。

三、北京鸭瘦肉型新品系(肉用)

(一)南口Ⅲ系

种鸭生产性能,入舍母鸭产蛋数210枚(300日龄累计)。

商品代生产性能,7周龄活重3.05 kg,料肉比2.8∶1。

(二)南口Ⅳ系

1.种鸭生产性能　入舍母鸭产蛋数213枚(300日龄累计)。

2.商品代生产性能　7周龄活重3.27 kg,料肉比2.95∶1。

四、广东仙湖2号鸭

仙湖2号鸭是原佛山兽医专科学校养鸭课题组多年来利用英国樱桃谷鸭商品代经自群繁殖和严格选育所培育出来的优良肉鸭。

(一)体型外貌

雏鸭的绒羽呈浅黄色,大鸭全身羽毛为雪白色,大部分鸭喙部为橙黄色,少部分呈肉白色,趾蹼为橘红色。该鸭体型大,胸部特别宽阔,部分鸭脚腹部可见垂皮,颈较粗短,腿较矮,体躯斜度较小,几乎与地面平行。

(二)生产性能

仙湖2号鸭适应性强,种鸭产蛋较多(300日龄累计220枚),肉鸭在一般饲养管理条件下,生长快(10周龄活重2.5 kg),肉质好。商品代料肉比3.0∶1。

五、广东澄海白沙鸭(肉蛋兼用)

(一)种鸭生产性能

开产周龄为 21～25,入舍母鸭产蛋数 170～220 枚(300 日龄累计)。

(二)商品代生产性能

10 周龄活重 1.5～2.5 kg。

六、江苏昆山麻鸭

(一)种鸭生产性能

开产周龄为 25,入舍母鸭产蛋数 160 枚(年计)。

(二)商品代生产性能

50 日龄活重 2.0 kg。

第三节　国外引进的肉鸭品种(品系)

一、樱桃谷鸭

由英国林肯郡樱桃谷公司引进北京鸭和埃里斯伯里鸭为亲本经杂交育成 9 个品系:白羽系 L_2、L_3、M_1、S_2 和 S_1;杂色羽系 CL_3、CM_1、CS_3 和 CS_1。经配套系选育而育成 X-11 杂交鸭。现已远销 60 多个国家和地区,是世界著名的肉用型品种。我国最早引进该品种父母代的是中外合资广东东莞鸭场;1980 年深圳引进美国培育的原种;1993 年四川绵阳市建立祖代鸭场,向全国销售父母代种鸭。

(一)体型外貌

由于含有北京鸭血液,故酷似北京鸭外貌。全身羽毛洁白,头大额宽,鼻脊较高,喙、胫、蹼均为橙黄或橘红色。

颈粗短，翅膀强健，紧贴躯干。背部宽而长，从肩到尾部稍倾斜，胸部较宽深，肌肉发达，脚粗短。

（二）生产性能

成年体重：公鸭 4.0～4.5 kg，母鸭 3.5～4.0 kg。白羽 L_3 系商品鸭 47 日龄活重 3.09 kg，全净膛重 2.24 kg，料肉比 2.81∶1。父母代鸭年产蛋 210～220 枚，年均产雏 168 只。该公司近年来育成的“樱桃谷超级 M”良种肉鸭，开产周龄为 26 周，开产体重 3.1 kg，在 40 周龄产蛋期内，平均每只母鸭产蛋 220 枚，可孵化雏鸭 178 只，平均蛋重 80～85 g，种蛋受精率 88.7%，孵化率 81.5%。SM 系超级肉鸭商品代饲养 7 周龄平均体重 3.3 kg，料肉比(2.6～2.8)∶1，半净膛屠宰率 85.55%，全净膛屠宰率 72.55%，瘦肉率 26.2%～29.5%，是烤鸭的上等原料。

国内广泛利用樱桃谷与北京鸭、绍鸭、中型麻鸭杂交，获得了良好的配合力与杂交优势。

二、狄　高　鸭

由澳大利亚公司采用配套系方法，利用中国北京鸭经选育而成的优良大型肉用鸭种。我国于 1979 年由深圳光明华侨畜牧场引进。狄高鸭生长快，早熟易肥，体型大，屠宰率高，适应性强，喜干燥，栖息于山坡树荫下，只要给足饮水能在陆地自然交配，适于圈养，故又称为干地鸭。因此，在广大农村、丘陵地带、缺少水面的地区均可饲养。

（一）体型外貌

体羽白色，雏鸭绒羽呈黄色，脱换幼羽后全身羽毛洁白。体大，头大而扁长，颈粗且长。背长阔，胸宽挺，尾稍翘，体躯前昂，后躯靠近地面，胫粗而短，喙、胫、蹼橙黄色。

(二)生产性能

成年公母鸭体重一般 3.5 kg。母鸭开产日龄 160～180 天,公母配比 1∶5,33 周龄进入产蛋高峰期,产蛋率达 90%,年产蛋量 180～230 枚,平均蛋重 85～100 g,平均连产蛋 10 枚,多者可达 60 枚才休产 1 天,蛋壳乳白色。狄高鸭初生重达 54.61 g,1 周龄时 102.81 g,2 周龄时 299.22 g,3 周龄时 614.69 g,4 周龄时 1 114.33 g,5 周龄时 1 662.82 g,50 天达 2.5 kg。良好条件下,56 天活重 3.5 kg,料肉比 3∶1。半净膛屠宰率 92.80%～94.04%,全净膛屠宰率 79.76%～82.34%;胸肌重 273 g,腿肌重 352.3 g,腹脂重 44.65 g。商品肉鸭瘦肉率高,长羽快,雏鸭 21 天可长出大毛,45 天齐羽,具有早熟易肥、肉嫩皮脆、质优味美等特点,是烤鸭、板鸭、卤鸭的上等原料。

三、枫　叶　鸭

枫叶鸭又名美宝鸭,是美国美宝公司培育出的优良肉鸭品种。近年来广东一些种鸭场引进饲养。该父母代种鸭开产日龄为 175～182 天,产蛋高峰期的产蛋率可达 91%,平均每只种母鸭 40 周产蛋 210 枚,平均蛋重 88 g。该鸭商品代 49 日龄平均体重 2.95 kg,料肉比为 2.96∶1。枫叶鸭的最大特点是瘦肉多,长羽快,羽毛多。

四、海　格　鸭

海格鸭是丹麦培育的优良肉鸭品种。该鸭商品代具有适应性强的特点,既能水养,又能旱养。特别是能较好地适应南方夏季炎热的气候条件。海格肉鸭 43～45 日龄上市体重可达 3.0 kg,料肉比为 2.8∶1。海格肉鸭肉质好,腹脂较少,适合于低脂肪食物消费者的需求。父母代产蛋性能好,年产蛋量(40周)230枚左右。

五、奥 白 星

奥白星是由法国克里木公司育成的肉鸭品种,它生长快,饲料转化率高。

父母代开产周龄为25周,40周龄累计产蛋量220~240枚。商品代7周龄活重3.7 kg,1,2,3,4,5,6,7周龄时的每只体重分别为402 g,1 059 g,1 690 g,2 209 g,2 714 g,3 214 g,3 391 g。7周龄时的肉料比为1∶2.86。6,7周龄时瘦肉率分别为(28.6±1.9) g,(30.5±2.2) g。

六、史 迪 高 鸭

父母代开产周龄为26周,40周龄累计产蛋191枚,蛋重88 g。商品代7周龄活重3.15 kg,料肉比2.9∶1。史迪高鸭耐高温,抗病力强。

七、力 加 鸭

父母代开产周龄为25,40周龄累计产蛋量206枚,平均蛋重85 g。商品代7周龄活重2.91 kg,料肉比2.95∶1。力加鸭长羽快,抗应激强耐粗饲。

八、瘤头鸭(番鸭)

瘤头鸭又称疣鼻栖鸭、麝香鸭。在欧洲称为火鸡鸭,在法国又称蛮鸭或巴巴里鸭,我国俗称番鸭、洋鸭或火鸭。瘤头鸭与普通家鸭不同属,属鸭科、栖鸭属,是新大陆属的惟一代表,也是驯养鸭中惟一保留就巢性的鸭种。瘤头鸭原产于南美洲和中美洲的热带地区,属善飞的森林禽种。我国饲养的瘤头鸭由海外洋船引入,在福建至少有250年以上的饲养历史。在台湾、广东、江西、广西、浙江、江苏、湖南和安徽等省、区均有饲养。在北方饲养,冬季需舍饲保温。由于番鸭肉质细嫩,味道鲜美,蛋白质含量高达33%~34%,被群众视为强力滋补的佳品。

(一)体型外貌

番鸭外貌与家鸭明显不同,在喙的基部和眼圈周围有红色或黑色的肉瘤,故名瘤头鸭。公鸭的肉瘤展延较宽。瘤头鸭的体型呈纺锤形,站立时呈水平状态。头大,颈粗稍短,喙短而狭,头部顶端有一排纵向长羽,受到刺激时竖起呈刷状。胸部宽而平,胸腿肌肉发达,翅长达尾部,有一定飞翔能力,腹部不发达。脚短而粗壮,脚爪硬而尖,行走时步态平稳。公鸭叫声低哑,呈"嗞嗞"声,母鸭抱孵时常发出"唧唧"声。公鸭在繁殖季节常散发出麝香气味,故又名麝鸭。瘤头鸭的羽毛颜色有白色和黑白花,还有少数呈银灰色。常见的背部黑色,颈下部、腹部、翅羽白色。喙红色带黑色,脚黄褐色。

(二)生产性能

成年体重:公鸭3~3.5 kg,母鸭1.8~2.1 kg。母鸭1.8~2.1 kg。母鸭开产日龄180~210天,一般年产蛋量80~120枚,高产者可达150~160枚。蛋重70~80 g,蛋壳玉白色。蛋形指数1.38~1.42,公母配比1∶7,种公鸭利用年限1~1.5年,每季产蛋后即自行孵化,每羽可孵种蛋20个左右,孵化期35~40天。种蛋受精率85%~94%,受精卵孵化率80%~85%,初生雏重40~42 g。番鸭的早期生长速度较快,3~10周龄时增重最快,10周龄后增重开始减缓。公母增重差异较大,10周龄时公母鸭体重分别为2.78 kg和1.84 kg。全净膛屠宰率公鸭为76.3%,母鸭77%,公母鸭胸腿肌占全净膛率比率分别为29.63%与

29.74%。料肉比3.3∶1。10～12周龄的番鸭经填饲2～3周，平均产肝300～350 g，公鸭肝重高于母鸭，肝料比为1∶(30～32)，较其他鸭耐填，肝大质好，等级高，在产肝的同时，体重比填前也增加50%～70%。

番鸭行动迟钝，可水养，也可旱养，能飞翔，胆大不怕人。一般作家庭零星饲养，并可用做杂交亲本。如用人工授精技术使公鸭头鸭与母家鸭进行属间杂交生产的半番鸭或骡鸭，具有生长快、饲料报酬高、肉质好和抗逆性强等优点。8周龄平均体重2 160 g。用雄番鸭与雌麻鸭杂交可生产泥鸭。番鸭还可与北京鸭、金定鸭进行三元杂交，生产"番北金"杂种鸭，10～12周龄平均体重2.24 kg，优势率为23.78%，生长速度快于泥鸭。但因番鸭与其他家鸭不同属，因而杂交时受精率低，一般为60%左右。

九、克里莫瘤头鸭

克里莫瘤头鸭又名克里莫番鸭，由法国克里莫公司育成，已在我国四川省等地落户。

(一)体型外貌

体型似瘤头鸭，公母体格差异较大。有3种羽毛，即白色R_{51}、灰色R_{31}、黑白R_{11}，都是杂交种，其体质强健，适应性强。

(二)生产性能

成年体重：公鸭4.9～5.3 kg，母鸭2.7～3.1 kg，仔母鸭10周龄体重2.2～2.3 kg，仔公鸭11周龄体重4～4.2 kg，料肉比2.7∶1。屠宰率：半净膛82%，全净膛率64%。开产周龄为28周，年均产蛋量160枚，受精率90%，受精蛋孵化率72%，肉仔鸭成活率95%，包括育成期在内，每个种蛋耗料 380 g。

十、丽 佳 鸭

由丹麦育种中心培育而成，有 3 种配套系，其中 L_1、L_2 配套系种鸭各具特色，为新型优良肉用配套系；L_B 系为瘦肉型鸭配套系。

(一)体型外貌

体型大，体长而宽，羽色洁白，头大颈粗，背宽翅小，胸部丰满而突出，胸骨长而直，母鸭腹部丰满，腿粗短，蹼宽厚。雏鸭绒毛嫩黄色，长大后全身羽毛白色，带有奶油色光泽。喙、胫蹼橘黄或橘红色。

(二)生产性能

丽佳鸭生长速度居肉鸭之冠，L_B 瘦肉型配套系，瘦肉系比北京鸭高 20%，肉鸭 7 周龄肉料比 1∶2.41，为诸肉鸭之冠。父母代母鸭开产体重 L_1、L_2、L_B 分别为 2.9 kg、2.7 kg、2.15 kg，三系的年产蛋量分别为 200 枚、220 枚、220 枚，平均孵化率分别为 80%、85%、84%。L_1、L_2、L_B 商品代 56 日龄时的活重分别为 3.75 kg、3.4 kg、3.1 kg，全净膛率分别为 2.7 kg、2.32 kg、2.35 kg，料肉比分别为 2.85∶1，2.75∶1，2.85∶1。

十一、美国绿头野鸭

(一)生物学特性

美国绿头野鸭属候鸟类，性情温顺，食性杂而广，耐粗饲，植物种子、根茎、叶菜、谷实、杂草、软体动物等均能采食。喜欢在河流、湖泊、沼泽地及水生植物较多的地带活动，喜群居生活，有群居习性，迁移时多结群而行，此习性有利于集约化饲养管理。野鸭胆小，警惕性高，遇见陌生人或禽兽,即发出惊叫,成群逃离。适应能力强,有较强的抗逆性和抗病力。对一般高温、高湿和寒冷干燥的气候有较强的适应能力。

(二)生产性能

产蛋量大,饲料利用率高,生长速度快,70 日龄体重平均可达 1.27 kg。成熟也早,最早 165 日龄开始产蛋,年产蛋量 150 枚以上,全净膛屠宰率可达 87.5%。肉质鲜嫩,味美可口,脂肪较少,肌肉率高,富含多种人体必需的氨基酸、脂肪、糖类、无机盐、维生素及微量元素等,特别是完全没有家鸭那种令人不愉快的臊味,是传统的滋补食品和宴宾餐桌上的野味家肴,具有较高的经济和食用价值。

20 世纪 70 年代以来,国内成功开展了绿头野鸭的驯养,并建立野鸭养殖公司。驯养后的野鸭生产性能明显提高。体重由1 kg 增至 2.5 kg,料肉比(2.5～3.3)∶1,商品肉鸭育成期缩短至 90 天左右。同时它还保持了天然野鸭的营养和风味,备受消费者的青睐,近年来成为特禽养殖的后起之秀。

第二章　肉鸭的遗传及选育

要养殖好肉鸭必须了解肉鸭的基本遗传特性，要较快地提高肉鸭的生产性能，选育好肉鸭是重要途径之一，在生产中我们主要考虑的是肉鸭的产肉性能，而产肉性能及许多相关性状是数量性状，即由多对基因共同控制的性状，首先了解这类性状的遗传情况是非常必要的。

第一节　数量性状的遗传

一、生长速度的遗传

生长速度对肉鸭生产是最重要的经济性状，特别是早期生长速度。生长速度受多基因控制，其遗传力为0.4～0.8，在实际选育中，通过个体生长速度的选择，就可取得很大进展。现在肉鸭早期生长选育提高得很快，大多数肉鸭，如樱桃谷肉鸭、狄高鸭、丽佳鸭42日龄体重能达到3.5 kg，料肉比为(2.5～2.7)∶1，个体选择起了重要作用。

二、体重的遗传

体重这个性状对肉鸭非常重要。肉用仔鸭一般要求6～7周龄体重大。种鸭都以性成熟期的体重为代表，体重一定要达到该品种所规定的标准，过大过小对产蛋量都有影响。体重遗传力较高，一般为0.2～0.6。另外，早期体重与蛋重、雏重密切相关，蛋重大，初生重也大，早期生长速度快。

三、胸肌的遗传

胸部肌肉是肉鸭屠体品质的重要指标之一。胸部宽大丰满，含肉量就多，屠体品质就好，该肉鸭的生产性能就高。胸部丰满程度常用胸宽、胸深来表示。胸宽即两个肩端的距离，胸深是指从胸椎到胸骨前端之间的距离。在实际生产中，常用胸角器测量其胸部丰满程度。鸭的胸肉重遗传力一般在0.5~0.8之间。在现代肉鸭育种中，随着生长速度的提高，肉鸭脂肪沉积也相应增加。因此，培育有丰满胸肌的肉鸭是今后育种改良的重要目标之一。

四、饲料转化率的遗传

饲料转化率是指家禽生长1 kg体重所消耗的饲料量，它是一个重要的经济性状，其遗传力为0.2~0.6。在肉鸭选育中，常常根据饲料转化率来进行选择，既可提高肉鸭生长速度，又可降低脂肪含量。例如，英国樱桃谷农场所培育出的超级樱桃谷肉鸭，就是把饲料转化率作为重要选择性状而选择成功的。

五、受精率的遗传

受精率是种蛋中的受精蛋占孵化总蛋量的受精蛋的百分率。受精率是一个复杂的数量性状，它不仅受遗传作用的影响，而且受公母鸭双方生殖系统生理机能的影响，同时还受外界环境条件、饲养管理因素和种禽自己的性行为与癖性等因素的影响。受精率的遗传力很低，大约只有0.05。在实际生产中，要提高受精率，只有通过家系选择，尽量消除环境条件的影响，才能取得良好的进展。

六、孵化率的遗传

孵化率有两种:一种是受精蛋的孵化率,即出雏数占入孵受精蛋数的百分比;另一种是种蛋孵化率,即出雏数占入孵种蛋数的百分比。孵化率除与蛋是否受精有关外,还受孵化条件、遗传因素的影响,入孵蛋的孵化率种蛋一般为85%以上。孵化率的遗传力为0.1～0.15。

七、产蛋量的遗传

产蛋量对肉鸭来说也是一个重要生产性能,特别是种鸭,在实际生产中有不同的表示方法。一般有统计期内的母鸭产蛋量和统计期内饲养只日产蛋量两种。产蛋量受本身遗传因素、生理因素、外界环境条件以及饲养管理的影响,该性状的遗传受多基因控制。72周龄入舍鸭产蛋量的遗传力为0.25～0.35。影响肉鸭产蛋量的5个生理因素为:性成熟期、产蛋强度、产蛋持久性、抱性和休止性。在选育高产鸭时,对产蛋影响最大的首先是产蛋持久性,其次是产蛋强度,再次为休止性、抱性,最后为性成熟期。

八、蛋重的遗传

蛋重是母鸭产蛋性能的重要指标。国外测定蛋重在32～36周龄连续测定3天来代表蛋重,而我国以295～300日龄这5天内的平均蛋重来表示。蛋重遗传力为0.5～0.7。在一个品种或品系内,蛋重与体重呈正相关,但蛋重也受其他条件的影响。

九、蛋的品质遗传

这个性状是蛋壳的强度、蛋白浓度、蛋形、壳色和血斑、肉斑等性状的综合。蛋壳强度由蛋壳密度、厚度和蛋膜的质量决定,通过选育可以改善蛋壳厚度。蛋白浓度常用哈氏单位来表示,蛋白越浓,蛋的质量越好,孵化率越高。蛋形一般用蛋形指数表示,通常在 1.35～1.38 之间。壳色一般分白、青两种,受遗传制约。青壳种的公鸭与白壳种的母鸭交配时青壳为显性,后代均为青壳蛋。血斑、肉斑率也受遗传制约,通过选育可减少血斑和肉斑率。

十、生活力的遗传

生活力是一个重要的数量性状,它与成活率、生长速度等经济性状有密切关系,其经济价值很高。生活力在很大程度上受饲养管理条件的影响,但不同品种、品系、家系在生长发育期间、产蛋期间的死亡率和抵抗疾病的能力均不同。生活力的遗传力在 0.05～0.10 之间。在实际生产中,一般通过品系杂交产生杂交优势来提高生活力。

第二节　肉鸭的选育

一、肉鸭的选种标准

肉用型鸭在选种时首先要考虑以下 12 个性状:①早期(3～7 周龄)体重;②成年体重;③仔鸭料肉比;④羽毛生长速度;⑤屠宰率、半净膛率、全净膛率;⑥胸肌率;⑦腿肌率;⑧脂肪率;⑨开产日龄;⑩产蛋量;⑪种蛋受精率、孵化率;⑫7 周龄仔鸭成活率、种鸭产蛋期存活率。

肉用种鸭必须具备生长发育快、肥育性能好、脂肪分布均匀、肉质优良、繁殖力和适应性强等特点,体型外貌要具有肉用型鸭的品种特征。

（一）肉用种公鸭的选择标准

选择标准是：体型呈长方形，头大，颈粗，背平直而宽，胸腹宽而略扁平，腿略高而粗，蹼大而厚，两翅不翻，羽毛光洁整齐，走路昂头挺胸，步态雄健有力，生长快，体重大，配种能力强。

（二）肉用种母鸭的选择标准

选择标准是：体型呈梯形，背略短而宽，体长，腿稍短而粗，两翅下翻，羽毛光洁，头颈较细，腹部丰满下垂但不擦地，耻骨间距3指以上（三指裆），繁殖力强，受精率和孵化率高。

（三）种公鸭选择的注意事项

种公鸭的选择要比种母鸭的选择更加重要，俗话说："公鸭好，好一坡；母鸭好，好一窝"。并且公鸭的选择比母鸭难度大，母鸭可根据体型外貌进行选择，但公鸭仅根据体型外貌来选择，生殖能力就不一定理想，如有的公鸭体型虽然很大，外貌也好，但生殖器却存在着发育不良、畸形或者精液品质不好等问题，养这种公鸭，既白白消耗饲料，又干扰其他公鸭的正常配种行为。因此，选择种公鸭时必须进行生殖器官的检查。检查时要两个人协同进行，具体的做法是：助手将公鸭固定在一张高约70 cm的凳子上，使鸭头向后，鸭尾向前。检查人一只手掌放在公鸭的背腰上，拇指和其余4指分别按住鸭腰两边，然后向鸭的后方轻轻地按摩；同时另一只手的5个手指向相同的方向伸出，略呈圆筒样子，用指尖反复触动公鸭的肛门周围。经8～10 s的反复按摩后，阴茎便充血胀大，在肛门处突出成团。这时用按在鸭两边的手指适当用力，捏住公鸭肛门上部1/3的地方，手指头一齐用力压拢，使阴茎充分勃起向外伸出。正常的阴茎呈螺旋状，颜色肉红，长达10～12 cm。阴茎发育不良的、畸形的以及发炎的公鸭，均应淘汰。

二、肉鸭的体尺测量及生产性能的计算

(一)体重测量、肉鸭体尺

1. 体重测量　为了育成高产性能肉鸭,需在肉鸭养殖过程中对生长速度、体重进行多次测量。肉鸭育雏期为0~3周龄,而育成期为 4~24 周龄。种用肉鸭一般每隔 2 周称重 1 次,公母鸭分别抽测 10% 称重,称重前鸭应断料6 h以上,但不断水,成年母鸭体重分鸭开产期体重和产蛋期末体重。

2. 鸭的体尺测定　为了准确地记载鸭的体型外貌,研究其与生产性能的关系,施行规范化饲养管理和培育鸭品种,就必须对鸭进行统一标准的体尺测量(图 2-1)。

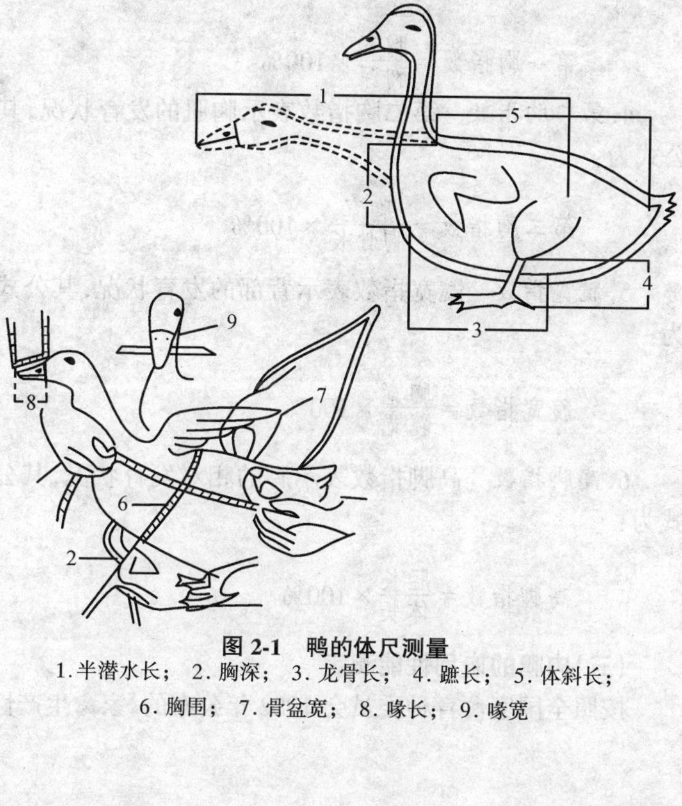

图 2-1　鸭的体尺测量

1. 半潜水长；2. 胸深；3. 龙骨长；4. 蹠长；5. 体斜长；6. 胸围；7. 骨盆宽；8. 喙长；9. 喙宽

(二)鸭的体型指数

1. 强壮指数　强壮指数表示体型的紧凑性和肌肉发育程度,其公式为:

$$强壮指数=\frac{体重}{体长}\times 100\%$$

2. 体躯指数　体躯指数表示体躯的发育状况,其公式为:

$$体躯指数=\frac{胸宽}{体长}\times 100\%$$

3. 第一胸指数　第一胸指数表示胸部的发育状况,其公式为:

$$第一胸指数=\frac{胸宽}{胸深}\times 100\%$$

4. 第二胸指数　第二胸指数表示胸肌的发育状况,其公式为:

$$第二胸指数=\frac{胸宽}{胸骨长}\times 100\%$$

5. 髋宽指数　髋宽指数表示背部的发育状况,其公式为:

$$髋宽指数=\frac{胸宽}{髋宽}\times 100\%$$

6. 高脚指数　高脚指数表示脚的相对发育状况,其公式为:

$$高脚指数=\frac{胫长}{体长}\times 100\%$$

(三)肉鸭的肉用性能测定

按照全国家禽育种委员会1982年公布的《家禽生产性

能指标名称和计算方法(试行标准)》进行测定。

1. 活重　指在屠宰前禁食 12 h 的重量。

2. 屠体重　指放血去羽后的重量(用湿拔法去羽毛后须沥干)。

3. 半净膛重　指屠体去气管、食道、嗉囊、肠、脾、胰和生殖器官,留心、肝(去胆)、肺、肾、腺胃、肌胃(除去内容物及角质膜)和腹油(包括腹部板油及肌胃周围的脂肪)的重量。

4. 全净膛重　即半净膛去心、肝、腺胃、肌胃、腹脂,保留头、脚的重量。

5. 常用的 4 项屠宰率的计算方法　①屠宰率 $=\frac{\text{屠体重}}{\text{活重}}\times100\%$;②半净膛率 $=\frac{\text{半净膛重}}{\text{活重}}\times100\%$;③胸肌率 $=\frac{\text{胸肌重}}{\text{全净膛重}}\times100\%$;④腿肌率 $=\frac{\text{大小腿肌重}}{\text{全净膛重}}\times100\%$。

6. 料肉比　料肉比 $=\frac{\text{饲养全程耗料量}}{\text{总活重}}$。

三、肉鸭选育方法及配套应用

(一)肉鸭品系选育

品系是指一个品种内,由于育种的方法和目的不同,形成具有一定特征或突出优点的群体,并能将这些特性和优点稳定地遗传下去,以保持本品种的高产生产性能。品系繁育的方法很多,常用的有以下 5 种:

1. 肉鸭近交建系法　近交是指血缘相近的个体之间如连续全同胞交配、连续半同胞交配、亲子(父女或母子)交配、祖孙级进行交配等。经过若干世代,使近交系数达到 0.375 以上,方可称为近交系。一般全同胞交配需连续 2 个世代以上,半同胞交配需 4 个世代以上。

近交可增加群体的纯合度，但往往导致后代生活力下降，出现近交衰退现象，有时会使建系中断。因此，在建系近交之初，需要有大量的原始素材，特别是母鸭越多越好，但公鸭不宜过多，以免近交后群体中出现过多的纯合类型，影响近交系的建立。

组成近交系的基础群中的个体，要进行严格地选择，参与近交的母鸭最好是来自经过生产性能测定的同一家系，公鸭最好是来自经过后裔测定的优秀个体。

在近交建系的过程中，要密切注意是否出现了所要求的优良性状的组合。最好近交建系结合进行配合力测定，一旦发现配合力高的近交系时，就要放慢近交进程，把重点放在扩群上，以加快育成优良的近交系。

2. 肉鸭系祖建系法　选出一个符合选育目标的优秀个体作为系祖，环绕这个系祖进行近交，大量繁殖并选留它的后代，扩大该理想型的个体数量，并巩固其遗传性，从而使系祖个体所特有的优良品质变为群体共有的优良品质。用这种方法培育的鸭群，一般具有该系祖的突出优点，称为系祖系，通常用系祖的名称命名。进行系祖建系时要注意以下 3 点：

(1)要选好系祖。系祖的主要性状要很突出，其他性状也要有一般水平。为了选准系祖，最好运用后裔测定和测交的方法，证明所选的系祖能将优良性状稳定地遗传下去，且无不良基因。

(2)进行有计划的选配。使系祖具有突出优点，保证后代能集中地传递下去，因此要尽量选配没有亲缘关系的同类型配偶(或称同质选配)。但对于带有某些缺点的系祖，也可进行一定程度的异质选配，用配偶的优点来弥补系祖的不足。

(3)要加强对后裔的选择和培育。由于系祖的后代并不是都能继承系祖的优良性状,要不断地选择那些较完整的继承并遗传系祖优良性状的个体,淘汰那些性状差不能继承系祖突出特点的个体。为此,可采用同雌异雄轮配法以扩大后代数量,从中选出理想而可靠的继承个体。

3. 肉鸭闭锁群建系法　又称继代选育法。一方面,在建系之初,选择优良个体组成基础群,然后把这个基础群封闭起来,在若干世代内,不再引入种鸭,只在基础群内,根据生产性能和外貌特征,进行相应的选种选配,使鸭群中的优良性状迅速集中起来,并转而成为群体共有的性状,因此又称品系群。它所采用的配种制度,一般都是随机交配,避免有意识的近交,以减慢近交的进程,不至生活力迅速衰退。另一方面,由于采用继代选育法,每一代选留的都是性状最理想的个体,它们基本上是同质的,故不必进行严格的选配,因此建系方法比较简单易行。进行闭锁建系时,要注意以下 4 点:

(1)基础群应有一定的数量。因为个体太少时难以获得理想的基因组合,影响建系的质量和进展,导致群体近交程度的提高,增加近交衰退的危险。一般认为,基础群的每一代数量以1 000只母鸭、200 只公鸭较理想。

(2)基础群应有广泛的遗传基础。封闭以后的鸭群,将来建成的新品系性状,只限于基础群基因素材以内的范围,不可能出现基础群基因所控制范围以外的性状。所以,要根据建系的目标,为建系打好基础。同时,群内各个体的近交系数应为零,至少大部分个体不是近交后代。

(3)要严格封闭。所有更新的后备种鸭,都必须从基础群的后代中选择,至少应封闭 4~6 代,如过早引入种鸭,会影响鸭群遗传稳定性,不利于品种系的建立。

(4)选种目标和管理方法要保持一致。每一世代的选种目标和选种方法要一致,保持连续性,只有这样,才能使鸭群的基因频率朝同一方向改变;同时,各世代的饲养管理条件要尽可能一致,保持稳定,使各世代的性状有可比性,从而使选种更准确。

4. 肉鸭正反反复选择法　此法在品系培育的过程中结合了杂交、选择和纯繁3个繁育阶段。既有杂交组合试验,或避免近交育种时大量淘汰造成的损失,又有方法简便,只要有两个亲本群(品种或品系)就可进行正反反复选择。所以,此法一举数得,颇受欢迎。具体做法如下。

先从基础群中按性能特点或来源不同,选出较优秀的A、B两个群体(品系),第1年分成两组配种,第一组正交,即A系公鸭配B系母鸭,第二组反交即B系公鸭配A系母鸭。正交和反交各组又分成若干个配种小群,每个配种小群只放1只公鸭和10~25只母鸭,将种蛋做好标记,在同样条件下孵化,留足后裔,在相同的饲养管理条件下,进行生产性能测定。第2年,根据后裔测定的成绩,分别在第一组(正交组)和第二组(反交组)中各选出最高产的A系公鸭与反交组的A系母鸭,组群纯繁;将正交组中最高产的B系母鸭与反交组中最高产的B系公鸭组群纯繁,次高产的亲本也按同样方法组群纯繁。第3年,用第2年纯繁所得的A、B两系的亲本,又按第1年的同样方法进行正反交,同样分成若干配种小群,然后进行后代生产性能测定,根据测定结果,选出优秀的亲本。第4年重复第2年的方法。

如此正反反复选择,经过一段时间,就可以形成两个新的品系,而且彼此之间具有很好的杂交优势,因为它是通过配合力测定结果而选留繁育的亲本。

必须注意:在选育过程中,不管哪一代的杂交鸭,都不能留种，但可以用做商品生产。

5. 肉鸭合成系的选育和利用　合成系是由两个或两个以上的系（或品种）杂交，选出具有某些特点并能遗传给后代的一个群体。

合成系选育的基本方法是杂交、选择和配合力测定。如以两系（或品种）杂交作为素材，杂交的亲本就是基础群，F_1（杂交一代）就是零世代，F_2（杂交第二代）就是一世代。

选育合成系的重点是经济性状，不要求体型外貌和血缘上的一致性。合成系育种的目的不是为了推广合成系本身，而是将它作为商品生产繁育体系中的一个亲本。这与一般杂交育种不同，它不需从 F_2 的分离中再经多代的选优汰劣，就能育成在体型外貌和生产性能上都相当稳定的“纯系”，然后再投入使用。

合成系选育的最大优点是时间短、见效快，一般经过1～2个世代选育即可，比通常培育一个纯系要节省一半以上的时间。所以，目前在国外的商品鸭生产中，多采用合成系选育技术，生产新的系或配套组合，为产品更新和商品竞争赢得时间。

合成系的利用，可以两系配套，即

纯系 A♂ × 合成系 B♀ ——→ 商品代

也可以三系配套，即

纯系 A♂　　　　纯系 C♂ × 合成系 D♀
　↓　　　　　　　　　　↓
纯系 A♂　　　　×　　　　CD♀
　　　　　　　　↓
　　　　　　商品代

也可以四系配套，即

纯系 A♂×合成系 B♀　　纯系 C♂×合成系 D♀

↓　　↓

AB♂　　×　　CD♀

↓

商品代

合成系选育取得成功的关键是选好亲本，应将特点突出，生产性能优秀的系（或家系）作为基础群，使合成系的起点高，再与另一个高产纯系配套时，就有可能结合不同亲本的优点，获得杂交优势。

合成系育成后，如再经几个世代的选育，即可成为一个纯系。当生产性能达到较高水平时，再进一步提高就比较困难，需要改变选种方法，或与其他纯系杂交，引入高产基因，又产生新的合成系。

（二）肉鸭杂交优势的利用

采用不同的方法建立起来的品系，目的在于开展品系间的配套杂交，充分利用杂交优势，生产高产优质的商品代鸭，例如骡鸭的生产，以番鸭、樱桃谷鸭、金定鸭分别为父、母本生产出的番樱骡鸭、番金骡鸭、番樱金骡鸭3个杂交组和的生产性能均高于其父母本的生产性能。这种生产需要一定的程序或模式制种，先进行配合力的测定，再配套杂交。

1. 肉鸭配合力测定　配合力的概念可分为一般配合力和特殊配合力。一般配合力所反映的是杂交群体平均育种值的高低，它主要依靠亲本品质的纯繁选育来提高，它的基础是基因的加性效应，所以遗传力高的性状，一般配合力提高比较容易。特殊配合力所反映的是杂种群体平均基因型值与亲本平均育种值之差，它的基础是基因的非加性效应。

一般遗传力高的性状、特殊配合力会有很大差异。所以要提高特殊配合力，主要依靠杂交组合的选择，通过配合力测定，选出杂交优势强大的配套组合投入生产使用。

2. 肉鸭品系配套模式　从遗传学角度看，参与配套的品系多，其遗传基础更广泛，能把多个亲本的优良性状综合起来，生产的商品代杂交优势更强大。但参与杂交的品系越多，品系繁育、保种制种的费用越多，到达商品代的距离也越长，制种更繁琐，规模更庞大。从经济效益出发，近年来的配套模式主要有二系、三系和四系 3 种模式。

(1)二系配套。这是选用不同品种或同一品种两个优秀品系的公母鸭，进行一次杂交所组成的配套系。其配套模式如下：

```
祖代      A♂×A♀      B♂×B♀
            ↓           ↓
父母代      A♂    ×    B♀
                 ↓
商品代           AB
```

(2)三系配套。这是先利用 A 品系公鸭与 B 品系母鸭杂交，再用杂交一代(AB)与第三品系 C 的公鸭杂交所组成的配套系。其配套模式如下：

```
曾祖代   A♂×A♀      B♂×B♀
           ↓          ↓
祖代       A♂   ×    B♀       C♂×C♀
                ↓                ↓
父母代         AB♂       ×       C♂
                         ↓
商品代                   ABC
```

(3)四系配套。这是用 4 个品系两两分别杂交,然后两个杂种间再进行杂交所组成的配套品系,这种配套通常称为双杂交。其模式如下:

曾祖代	A♂×A♀	B♂×B♀	C♂×C♀	D♂×D♀
	↓	↓	↓	↓
祖代	A♂ ×	B♀	C♂ ×	D♀
	↓		↓	
父母代	AB♂	×	CD♀	
		↓		
商品代		ABCD		

以上 3 种配套模式从遗传学的角度来分析,有更多的品系参与配套,其遗传基础更为广泛,能把多个亲本的优良性状综合起来,生产出杂交优势更强的商品鸭。但参与配套的品系越多,势必增加品系培育、纯繁保种和杂交制种的投资。随着现代家禽育种技术的不断进步,国外一些育种公司从经济效益出发,近年来有从四系配套转为三系配套或二系配套的趋势。

(三)肉鸭的选配

优秀种鸭选出后,通过公母的合理选配,使优良的性状遗传给后一代。所以,选配是选择的继续,有人将它合称为选种选配。选配通常有 3 种方法。

1. 同质选配(相似交配)　将生产性能相似或特点相同的个体组成一群,这种方法可以使后代同胞之间增加相似性,也使后代更相似于亲代。如根据系谱资料判断,使具有相同基因型的个体交配,叫基因型同质选配。近亲交配也属于这一类。如果不了解系谱资料,仅根据表现型相似的选配,叫表型同质选配。

2. 异质选配(不相似交配)　将生产性能不同或特点各

异的个体组成一群。这种方法可增加后代的杂合性，降低亲代和后代的相似性。与亲代相比，后代将出现介于双亲之间的性状，也可能获得具有双亲不同优点的后代，如不同品种或品系之间的杂交就属于这一类。

3. 随机交配　不加人为有意识地控制，随机组群，自由交配，这种方法是为了保持群体遗传结构不变，适于在保存品种资源方面应用。

第三节　现代育种方法在肉鸭育种中的应用

一、品系繁育方法的应用

繁育工作是不断提高品种的生产性能，增加产品的数量和质量，培育新品种（品系）的重要措施。要搞好繁育工作，必须采用现代品系繁育方法培育许多独具特点的优良品系，再用两个或两个以上具有不同遗传结构的品系进行品系间杂交，通过配合力测定，选出最优配套系。利用显性、超显性和互作等非加性基因效应，获得具有高杂交优势的商品鸭，从而使鸭肉产量大幅度提高，降低产品成本，才能获得显著经济效益。近 20 年以来，现代育种方法在养鸭业被广泛采用，并取得突出成绩，如英国樱桃谷育种公司培育出的樱桃谷超级 M 肉用鸭和我国选育出的新型北京鸭，就是采用现代育种方法的例证。

二、生物技术的应用

近些年来生物技术在动物生产和畜禽育种上得到重视，并取得了长足的进步。生物工程技术主要是基因工程、细胞工程、酶工程和发酵工程等四大技术，而在动物遗传育种中主要被重视的是细胞工程和基因工程。

(一)细胞核移植

此技术是将受体成熟卵母细胞的核除去后移入供体细胞核，使卵细胞不经过精子穿透等有性过程就可被激活、正常分裂并发育成新的个体。所以，核移植技术可使细胞核供体的基因通过无性繁殖的手段得到完全复制，从而生产出克隆(无性繁殖)的动物。1952年，首次报道了蛙的核移植技术。对于肉鸭的核移植尚未见有报道。

(二)分子遗传标记及其应用

分子标记主要有RFLP(限制性内切酶片段长度)标记、RAPD(随机引物扩增多态性)标记、VN-TR(DNA多态性)标记、mtDNA(mtDNA多态性)标记、PCR-SS-CP(聚合酶反应——单链构型多态性)标记、ASD(座位特异性寡核苷酸)标记。这些分子遗传标记可以用于检测动物群体的遗传变异，检测与分离数量性状主基因以及个体鉴别。

(三)转基因动物

转基因动物是指被通过添加或删除一个特殊的DNA序列，其遗传结构得到了修饰，且其改变了染色体DNA可遗传给后代的动物。

在家禽方面的转基因，特别是在肉鸭上研究起步较晚，进展也较缓慢，但仍有着广阔的应用前景。目前科学界普遍认为转基因优先考虑的对象是：

(1)改善畜禽生产性能的生长激素和生长因子基因。

(2)提高抗病性能和抗性基因。

(3)适宜在乳腺表达的珍贵蛋的基因。

(4)能够改善产品质量的基因。

(5)增加新的生化代谢通道，达到提高产量、降低成本的目的基因。

(6)提高畜禽繁殖性能的基因。

现代育种技术,特别是生物技术在肉鸭方面的应用较少,应加强这一工作,使肉鸭的育种工作上一新台阶。

三、单项指标选择方法的应用

随着肉鸭生长速度的提高,脂肪沉积也相应增加,因此在提高生长速度的前提下,适当降低脂肪沉积,是摆在当前育种工作者面前的首要任务。使用单项指标选择是一有效方法。

(一)单项选择饲料转化率

通过饲料转化率的选择来提高生长速度,降低脂肪沉积。肉鸭饲料转化率属中等遗传力。许多学者报道,饲料转化率的遗传力为0.26～0.33,而增重、饲料消耗和胴体脂肪率与饲料效率的相关分别为0.68、0.01和－0.69。因此,直接对饲料转化率进行选择能提高生长速度,又能降低脂肪沉积。樱桃谷肉鸭、Z型北京鸭及天府肉鸭都是通过饲料转化率的选择而降低脂肪沉积率的。

(二)早期辅助选择

由于肉鸭血浆极低密度脂蛋白(VLDL)含量与瘦肉率和脂肪率间呈显著的表型和遗传相关;血浆总甘油三酯含量与脂肪率间也同样存在着显著的相关,因此通过血浆VLDL含量对肉鸭进行早期辅助选择,则能加速降低肉鸭的脂肪沉积。该法在肉鸭育种上已取得成功。沃特斯(Waters B.S.)等人(1994)研究表明,北京鸭胸部皮肤及皮下脂肪与胴体总脂肪含量成高度正相关,因此对肉鸭胸部皮脂进行选择也能降低肉鸭整个胴体脂肪含量。另有学者利用超声波扫描仪活体测定北京鸭胸肌厚度,并按所得指标采取相应措施,能显著提高胸肌重,降低脂肪率。

第三章　肉鸭的繁育技术

要养殖好肉鸭，除了了解其遗传特性之外，还应该掌握好其繁殖技术，只有生产出携带有优良肉用性基因的肉雏鸭，才能在加强适当的饲养管理技术后，达到预期的目的。要生产高质量的肉雏鸭，就必须搞好肉鸭的选配，配种生产出高质量的肉鸭蛋。

第一节　繁育方法

鸭的繁育方法，按照公母鸭的血缘关系，可简单分为纯种繁育和杂交繁育。

一、纯种繁育

纯种繁育又称本品种选育，是指同一品种的公母鸭进行交配，可以保持该品种的优良特性。纯种繁育容易导致近交繁育，近亲繁殖弊病在鸭业生产上表现不明显。但一般需进行血液更新，即将无亲缘关系的同一品种公鸭引入做种用。

当前我国许多地方品种鸭有较强的环境适应能力、耐粗饲、早熟、繁殖力强等特性，但体型、外貌、生产性能尚不够一致，也应进行纯种繁育，提纯复壮。外来优良鸭种，也要通过本品种选育，迅速增加数量，解决耐粗饲和环境适应等问题。

二、杂交繁育

由两个或两个以上的不同品种公母鸭交配。

杂交能动摇和改变公母鸭双方的某些遗传性,扩大杂种后代遗传变异的范围,杂交可能将不同品种的不同性状结合在同一个体上,丰富后代的遗传性。在新的环境条件下加以培育,能改良老品种和创造新品种,提高生产性能,获得大量优质肉鸭产品。

杂交繁育方法有下列几种。

1.生产性杂交　生产性杂交是杂交优势的利用,目的是为了获得具有高度生产力的杂种鸭群。这些杂种后代主要供商品生产用,不继续繁殖。一般可分为经济杂交和轮回杂交两种。

(1)经济杂交。这是生产性杂交中最简单和广泛应用的一种杂交方法。所获得的杂种一代,无论公母都做商品生产用,而不做种用。目的是利用杂种一代的杂种优势,以获得一些生产性能高、生活力强的杂种鸭群,如图所示:

甲品种♂×乙品种♀

↓

♂♀

杂交一代(F_1)

(2)轮回杂交。轮回杂交是在经济杂交基础上进一步发展的生产性杂交。

实践证明,经济杂交的后代长大后自群繁殖,往往出现性状分离。但用杂种一代母鸭与第三品种公鸭交配,所产后代仍能保持杂种优势。因此,轮回杂交获得杂种后,可选留一部分好的杂种母鸭,继续和原来品种的公鸭配种,这样只保持纯种公鸭就够了，减少管理麻烦，能长期地保持杂种优势。

2. 改良性杂交　是通过杂交来改良某一品种的缺陷，根据不同需要可采用两种方法。

(1)引入杂交。在保持原有品种优良性状的基础上，引入与原品种类型、生产力基本相似的另一优良品种进行一代的杂交以纠正原品种的某些缺点。然后在杂种后代中选优良母鸭与原品种公鸭回交。一般至杂交二代(含引入血液 1/4)或杂交第三代(含引入品种血液 1/8)时就自交。

(2)级进杂交。又叫改良杂交、改进杂交、吸收杂交。这种杂交是要吸收改良品种的某些优良特性，以改良原有品种中不能满足当前生产要求的一些性能，同时又保留其优点(如对当地的自然条件适应性强、耐劳、耐粗饲等)。级进的代数不宜过多，级进代数多了，含改良品种血液越多，越接近纯种改良品种，但往往失去被改良品种的优点。

3. 育种性杂交　又称育成杂交，是用两个以上的品种进行杂交，创造和培育新品种。

首先，用杂交方法动摇原品种的遗传保守性，扩大和丰富遗传基础，结合对杂种后代严格的选种选配。同时着手建立 5～9 个品系，以便更好地巩固遗传性和避免以后长期亲缘交配。其次，增加鸭群数量和扩大品种的分布区，继续进行选育提高。

育成一个优良的新品种，应具备有稳定的高产性能，比较一致的体型外貌，并能将优良性状遗传给后代和适应当地的自然环境。

4. 远缘杂交　禽类不同种、属、科间的杂交。由于有较远的亲缘关系，体型外貌、生活习性、机能、遗传方面有较大的差异所以不像品种内那样容易杂交。但在生产实践中具有重要的经济意义。在肉鸭业生产中常见的有公番鸭和母麻鸭杂交,得出的泥鸭就具有很好地经济性状。泥鸭毛色以黑麻色为主,头、颈、背、胸、尾有蓝色羽,放光泽。喙如鸭,体型远比麻鸭大,超过番鸭,成年体重达3.5～4 kg。行动迟缓,耐粗饲,常在屋前屋后的水域内啄食。生长迅速,4～5个月性成熟。一般不会产蛋,偶有个别养到1年后开始产少量蛋的。泥公鸭与麻母鸭交配能受精,但孵化率极低,胚胎多中途死亡,孵出者也极难成活。

此外,还有人工诱变,就是利用辐射处理、交换蛋白、输血杂交等办法,引起变异,选育出新的类群,这是肉鸭育种中的新课题。

第二节　配 种 方 法

肉鸭的配种方法分自然配种和人工配种。自然配种又有单雄配种、大群配种以及同雌异雄轮配。

一、自 然 交 配

自然交配是让公母鸭在适宜的环境中自行交配的配种方法。鸭的交配要在有水的环境中进行。自然交配一般从初春开始,到夏至结束。在配种前15天,将选好的公母鸭按适当比例合群饲养,配种结束后,将公母鸭分开。自然交配可分3种情况。

(一)单雄配种

就是一只公鸭,按适当比例配一小群母鸭,每一小群养在单独小鸭舍和运动场内,并用自封产卵箱,登记每日的产蛋数。这种方法是小间配种,所获得的种蛋双亲系谱清楚,可以建立系谱。此法工作繁琐,要求高,只适于育种场使用。但要注意,选用的公鸭要先进行生殖器官和精液品质检查,或先进行配种预测,检查种蛋的受精率,将生殖器官有器质性缺陷、受精率低的公鸭淘汰。

(二)大群配种

大群配种是在大群母鸭中放进多只公鸭。单只母鸭被多只公鸭配种后,使卵子在受精过程中有更多的选择可能性,精卵子的生物学矛盾更大,因此受精率、出雏率提高,生长发育和产蛋率也增高。但是必须严格选择公母鸭。大群配种在大规模商品养鸭场、良种繁殖场以及育种场(在不做品系繁殖和后裔测定时)普通采用。

(三)同雌异雄轮配

此法的目的是为了多得几个配种组合,或使被测定的公鸭获得更准确的数据。其方法是:配种开始后,第一个配种期放第1只公鸭,留足种蛋的前2天,将第1只公鸭拿出,空出1周不放公鸭(此期间内的种蛋孵出的小鸭,仍是第1只公鸭的后代);于下周放入第2只公鸭(最好在放公鸭前,将第2只公鸭的精液给所配母鸭全部输精一遍),前5天的种蛋不用(如进行人工授精,前3天的种蛋不用),此后所得的种蛋为第2只公鸭的后代。如需测定第3只公鸭,按上述方法轮配下去。

二、人工授精技术

鸭的人工授精能增加公鸭的配种量,合理的利用种公鸭,不仅能提高鸭的受精率,而且还能增加养鸭场的经济效益。

(一)采精和输精工具

采精和输精常用的工具主要有鸭用假阴道、水禽集精杯、水禽输精器,如图3-1至图3-3所示。

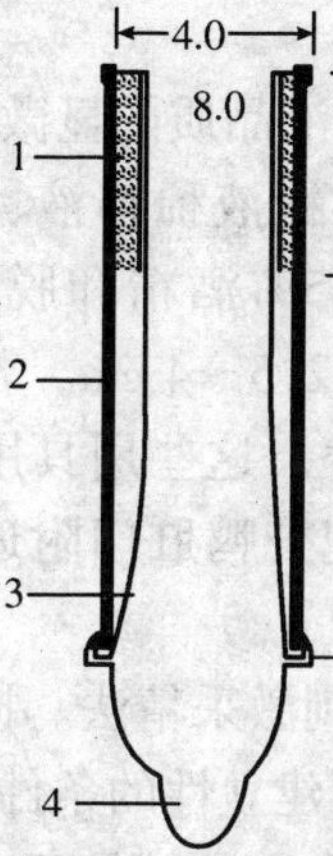

图 3-1　鸭用假阴道(单位:cm)

1. 海绵；2. 锌管外壳；
3. 内橡皮管；4. 集精袋

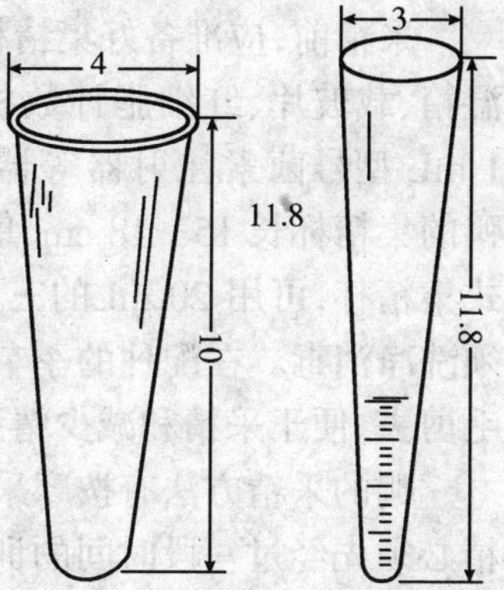

图 3-2　水禽集精杯(单位:cm)

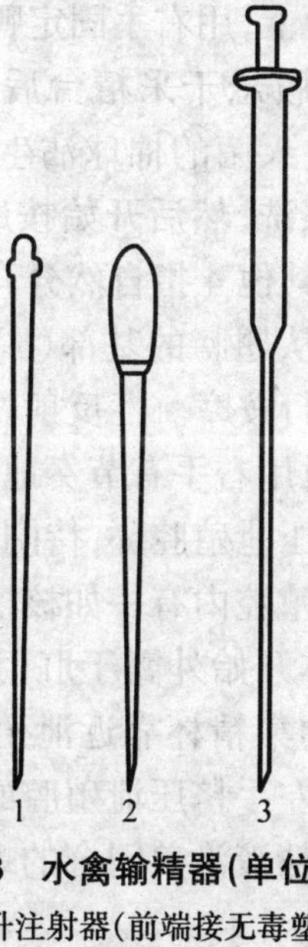

图 3-3　水禽输精器(单位:cm)

1、2. 有刻度的玻璃管；3. 毫升注射器(前端接无毒塑料管,可以更换,避免污染)

(二)采精方法

采精前,应准备好集精杯和检查精液品质的显微镜、保温箱、载玻片、红细胞计数板、计算器、精液稀释液、剪刀、1 mL 型号菌素注射器等器具,以及 65% 酒精和脱脂棉。鸭的集精杯长 15～18 cm,集精杯直径 2.5～4 cm。若无正式集精杯,可用 20 mL的三角量筒代替。这些用具用前必须洗净消毒。在配种的季节内,最好把公鸭肛门附近的羽毛剪去,便于采精和减少精液的污染。

鸭的采精方法有按摩采精法和电刺激采精法。按摩采精必须先经过一段时间的训练,使公鸭建立性的条件反射。引起公鸭性兴奋的部位是在髋关节后上方的髂骨区。如果按摩部位不对,阴茎即使外翻,也不能充分勃起,阴茎表面螺旋形的精沟未合拢,精液往往流失。采精由 2 人操作,一人保定公鸭于采精台上,用右手固定鸭翅膀基部的胸段,使公鸭呈蹲伏姿势,后腹悬于采精台后面,同时左手持集精杯。采精人员用一块灭菌的棉球沾生理盐水清洗肛门,清洗时由中央向外周擦洗,然后开始按摩采精。采精人员左手掌心向下,拇指和其他 4 指自然分开并稍弯曲,手指和掌面紧贴公鸭的背部,从翅膀的基部(睾丸部位)向尾部方向有顺序、有规律地进行按摩。性反射快的公鸭,按摩 6 或 7 次就可以射精。同时用右手有节奏地按摩腹部后面的柔软部,并逐渐按摩和挤压泄殖腔环,待阴茎在泄殖腔内有充分勃起时,手可感到泄殖腔内有一如核桃大小的硬块,同时阴茎基部的大小淋巴体开始外露于肛门外,此时固定公鸭的助手应迅速将手中的集精杯靠近泄殖腔,采精者右手固定阴茎基部的下面,用左手挤压泄殖腔的上方部位,阴茎遂外翻伸入到集精杯内,精液沿着闭合的螺旋精沟,射到集精杯内。

另外,也可以用电刺激采精法,即应用一种电刺激采精器采精。在对公鸭进行电刺激时,先保定公鸭,将电刺激采精器的一个正电极(导线末端上的尖针)刺入荐椎部下皮层,另一负极(短轴杆)插入直肠内约 4 cm。通常用 20 V 的电压和40～50 mA的电流就可以了。刺激要重复 3～5 次,每次时间 2～3 s,间隔 5 s。此法较繁琐,亦不安全,不适于生产。

(三)精子的检查

对人工采得的精子,在给母鸭输精前要进行必要的检查,如活力检查、密度检查等。

1. 活力检查　所谓精子的活力是指精液中作直线前进运动的精子多少。精子的活力对蛋的受精率的关系,比输精量和精子浓度更为重要。只有活力大的精子,才有能力通过长而曲折的母鸭输卵管,到达漏斗部与卵子结合。浓度大而精子活力差的精液,不能用来输精,死精多的精液更不能用来人工输精。只要精子活力高,所输精液的精子浓度略低些也不会影响受精率。

精子活力的检查,一般于采精后 20～30 min 进行。检查时取同量精液及生理盐水各一滴,置于载玻片一端,混匀,放上盖玻片。精液以布满载玻片、盖玻片的空隙,而又不溢出为宜。在 37 ℃条件下,用 200～400 倍显微镜检查,精子呈直线前进运动的有受精能力;精子进行圆周运动或摆动则无受精能力。活力高、密度大的精液,在显微镜下可见精子呈旋涡翻滚状态。

2. 密度检查　一般常把精液浓度分为浓、中、稀 3 种。把精液放在显微镜下观察就会发现,浓稠的精液中精子数量很多,密密麻麻几乎没有空间,精子运动互相阻碍。稀薄的精液中,精子数目少,直线运动的精子很明显,精子与精子之间的距离很大。视野中精子数目及精子之间距离介于浓与稀之间的浓度中等的精液。公鸭每次射精量为0.1～0.7 mL,含精子0.28亿～1.8亿个。

检查精液密度,可用细胞计数法进行估测。估测时,先用红细胞吸管吸取精液至0.5处,再吸入3%氯化钠溶液至101处,即为稀释200倍,摇匀,排出试管前的3滴,然后将吸管尖端放在计数板与盖玻片的边缘,让精液流入计算室内。在显微镜下计数5个方格的精子总数,这5个方格应选位于一条对角线上,或4个角各取一方格再加中央一方格。计算时只数精子头部3/4或全部在方格中的精子。最后按下例公式算出每毫升精液的精子数。

1 mL 精液的精子 $=\dfrac{5\text{个方格的精子总数}}{80(\text{小方格})}\times 400$(计算室有400个小方格,面积为1 mm^2)×10(计算室高度为0.1 mm)×1 000(1 mL 等于1 000 mm^3)×200(稀释倍数),或 $C=\dfrac{n}{100}$。

C为每毫升含有10亿个精子;n为5个方格的精子数。则5个方格中共计3 000个精子。

$$C=\frac{300}{100}=3(10\text{亿}/\text{mL})$$

即每毫升精液精子数为30亿个。

(四)精液的稀释与保存

鸭的精液量少,密度比较大,公鸭一次采精的量只能给少数几只母鸭输精,若稀释便可以提高输精只数,更有效地利用公鸭。另外,精液稀释还可以延长精子寿命,便于人工授精的操作与管理。

精液稀释的种类很多,近年来中国农业科学院畜牧研究所研制成适合国情的 BJJX 液,效果接近美国 BPSE 液,优于英国和前苏联的最好配方,而且配方简单,原料国内各地均有销售,价格低廉,易于推广使用,将精液与此液按 1∶2 稀释,精子的存活力和受精率都较高(表 3-1)。

表 3-1　常用家禽精液稀释液的成分

成　分	Lake 液	pH7.1 的 Lake 缓冲液	pH6.8 的 Lake 缓冲液	BPSE 液	Brow 液	BJJX 液
葡萄糖		0.60	0.60		0.500 0	1.4
果糖	1.00			0.50		
棉子糖					3.864 4	
肌醇					0.220 0	
谷氨酸钠 (H_2O)	1.920	1.520	1.320	0.867	0.2 340	
氯化镁 ($6H_2O$)	0.068			0.034	0.013 0	
醋酸镁 ($4H_2O$)		0.080	0.080			
醋酸钠 ($3H_2O$)	0.857			0.430		
柠檬酸钾		0.128 0	0.128	0.128	0.064	
柠檬酸钠 ($2H_2O$)					0.231 0	1.4
柠檬酸					0.039 0	
氯化钙					0.010 0	
磷酸二氢钾				0.065		0.36
磷酸氢二钾 ($3H_2O$)				1.270		
1 mol/L NaOH		5.8 mL	9.0 mL			

续表 3-1

成　分	Lake 液	pH7.1 的 Lake 缓冲液	pH6.8 的 Lake 缓冲液	BPSE 液	Brow 液	BJJX 液
BES		3.050				
MES			2.440			
TES				0.195	2.235 0	

注:(1)表中所列成分的单位除标明毫升(mL)者外,其余均为克(g),其数值均为加蒸馏水配制成 100 mL 稀释液之用量。

(2)BES,即 N.N=(2-羟乙基)-2-氨基乙烷磺酸;MES,即 2-(N-吗啉)乙烷磺酸;TES,即 N-三(羟甲基)甲基-2-氨基乙烷磺酸。

(3)每毫升稀释液加青霉素 1 000 IU,链霉素 1 000 μg。

精液稀释应在采精后尽快进行,一般不超过 20 min。对量小、密度低、精子活力差的精液不要稀释。稀释时使用的器具和稀释液均应与当时的精液温度相等或接近。稀释精液时要防止温度急剧下降和反复波动。混合和转移精液时须缓慢进行,防止起泡。

精液稀释后可放在 2～5 ℃条件下短期保存,使精子处于休眠状态,降低代谢率,从而保存精子活力和受精能力。但要注意保持稀释后精液的温度逐渐降低,可将稀释的精液先置于 30 ℃的温水中,再放入调至 2～5 ℃的电冰箱中,如无电冰箱可将装有稀释精液的试管,先包以1 cm 厚的棉花,再放入塑料袋或烧杯内,最后一起直接放入装有冰块的广口保温瓶中。

(五)输精

鸭的产蛋时间较一致,除个别者外,大多在夜里产蛋,因此母鸭的输精时间应以早晨为宜。输精前的精液需要检查精液品质,输精器也需要事先消毒。

输精时可采用“直接插入阴道输精法”,助手将母鸭固定在输精台上,输精者左手的4指(除拇指)并拢将鸭的尾部拨向上方,拇指紧靠着泄殖腔的下缘,轻轻地向下方压迫,使泄殖腔张开,右手持事先吸好精液的输精器插入泄殖腔口后,向左下方插进,输精器自然插入输卵管内5~7 cm,此时左手拇指放松,稳住输精器,由右手输入所需要的精液量,然后抽出输精器。在每只鸭输精结束后,要用酒精将输精器的玻璃管揩抹干净,再用干棉花擦干,然后才能再给第2只鸭输精。

(六)影响公鸭排精和精液质量的因素

鸭的精液颜色比鸡的淡。一般公鸭每次排精量为0.1~0.7 mL。影响公鸭排精量和精液质量的因素主要有品种、年龄和饲养管理条件等几个方面。

1. 品种的影响　轻型品种鸭的排精量比重型品种的高。轻型品种鸭的配偶比例较大,公母比例一般可达1∶20;一般麻鸭的公母比例可达1∶(5~6);樱桃谷鸭或狄高鸭的父母代种鸭的比例约在1∶5。

2. 年龄的影响　年龄对鸭的精液量和品质都有一定的影响,据报道,第2年的公鸭无论采精量、精子密度和活力等指标都次于第1年的公鸭。如北京公鸭不同年龄时精液量和品质的比较,采精量(mL)、每毫克精液内精子数(亿)、活力等级和pH值在1龄时分别为0.38±0.14,34.98±11.19,7和6.8;在2龄时分别为0.34±0.16,23.88±4.55,6和6.8。

3. 饲养管理的影响　公鸭的饲养管理情况对其排精量和精液质量有很大影响。采用人工授精的,公鸭最好小群饲养,以免公鸭互相追逐,甚至啄伤。在大群饲养的公鸭中,常可发现体弱的公鸭被强壮凶猛的公鸭追逐到栏舍的一隅,因而吃不上料,饮不到水,对其精子产生不良的影响。

此外，要注意的是在采精前不宜将公鸭赶进水中，因为它们在戏水时容易自然交配，交配后的公鸭再进行采精时，或采不到，或精液过度稀薄。

在平时的饲养管理中，鸭舍内不要有嘈杂的轰鸣声、叫喊声，要避免用粗暴的态度对待公鸭。此外，公鸭除喂给种鸭日粮外，还需要补充些新鲜的动物性蛋白质饲料，如蚯蚓、鱼的下脚料等。在冬春季节采精时，有条件的最好给公鸭补充人工光照，使每日光照时间达到 14 h。为了使公鸭的精力得到恢复，以隔日采 1 次精为宜，这样可以增加公鸭的一次排精量和改善精液的品质。为了防止粪便污染精液，在采精前 4 h 要停止喂料、喂水。在采精的时候，集精杯不要太靠近泄殖腔。一般公鸭采精在上午最为适宜，因为这时不但经过一夜的休息，性欲较为旺盛，而且经过一夜的肠道排空，采精时粪便较少，不容易污染精液。

第四章　肉鸭蛋的孵化技术

鸭蛋的孵化是养鸭的第一步，从种蛋发育成雏鸭这一过程称为孵化。

用母鸭抱蛋，孵出雏鸭的方法是天然孵化；模仿母鸭抱孵的原理，人为地满足肉鸭胚胎发育所必需的孵化条件，孵出幼鸭的方法叫人工孵化。现在人工养殖下的大部分家鸭已经失去了就巢性，不能孵化自己产下的蛋，只有瘤头鸭还有就巢性，天然孵化无法满足大规模生产的需要。因此，人工孵化，特别是机械化和自动化的大型孵化机孵化，已被普通应用，同时在我国农村养鸭业中传统的桶孵化法、火炕孵化法、平箱孵化法仍为被广泛采用的孵化方法。

第一节　种蛋的准备

一、种蛋的选择

种蛋的选择一般按下列条件进行。

(一)遗传素质

这是首要条件，但又是内在因素，外观不易判断。因此，必须从合格的种鸭场引进种蛋。首先，种蛋必须是健康无病的，生产性能是优秀的，这就是遗传素质要好。其次，种鸭的饲养管理正常，日粮的营养物质全面，必需的营养素不能缺乏，以保证胚胎发育时期的需求。

(二)新鲜程度

种蛋保存时间越短,胚胎生活力越强,孵化率越高。新鲜的种蛋,蛋内营养物质变化小、损失少,各种病原微生物侵入也少,胚胎生活力强,孵化率高,雏鸭出壳整齐,健壮活泼,成活率也高。一般种蛋7天后入孵,孵化率明显降低。要求种蛋春秋季保存期不要超过5天,夏季不要超过3天。凡蛋壳发亮、壳上有斑点、气室大的多是陈蛋,不宜用于孵化。

(三)大小和形状

种蛋选择的大小和形状因品种而异。一般为该品种的平均水平稍高一点,都可以作为正常标准。如樱桃谷鸭,平均蛋重85 g左右,选种蛋时,85 g以上的蛋都可入选,过大或过小的蛋应剔除。形状应为正常的椭圆形蛋,以蛋形指数(纵径/横径)表示,鸭蛋应在1.35~1.4范围内,超过这个范围,过长或过圆的畸形蛋均要剔除。大小一致、形状正常的种蛋,可使孵化率提高,孵出的雏鸭健壮活泼、均匀度高,利于饲养管理,成活率也较高。

(四)壳色符合品种要求

鸭蛋的蛋壳有青、白两种。如标准的金定鸭蛋应该是青壳蛋,北京鸭蛋是白壳蛋(乳白色),番鸭蛋呈玉白色。有的品种白壳和青壳都有,在引入该品种某一品系时,要先了解该系的标准壳色,以免混杂。

(五)蛋壳质量

任何品种的鸭蛋,其蛋壳必须厚薄适当,致密均匀,表面平整,没有裂纹,敲时响声正常。有的蛋壳特别细密厚实,敲时发出似金属的响声,俗称"钢皮蛋",应剔除。这种蛋孵化时受热缓慢,气体不易交换,水分蒸发也慢,雏鸭啄壳困难,孵化率极低。沙壳蛋表面钙的沉积不均匀,壳薄而粗糙,容易破损,水分极易蒸发,这种蛋绝不可做种蛋。

(六)蛋壳清洁无污染

这一条对鸭蛋尤其重要。因为鸭夜间产蛋,有的无固定蛋箱,蛋壳极易受到粪便等污染。受污染的种蛋,妨碍气体交换,微生物极易侵入蛋内,引起种蛋腐败变质,污染孵化器,使死胎增加,降低孵化率。已经污染的种蛋,必须经过清洗和消毒才能孵化。

据上述 6 条,采用看、摸、听、嗅的方法进行种蛋选择。先看蛋壳结构、颜色和形状是否正常,大小是否标准,蛋表面是否清洁,再摸蛋壳表面是否粗糙,手感蛋的轻重,然后将蛋互相轻轻碰敲,听是否有破裂或金属声,最后用鼻子闻一下,是否有异臭。还可借助仪器——照蛋仪、验蛋台,通过光线观察蛋壳、蛋黄、气室等情况。一定要将裂纹蛋、钢壳蛋、沙壳蛋、散黄蛋、双黄蛋、血斑或肉斑蛋,气室大的陈蛋、气室不正常的腰室和尖室蛋检查出来加以剔除。

二、种蛋的保存

收集起来的种蛋,往往不能及时入孵,要经过一段时间的保存。如果保存不当,种蛋品质下降,会直接影响孵化率。

(一)保存温度

肉鸭胚胎发育的临界温度是 23.9 ℃,蛋白的冰点为 0.5 ℃,因此,种蛋保存的温度不能高于 23 ℃或低于 0 ℃。高于 23 ℃,胚胎开始缓慢发育,但由于环境温度不太理想,会导致胚胎衰老和死亡;如低于 0 ℃,种蛋会受冻而失去孵化能力。保存种蛋的最适宜温度为 10～15 ℃。如保存时间短(5 天左右),可用 15 ℃温度;保存时间长(超过 5 天),温度要略降低些,以 10～11 ℃为宜。

不论采用何种温度，保存时间越长，孵化率越低，故最好采用新鲜蛋入孵。如有特殊情况，不能及时入孵，需保存较长时间，可采用塑料包装法。用聚乙烯薄膜（国家标准10354-63）作包装材料，厚度(5±1.5) μm，透气性强，袋内气体环境由二氧化碳自然聚焦和氧气的消耗组成，再加上种蛋横放，效果较好（表4-1）。也可以将种蛋放入塑料袋中，填充氮气，然后密封，使种蛋处于隔绝的环境里，减少蛋内水分蒸发，抑制细菌繁殖，保存期可适当延长。

表4-1　存放条件和存放位置对孵化蛋的影响

项　目	在普通生产条件下			在塑料袋中		
	平放	尖端向上	尖端向下	平放	尖端向上	尖端向下
蛋重损失(%)	1.66	2.55	1.89	0.73	1.25	0.98
哈氏单位	80	75	77	80	76	78
蛋白高度(mm)	7.2	6.6	6.8	7.3	6.8	6.9
出雏率(%)	80.27	72.2	63.4	82.0	73.0	76.6

（二）保存湿度

保存种蛋的环境湿度，对孵化率有一定的影响。较理想的相对湿度以70%～75%为好，这种湿度与鸭蛋的含水率比较接近，蛋内水分不会大量蒸发。过高，容易使种蛋发霉；过低，保存期中，水分过度向外蒸发，气室增大，蛋失重过多，也会影响孵化率。

（三）保存用具

种蛋最好放在侧壁带有缝隙的蛋箱里，切不可密闭堆放在柜子里。

此外，在保存期内，还要定期翻蛋，每日至少翻1次，使蛋位转动90°以上，以防蛋壳与蛋黄粘连（俗称“钉壳”），保存时间较长时，这一点尤其重要。

三、种蛋的消毒

刚产出的蛋蛋壳上的细菌有100～300个，15 min后，细菌数量会增加到500～600个，1 h就可达到4 000～5 000个，而且蛋壳表面的某些细菌会通过气孔侵入蛋内，因此在保存前，种蛋一定要消毒。消毒方法常用的有3种。

（一）熏蒸法

将蛋置于可以密闭的容器内，按每立方米体积用福尔马林30 mL（浓度为40％）、高锰酸钾15 g的药量，消毒时在蛋架的下方置一瓷碗，先放入高锰酸钾，然后再倒入福尔马林，迅速关好门，密闭熏蒸20～30 min，然后取出种蛋送贮蛋室储存。熏蒸时，室温最好控制在24～27 ℃，相对湿度75％～80％，消毒效果最理想。蛋的表面沾有粪便或泥土时，必须先清洗，否则影响消毒效果。

（二）喷雾法

用二氧化碳（80％），或用5％新洁尔灭溶液，加水50倍稀释配成0.1％溶液，用喷雾器喷洒于种蛋表面。

（三）浸泡法

可在0.1％新洁尔灭溶液中浸泡5 min，或在0.5％高锰酸钾溶液中浸泡1 min，或在0.1％碘溶液中浸泡30～60 s，取出沥干水分，装盘存放。浸泡溶液的温度要略高于蛋温，这一点在夏季尤其重要。如果消毒液的温度低于蛋温，当种蛋浸入时由于受冷而使内容物收缩，形成负压，会使黏附在蛋壳表面的微生物通过气孔进入蛋内，影响孵化效果。

第二节 鸭蛋的形成和构造

一、蛋的形成

蛋在胚胎学中通称卵，它是在母鸭的生殖器官内形成的。母鸭的生殖器官由卵巢和输卵管两大部分组成(图 4-1)。

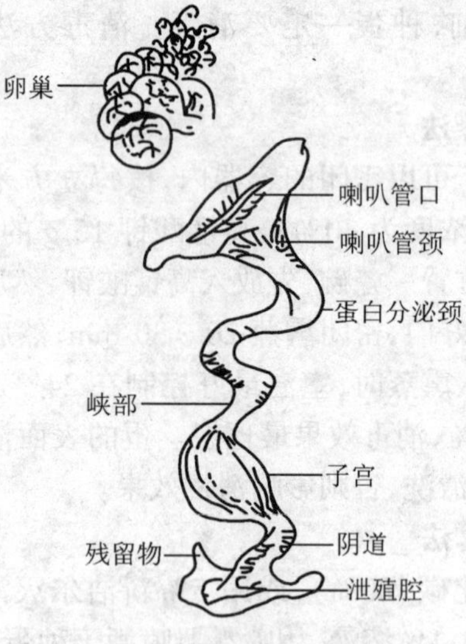

图 4-1 母鸭生殖器官

卵巢是产生卵子的器官。母鸭的输卵管分为漏斗部、膨大部、峡部、子宫部和阴道部 5 部分。漏斗部是输卵管的最前端，具有很大的自由活动性，可使脱离卵巢的卵子被接纳入输卵管内。漏斗部管状区与膨大部相接处有分枝的管状腺，形成“精子窝”，公鸭的精子在此等待与卵子受精。膨大部分也称蛋白分泌部，卵子在通过这里时被包上卵白(蛋白)，峡部又称管腰部，此处功能是形成内外壳膜，把已包上蛋白的卵黄包围起来。子宫部又称蛋壳分泌部,已包上蛋白、内外壳膜的卵黄在此形成硬壳。阴道部是输卵管末端狭窄的肌肉管道,开口于泄殖腔背壁的左侧,卵黄通过输卵管到达此部时,已形成一个完整的蛋,只待产出体外。

公母鸭交配后,精子向输卵管上部游动。精子在输卵管上部能存活 2~3 周,所以一次交配能维持 15 天的受精可能性。但精子存活时间越长,其生活力越弱。当卵子成熟掉入输卵管时,可能有 5~24 个精子同时穿过卵细胞的卵膜进入卵子内。而进入卵内的精子,只有 1 个精子能够形成雄原核,与雌原核结合成受精卵,同时开始早期的发育。受精卵的分化与分层,便形成了内胚层和外胚层。此时,已发育至原肠胚的早期,蛋也全部形成而产出体外。蛋被产出体外后由于温度下降,胚胎发育停止。这种蛋就是受精蛋。

二、蛋 的 构 造

蛋是由蛋壳、壳膜、气室、蛋白、蛋黄、系带、胚珠(或胚盘)7 部分组成的(图 4-2)。

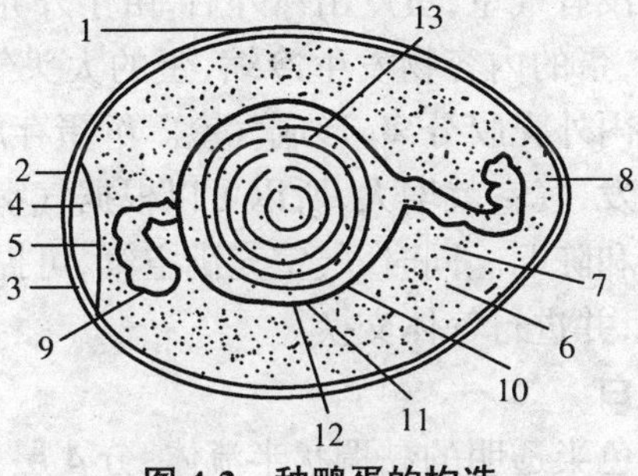

图 4-2 种鸭蛋的构造

1. 油质层; 2. 蛋壳; 3. 蛋壳膜; 4. 气室; 5. 蛋白膜;
6. 稀蛋白; 7. 浓蛋白; 8、9. 系带; 10. 蛋黄膜;
11. 黄蛋黄层; 12. 淡蛋黄层; 13. 胚盘

(一)蛋壳

蛋最外面的硬壳,保护内容物。不同禽蛋的蛋壳厚度不同。鸭蛋一般在0.32~0.44 mm,小头(又称锐端)比大头(又称钝端)稍厚。据测定,番鸭蛋壳厚达(9.031±0.44) mm。鸭蛋壳重为全重的13%~14%,主要由碳酸钙组成,孵化过程中可供给胚胎钙的需要。

蛋壳上密布4~10 μm的孔隙,叫气孔。每枚蛋约有8 000个气孔,蛋的钝端气孔最多,胚胎发育过程中通过气孔进行气体交换和水分代谢。蛋壳还有透视性,用强光照射可观察蛋的内部变化,便于检查蛋的品质和观察胚胎的生长发育。

(二)壳膜

壳膜分内外两层,内层包围蛋白,叫蛋白膜或内壳膜;外层紧贴蛋壳,叫外壳膜或蛋壳膜。两层壳膜上均有气孔,并且具有保护内容物的作用。

(三)气室

鸭蛋大头(钝端)在内外蛋壳膜之间有一空间,叫气室。蛋在鸭体内没有气室,蛋产出体外后,由于外界温度比鸭体温度低得多,蛋的内容物发生冷缩,蛋的大头气孔多,空气进入此处使内外壳膜分离,形成气室。鲜蛋存放久了,水分不断向外蒸发,气室就增大,所以可以根据气室的大小来判别蛋的新鲜和陈旧。同时,气室充满空气,可提供胚胎发育所需的氧气,并进行气体交换。

(四)蛋白

一种白色半透明的黏稠状半流体,分4层,由内向外依次为内浓蛋白层(包括系带、占整个蛋白的2.7%)、内稀蛋白层(占17.3%)、外浓蛋白层(占57.0%)、外稀蛋白层(23.0%)。存放时间太久,浓蛋白逐渐变稀,稀蛋白随之增多，所以蛋白的稀稠也可作为判别蛋陈旧与否的依据。蛋白占蛋全重的50%左右，据测定，四川麻鸭蛋白占蛋全重的49%，番鸭蛋白占蛋全重的47.2%。

(五)蛋黄

蛋黄为一种不透明的黄色半流体物质，外被卵黄膜。把煮熟的蛋黄切开，可见蛋黄是由黄卵黄层和白卵黄层交替成同心圆的环状排列组成的。深浅卵黄层的形成是由于肉鸭昼夜代谢率不同所致。日粮中叶黄素或类胡萝卜素含量越多，放牧肉鸭深浅卵黄层越明显。母鸭在连续生产中生的蛋，一般深浅卵黄层为6层。产蛋量较小时，卵黄的层次会增加。蛋黄占全重的36%～37%。

在蛋黄上，卵黄膜的下方有一小白圆点，称为胚盘(珠)，卵子受精后，在输卵管里的形成过程中，受精卵经多次分裂，形成中央透明、周围较暗的盘状囊胚，叫做胚盘。胚盘由片状细胞组成，经孵化发育成为胚胎。蛋黄作用就是供应胚胎营养。出雏后残余蛋黄留在腹腔内，供雏鸭早期营养之用。

(六)系带

系带是由内浓蛋白在输卵管形成过程中，蛋黄旋转前进，前后两端扭曲形成的。系带位于蛋黄两端的纽带状物，起着固定蛋黄位置的作用，使蛋黄位置始终保持在蛋的中央，不与壳膜相接触。这对防止孵化过程中早期胚胎与壳膜粘连，保证胚胎的正常发育有着十分重要的意义。

三、畸形蛋的类型及形成的原因

(一)双黄蛋和三黄蛋

一枚蛋中有2或3个以上的蛋黄。原因是2或2个以上的卵子同时成熟或成熟时间过近，排卵后于输卵管内相遇，被蛋白包围在一起。这种现象在新母鸭中易发生，因为新母鸭生活力旺盛或是母鸭未达到完全性成熟，不能正常排卵所致。

（二）小蛋

一般没有蛋黄，是由输卵管黏膜上皮脱落刺激输卵管分泌蛋白和蛋壳所致。少数小蛋也有蛋黄，是由于卵子碎块进入输卵管，刺激卵管分泌而成的。

（三）蛋中蛋

当蛋已在子宫形成硬壳后，由于受惊吓或生理反常现象，输卵管发生逆蠕动，将蛋推至输卵管上部，当恢复正常后，蛋又沿输卵管下行，刺激输卵管分泌蛋白和蛋壳，将已形成的蛋包围，形成蛋中蛋。

（四）血斑、肉斑蛋

血斑蛋是排卵时血管破裂、血流入蛋中（多数发现血斑在卵黄上）形成的，也有的是遗传性的。此外，饲料中缺乏维生素 K 时，也会出现血斑蛋。

肉斑蛋是当卵子进入输卵管时，一些输卵管的黏膜上皮组织脱落，一起被蛋白包被所致。一些青年母鸭会有这种现象，但不多，高产期很少发生，低产期比较常见，这主要是生殖机能控制差的缘故。

鸭蛋中血斑、肉斑蛋比率低，但至今无法消灭。当发现时可试在饲料中增添维生素 K，看能否解决问题。在国内外采用强光源的灯光透视，发现蛋中有红黑色斑点（血斑蛋）或较透明白斑点（肉斑蛋）应捡出，不宜采用。用选择淘汰产血斑蛋母鸭的方法，以减少产血斑蛋的机会，是很有效的。

（五）其他畸形蛋

由于输卵管的生理反常，产生过长、过圆、两头尖、扁形或壳上带皱纹的蛋，有时还可发现个别双壳蛋。除此，疾病亦被认为是其中原因之一。

(六)产薄壳或软壳蛋的原因

正常鸭蛋壳厚度一般不少于 0.33 mm,厚度小于 0.27 mm即被视为薄壳蛋。产生薄壳蛋或软壳蛋的原因主要在于饲养管理不善,主要包括:

(1)长期高产,饲料中钙质补充不够。

(2)环境温度过高。

(3)鸭群密度过大,鸭舍过于拥挤,活动减少。

(4)疾病,如患支气管炎、鸭瘟,影响钙质吸收,疾病初期不仅蛋壳变薄,而且蛋形不正常。注射疫苗后,也容易产生软壳蛋。

(5)缺乏营养,饲料中缺钙、磷、维生素 D。

(6)用药不当。

(7)如发现种鸭所产蛋中,薄壳蛋占 1/3 时,则可能是遗传性的。

第三节　肉鸭的胚胎发育

一、孵　化　期

在适宜条件下,从鸭蛋入孵到雏鸭孵出所需的时间,算作鸭的孵化期,由于不同禽种的遗传性不同,孵化期也各异。同一禽种,蛋用型的比肉用型孵化期短;小蛋和薄壳蛋比大蛋和厚壳蛋孵化期稍短;如种蛋保存时间过长则孵化期也延长。在鸭中,普通家鸭孵化期是 28 天,半番鸭 30 天,瘤头鸭 35 天。此外,在孵化过程中,孵化温度偏高时孵化期缩短,温度低孵化期延长。孵化期缩短与延长均不是正常的生理现象,会使孵化率降低,弱雏和畸形雏数目增加。

二、肉鸭的胚胎发育

肉鸭的胚胎发育经过两个阶段，即蛋形成过程中的胚胎发育和孵化期中的胚胎发育，第一阶段发育在蛋的形成中已有述及，种蛋产出后，给予适宜的条件，胚胎会从休眠状态中苏醒过来，并继续发育成雏鸭。现以麻鸭为代表简述家鸭的胚胎发育情况。

第1天，胚胎以渗透方式进行原始代谢，原线、脊索突和血管区等器官原基出现。胚盘暗区显著扩大。原线发生时，胚盘的直径达到 2.4～2.6 mm，明区是 1.2～1.6 mm，暗区环宽 0.5～0.6 mm。照蛋时，见胚盘呈微明亮的圆点状，俗称“白光珠”。

第2天，胚盘增大，脊索突扩展，形成5个脑泡，脑神经出现，脑部和脊索开始形成神经管。眼泡向外突出，心脏形成并开始搏动，卵黄血液循环开始，鸭的胚胎直径达 2.5～2.7 mm，血管区长度为 4.5～7 mm。照蛋时可见圆点较前一天为大，俗称“鱼眼珠”。

第3天，血管区变为圆形，头部明显向左侧方向弯曲，与身体垂直，羊膜发展到卵黄动脉的位置，具有眼杯泡状水晶体，有3对鳃裂出现，尾芽形成，胚胎直径为 5.0～6.0 mm，血管区的横径为 20～22 mm。照蛋时可见鸭胚血管区似樱桃状，俗称“樱桃珠”。

第4天，前脑泡向侧面突出，开始形成大脑半球。胚体呈更大弯曲，喙、四肢、内脏和尿囊原基出现。卵黄由于蛋白水分的渗入，明显扩大，羊膜腔形成。胚胎直径 5.0～6.5 mm。血管区为 22～28 mm。照蛋时，可见胚胎和卵黄囊血管分叉似蚊子，俗称“蚊虫珠”。

第5天，胚胎头部明显增大，并与卵黄分离，前脑开始分成两个半球，第5对三叉神经发达。口开始形成，额突生长，眼有明显的色素沉着。卵黄囊血管贴靠蛋壳，容易通过蛋壳的气孔进行代谢，从而有热能产生。尿囊迅速增大形成一个有柄的囊状，其直径达5.5～6 mm，血管区为30～38 mm。照蛋时将转动，卵黄不易跟着转，俗称“钉壳”、“落盘”，卵黄囊血管形似一只小蜘蛛，又称“小蜘蛛”。

第6天，胚胎极度弯曲，中脑迅速发育，出现脑沟、视叶，眼睛明显沉着色素，眼皮原基形成，口腔部分形成，额突增大，四肢开始发育，性腺原基出现，各器官都已初具特征，羊水继续增长，胚胎自由地位于羊膜囊内。尿囊迅速生长，覆盖胚体后部，尿囊血液循环开始。胚胎长6～6.5 mm，血管区直径为35～45 mm，尿囊直径达6.5～8 mm。照蛋时，可见黑色的眼点，俗称“起珠”、“单珠”。

第7天，胚胎鳃裂愈合，喙原基增大，肢芽分成各部。胚胎开始活动。尿囊体积增大，直径达12～17 mm，并且完全覆盖胚胎，由喙的前端到尾端胚胎长度为27～34 mm。照蛋时，可见到头部和弯曲增大的躯干部分，俗称“双珠”。

第8天，喙原基已具一定形状，外听道和口部已完全形成，颈伸长，翅和脚明显分成几部，趾原基出现。雌雄性腺已可区分，卵黄增大至最高水平，蛋白重量下降，尿囊体积急剧增大，直径22～25 mm。胚胎由喙的前端至尾端长度为30～40 mm。照蛋时，可见半个蛋面布满血管，胚胎沉在羊水中不易看清楚，俗称“八沉”。

第9天，舌原基形成，腺胃有明显的组织学变化，肝具有叶状特征，肺已有发育好的支气管系统。尾部有一列，背部有几列原基绒出现。后肢出现蹼。尿囊继续增大，胚胎重0.69～1.28 g。照蛋时，在正面较易看到的羊水中浮游的胚胎，俗称“九浮”。在背面，将蛋转动时两边的卵黄不易晃动，俗称“边口发硬”。

第 10 天，除头、额、翼部外，全部覆盖绒羽原基。腹腔愈合，软骨开始骨化。眼睑已全部覆盖巩膜乳头。尿囊迅速向小端伸展，胚胎体重 1.0～1.7 g。照蛋时，背面两边卵黄容易晃动，俗称“晃得动”。

第 11 天，眼裂呈椭圆形，眼睑变小，达到巩膜。绒羽原基扩展到头部(脸侧无)、颈部及翅部。脚趾出现爪。胚长 45～54 mm，重 1.4～2.2 g。照蛋时，在背面可见到尿囊血管迅速伸展出卵黄，俗称“发边”。

第 12 天，喙具有鸭喙的形状，开始角质化，眼睑已达到瞳孔，但在狭窄的眼裂部尚未闭合，胚胎背部开始覆盖绒羽。胚胎仍自由浮动于水中，尿囊达到最大程度，并开始在蛋的小头结合，蛋白明显浓缩，数量减少。胚胎体重 1.9～3.3 g。照蛋时，在背面可见到尿囊血管接近合拢，但还没有完全接合。

第 13 天，胚胎头部偏向气室，胚体长轴由垂直蛋的横轴变成倾斜。尿囊完全闭合，包围胚体全部。眼裂缩小，爪角质化，脚上出现鳞片原基。胚重 2.7～3.8 g。照蛋时，尿囊血管在小端合拢，整个蛋气室外都有血管，俗称“合拢”(图 4-3)。

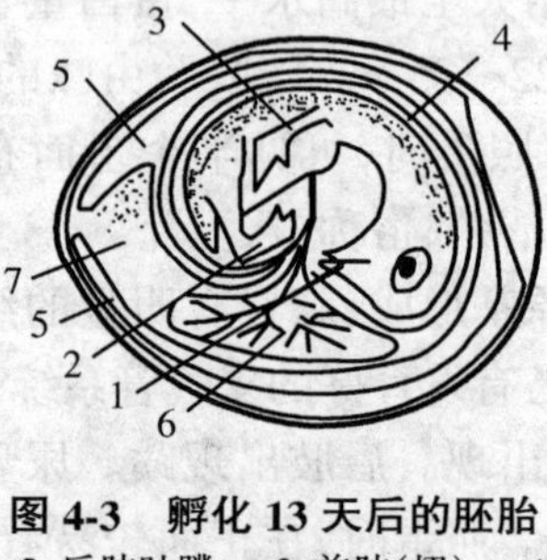

图 4-3　孵化 13 天后的胚胎

1. 喙；　2. 后肢趾蹼；　3. 前肢(翅)；　4. 羊膜；
5. 尿囊；　6. 卵黄囊；　7. 卵白

第 14 天，眼裂进一步缩小，下眼睑把瞳孔的下半部遮住。肢的鳞原基继续发育，布满蹠部、趾部。身体腹侧绒羽开始发育，全身除颈部以外皆覆以绒羽。胚胎体重 3.5～5.5 g。

第 15 天，胚胎完成 90°的转动，身体长轴和蛋的长轴相一致。眼睑继续发育生长，眼裂缩小，下眼睑向上举达到瞳孔中部。绒羽已经达到胚体全部，并继续增长。胚重 5～8 g。照蛋时，背面可见尿囊血管加粗，颜色加深。

第 16 天，胚胎头部弯曲达到两足之间，眼裂的边缘缩窄，仅瞳孔的上部未覆盖，肢的鳞片明显。蛋白的尖端由一管道输入羊膜囊内。胚重 6.6～12 g。照蛋时，见尿囊血管继续加粗，血管颜色继续加深，左右两边卵黄小头连接。

第 17 天，头部向下弯曲，位于两足之间，两足也急剧弯曲，眼裂继续减少，发育鳞片在足部增长。开始大量吞食蛋白，蛋白急剧减少，胚胎生长迅速骨化作用加强。胚重 10～15 g。照蛋时，在背面可见到大头黑影部分增大，小头透亮部分相应缩小。

第 18 天，胚胎头部移于右翼之下，足部鳞片继续发育，蹠及趾部被鳞片覆盖，蛋内水分大量蒸发，气室逐渐增大。胚重 15.4～18 g。照蛋时可见大头黑影继续增大，小头透亮区继续缩小。

第 19 天，胚胎头位于右翼之下，足急剧弯曲，眼睛全部合上。未利用的蛋白量继续减少，变得浓稠。胚重 19.1～22.2 g。照蛋时，可见背部大端黑影进一步扩大，小端透亮部分进一步缩小。

第 20 天，胚胎已接近利用完蛋白，开始利用卵黄营养物质。胚重 22.7～25.4 g。照蛋时，背面大头黑影部分接近小头，小头透亮区差不多消失(图 4-4)。

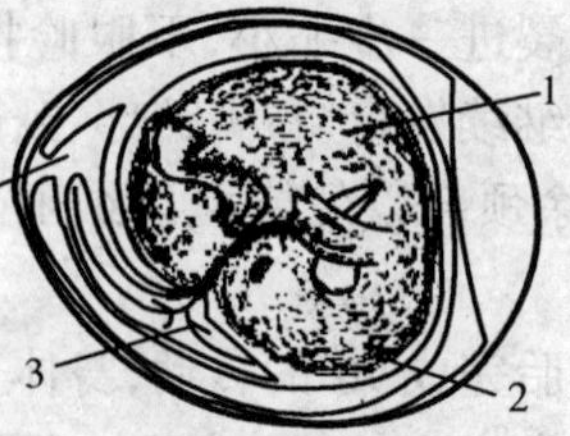

图 4-4 孵化 19 天后的胚胎

1. 羊膜； 2. 尿囊； 3. 卵黄囊； 4. 浓缩的蛋白

第 21 天，蛋白利用完全结束。羊膜和尿囊中液体减少。尿囊与蛋壳易于剥离。胚重 25.4～28.7 g。照蛋时，背面全被黑影遮盖，看不到透亮的部分，俗称“关门”。

第 22 天，胚胎转身，气室显著增大，喙开始朝向气室一端。全身已无蛋白粘连，绒毛清楚，少量卵黄进入腹中。胚重 28.4～32 g。照蛋时，可见气室向一方倾斜，俗称“斜口”、“转身”。

第 23 天，胚胎继续“转身”，喙朝向气室端，卵黄利用显著增加。胚重为 28.4～23.6 g。照蛋时，可见到气室倾斜增大。

第 24 天，胚胎强烈地利用卵黄，卵黄囊开始被拉入体内，容物浓缩。胚胎眼睛开启，翅和脚致密。胚重约 35.9 g。照蛋时可在气室附近看到黑影闪动，俗称“闪毛”。

第 25 天，胚胎大转身，喙、颈和翅部穿破内壳膜突入气室。卵黄囊大部分被吸入腹内，胚胎体积明显增大，胚重 35.9 g。照蛋时见气室内黑影明显闪动，俗称“大闪毛”。

第 26 天，卵黄囊全部拉入腹内，胚胎体积急剧增大，尿囊血管枯萎，胚膜完全退化，胚胎的喙穿破外壳膜，开始啄壳，肺呼吸开始，容易听到叫声。胚重 37 g。验蛋时可见蛋壳上被啄开裂口,俗称“见嘴”。

第 27 天,绝大多数胚胎“见双嘴”、俗称“双嘴”、“齐嘴”,发育快的雏鸭破壳而出,胚重 37.9～39 g。

第 28 天,出壳高峰日。出壳体重为一般蛋重的 65%左右。胚胎腹中存有少量卵黄。

第四节　种蛋的孵化技术

一、现代孵化技术——电机孵化法

随着养鸭的规模化、产业化,传统的孵化方法已不能适应越来越大的生产规模和效益的要求,因此电机孵化法应运而生,并得以普及。电孵机已逐渐向容量大型化、操作自动化方向发展(图 4-5)。

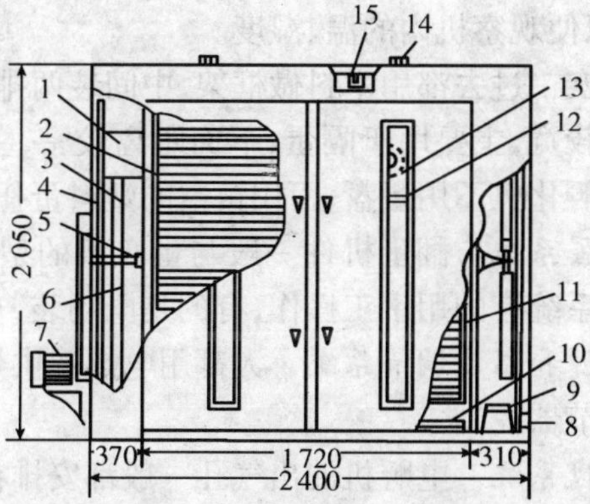

图 4-5　电孵机结构示意图(单位:mm)

1. 调节系统;　2. 蛋盘;　3. 鼓风叶子板;　4. 隔热层;　5. 中轴;　6. 翻蛋涡轮;7. 电动机;　8. 进气孔;　9. 电热盘;　10. 水盘;　11. 蛋架;　12. 温度计;　13. 指示灯;　14. 出气孔;　15. 照明灯

(一)电孵机的类型

孵化机按其结构形式可分为平面和立体两种类型。按供热来源,有油用、电用和油电两用等类型。

1. 平面孵化器　这是较早使用的一种孵化器,容量较小,通常放100～600枚蛋。机内只能容纳一层蛋盘,适于小型试验和专业户自繁自养时使用。热源为电热,也可用水管热。

2. 立体孵化器　容量有大有小,内部结构和性能差异甚大。近几年来,国内许多地方都致力于改进孵化机的结构、提高孵化率、节约劳动力等方面的研究,且已取得了很大进展。在自动控温、控湿、通风、翻蛋等方面,有良好的控制系统,误差更小。

(二)电孵机的基本结构和要求

1. 机壳　做成夹层,中间填满隔热材料。机门设双层玻璃窗,以便观察机内的温、湿度。

2. 蛋盘　过去都用木料做框架,中间装两排铁丝,上面一排距离较宽,主要用于隔蛋,下面距离较密,主要用于托蛋。新式孵化机不用蛋盘,而用镂空的塑料蛋托。

3. 翻蛋系统　翻蛋机件一般与蛋盘架的型号相配套。这种翻蛋系统有的用手工操作,有的是电动装,自动进行。

4. 热源和温度调节系统　大都用电热丝供热。电热丝由温度调节器控制。

5. 通风系统　电孵机的出气孔一般都安排在机体的顶部,进气孔安置在鼓风板下的周围。我国目前生产的孵化机扇多安装在蛋盘架的两侧,使蛋盘里外的蛋能均匀受温,不断换气。

6. 供湿系统　一般在孵化器的底部放置2～4个水盆,通过水盆中水分的蒸发,调节机内湿度。

7. 报警系统　也是用温度调节控制，但控制的不是热源，而是警铃。一般只设高温报警，也有的设高、低温报警。在机温偏离规定温度±(0.5～1.0 ℃)时，即响起警铃，以便管理人员及时排除故障。

(三)电孵机的操作方法

1. 试表、试温　每次孵化前，先将温度表与标准的温度水银球平列，同时放到盛有 38 ℃温水的玻璃杯中观察是否有温差。如有差异，则要记清差异的数字，如差异太大，这只表不能使用，必须调换。入孵前试机运转，待温度较稳定、一切正常方可入孵。

2. 孵化机消毒　一般都用福尔马林加高锰酸钾熏蒸。每立方米用 20～30 mL 福尔马林，加入高锰酸钾 10～15 g。方法是：先关闭进出口气孔，停止风扇转动。将计算好的高锰酸钾称出放入容器中，置于孵化机的下部，然后加入所需的福尔马林溶液，迅速关闭机门，经 20～30 min 后，打开机门和进出口气孔，取出容器，开动鼓风机，尽快将甲醛气体吹散。这种熏蒸消毒法，方便简单，杀菌效果好。种蛋和机器可同时进行。

3. 进蛋　种蛋要在入孵前一天选好，一般都用 5 天内的新鲜蛋入孵，最长不要超过 7 天。种蛋在入孵前 12 h 运到孵化室预热，以蒸发蛋壳表面的水分。种蛋保存的温度越低，预热的时间越长，预热的必要性越大。选好的种蛋，大头朝上，放在蛋盘上，每行的蛋数要一致，以便清点记数。进蛋可分批进，也可以一批进。分批进蛋，可使孵化各项工作匀开，种蛋也比较新鲜。有的隔 3 天一批，有的隔 5 天一批。为便于进行各项操作，蛋盘要有标号，或者涂以不同颜色，每批进蛋按同一盘色。盘号是蛋盘所在的位置，以便对号抽送。

4. 温度的调节　机温每隔 0.5 h 观察 1 次。观察时要注意眼睛和水银柱的最高点处于同一水平线上，以减少误差。在刚入孵或停机重新开动时，要特别勤于观察。如调节性能稳定可靠，调准以后，不要轻易扭动，只有当机温偏离标准温度 0.5 ℃以上时方可调节。但每次调节的幅度要小，使机温逐步稳定在允许的温差范围之内。

5. 湿度的调节　机内要安放孵化湿度计或干湿球湿度表，便于客观地反映机内的相对湿度。没有自动调湿装置的电孵机，底部水盘要定时加水，天气寒冷时要加温水。如感到温度不足，可提高水温或采取喷洒温水的办法提高机内湿度。

出雏时需要较高的湿度，此时由于雏鸡的绒毛常浮于水盘的表面，阻碍了水分的蒸发，因此要经常更换水盘中的水，必要时可对胚蛋喷洒温水。

6. 翻蛋　一般每隔 3～4 h 翻蛋 1 次，定期进行。翻蛋动作要轻稳，角度要达 90°以上。某些孵化机翻蛋角度只有 45°的，可适当增加一些手工翻蛋的次数。

7. 照蛋　照蛋的目的是为了了解胚胎发育情况，及时剔除无精蛋、死胚蛋，提高孵化率。另外，看胎施温也是照蛋的主要目的之一。在整个孵化过程中，一般照蛋 3 次，也有 2 次的，详情见胚胎的检查。

8. 落盘　将胚蛋由孵蛋盘移至出雏盘中叫落盘。落盘最好在胚蛋有 5%啄壳时进行。一般鸭蛋在第 25 天进行。落盘时，出雏盘要垫起一层，不能直接放在地上，以免胚蛋受凉。如出雏盘边框较矮，需在四周上方套一网架，以免影响雏鸭健康。绒毛未干的雏鸭不可拣出，以免受凉。

9. 人工助产　出雏后期，有的蛋虽已啄破一个洞（特别是蛋的小头破壳)，但绒毛干燥，甚至与壳膜粘连。这种壳膜已发黄的蛋，需要人工助产，尤其是北京鸭胚，更需帮助。可小心地避开壳膜剥离蛋壳，将雏鸭头部从翅下拉出，任其自然挣脱。助产时如遇壳膜仍为白色，内壁胎膜上的血管清晰可见，要立即停止，过一段时间后再助产。

10. 清理　雏鸭大批出壳以后，留下的胚蛋可进行一次照蛋，取出死胚，把剩下的活胚蛋合并盘子，尽可能地保温，并适当提高机内温、湿度，以利弱胚出雏。如不便照蛋，可用温水检验法，取一盆 40 ℃左右的温水，把没有出壳的蛋浸入水中，稍停片刻，看到在水中活动的为活胚，浮着不动的为死胚。出雏完毕，将用过的机具进行清洗与消毒，以备下次再次使用。

11. 停电时的应急措施　规模较大的孵化场，应自备发电机。没有发电机的单位，在孵化前应先与供电单位联系，以便预先知道停电时间，早做准备。

停电后，应先把电闸提起切断电源，将炉火生旺，提高室内温度，尽可能保持在 25 ℃以上。如机内只有一批蛋，而且胚龄还幼小的话，可将进出气孔全部关闭，如机温下降较快，可在机内放几大瓶热水，以提高机温。

停电后，由于鼓风机不动，机内上部温度高，下部低，应每隔 15～30 min 翻蛋 1 次，如有可能定时转动风扇。要勤于检查，如用眼皮验温，感觉发烫，应将这些蛋放到下层；机内如有接近落盘的后期胚蛋，可提早落盘。

12. 做好记录　孵化期间应将各项工作做好详细记录，以利总结经验。

二、传统孵化技术

在我国民间有许多传统的孵化方法，如缸孵、炕孵和炒谷孵化法等。后来又总结这些特点，创造了平箱孵化法和温炕孵化法。这些方法的共同点是在孵化后期都要上摊床孵化。炕孵法盛行于北方，炒谷孵化法盛行于南方，江浙一带多采用缸孵法。

(一)缸孵法

1. 缸孵法的主要设备　孵化的主要设备是土缸和蛋箩。土缸用稻草编织成筒状，再抹上黏土制成。缸壁高 90 cm，厚 8 cm，内抹 2 cm 厚的黏泥，内径 71 cm。中下部放一口径 88 cm 的铁锅。锅上遍涂泥土和炭渣的混合物，锅中放上坯，作为蛋箩的垫物。其顶端放一块削成凹面的棉子饼，便于蛋箩转动自如。缸壁下侧设有 40 cm×40 cm 的灶口，供生火加温用。灶口塞也用稻草制成。蛋箩用竹编制而成，箩口直径 67～70 cm，箩高 38～40 cm，可盛蛋 700～800 枚。缸盖用草编成，门径 100 cm，高25 cm(图 4-6)。

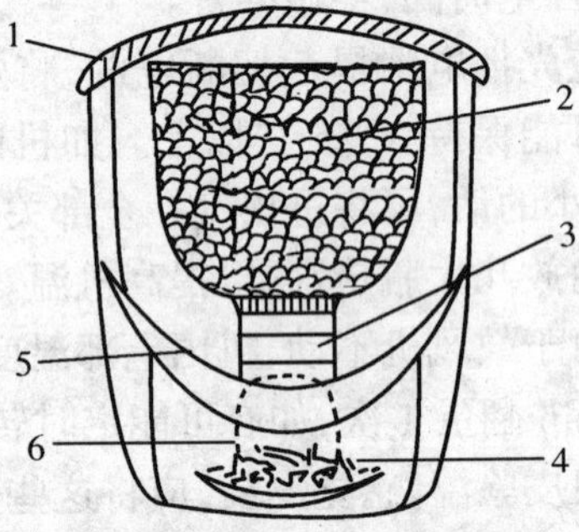

图 4-6　缸孵法示意图

1. 草盖；　2. 种蛋；　3. 土坯；　4. 炭火盆；
5. 火门；　6. 铁锅上涂泥

缸孵法第二阶段的设备是摊床。摊床可用木头和水泥做成架子，配有竹条草席及保温用的棉絮、棉毯、被单。摊床应该设在孵缸上面，根据生产规模和孵化室大小，可设1层、2层乃至3层(详见摊床孵化法)。

2. *管理方法*　缸孵法分新缸期和陈缸期两个阶段。

1～5天为新缸期，第6～12天为陈缸期，随即可上摊。种蛋入缸前，先用稻草及炭木为燃料生火烧缸，既可除净缸内湿气，又为孵房加温。一般预烧3天左右，使缸内温度达到39℃。后将盛有种蛋的竹箩放入缸中，盖上缸盖进行孵化。3h后开始翻蛋。翻蛋的方法有3种：第一种叫"轮心法"，翻蛋时上与下、边缘与中间的蛋互换位置，翻到中心时，应取出180～200枚蛋放在一边，待全部翻完后，将取出的蛋放在最上面；第二种叫"取面法"，翻时先取出面上种蛋150枚放在一边，待翻至中心时，再取出150枚蛋放在另一边，并将先取出的150枚种蛋放到中心，再继续翻完为止，最后将取出的中心蛋放在最上面；第三种叫"平缸法"(或称"匀缸")，翻蛋时只将上与下，边缘与中间的种蛋调换位置即可。

新缸期第1天翻蛋5次，第1次"轮心"，另外4次"取面"。其余4天每日翻蛋4次，第1次"轮心"或"取面"，另外3次采用"平缸"法。

新缸期结束后，转入陈缸孵化期，每日翻蛋4次，每次间隔6h。头3天第1次翻蛋"轮心"或"取面"，其他3次为"平缸"，后3天均用"平缸"法翻蛋。翻蛋操作时，动作要轻稳敏捷，防止打破。种蛋要排平，内外上下分别堆放，以防混层。

每次翻蛋时，要掌握所需温度。一般翻蛋前温度要升高些，翻后要加温至所需的温度，保持平稳。温度的调节可通过生火，盖灰，去灰，开合灶门，启放缸盖等调节，上摊后以盖被、去被来调节。具体情况视胚胎发育情况和气温高低灵活掌握。

陈缸期结束后，一般在第13天将蛋转入摊床，俗称“上摊”，开始摊床孵化(详见摊床孵化法)。

(二)温炕孵化法

温炕孵化法具有用人少，循环入孵，孵化量大，可采用多种燃料，成本低，设备简单，劳动强度小，受精蛋出雏率高于80%等优点，是一种多快好省的孵化法。据测定，采用该法，6个孵化员，工作120天，可产雏鸭30万只，每只雏鸭消耗燃料成本仅0.01～0.02元。该法适用于缺乏电孵机或缺电地区。

1.设备

(1)房屋。要高燥，地下水低于地平面2 m多。不漏风漏雨，保温性能好，有天窗，顶壁。顶壁离地4.6 m以上，便于在温炕上设置摊床，房屋的大小视孵化规模而定，一般30 m^2 可建一温炕。为方便生产，每个孵坊要2个以上的温炕。有2个温炕及摊床，每7～8天上一批蛋；有3个温炕及摊床，可每5天上一批蛋。孵化车间平面图如图4-7所示。

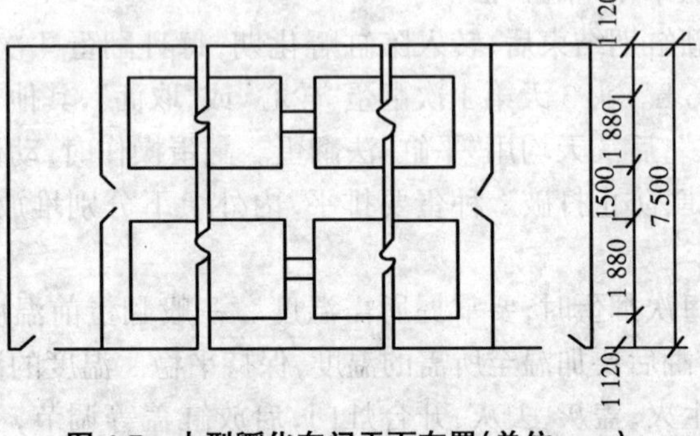

图4-7 大型孵化车间平面布置(单位:mm)

(2)温炕(图 4-8)。温炕为一长方形的砖砌围子,宽常为 1.76 m(以直排 4 个方蛋篓为限),长 4.7～7 m(以横排 10～15 个方蛋篓为限),高 75 cm。温炕墙为方砖单墙,连粉刷共宽 12 cm。为使其牢固,应以水泥抹缝。温炕墙上缘往下 46 cm 处,有间隙升出 1/4 砖,从一端起,开始为 11 cm伸出一块,以后每隔 23 cm 中距伸出一块,或于炕内直摆两行长凳,凳面亦应低于温炕面 46 cm,以便搭置 I 形木架,木架上放方蛋篓。孵化时种蛋装于网袋内,网袋放在蛋篓内,然后再用一两层棉被盖严于蛋篓和温炕面上。

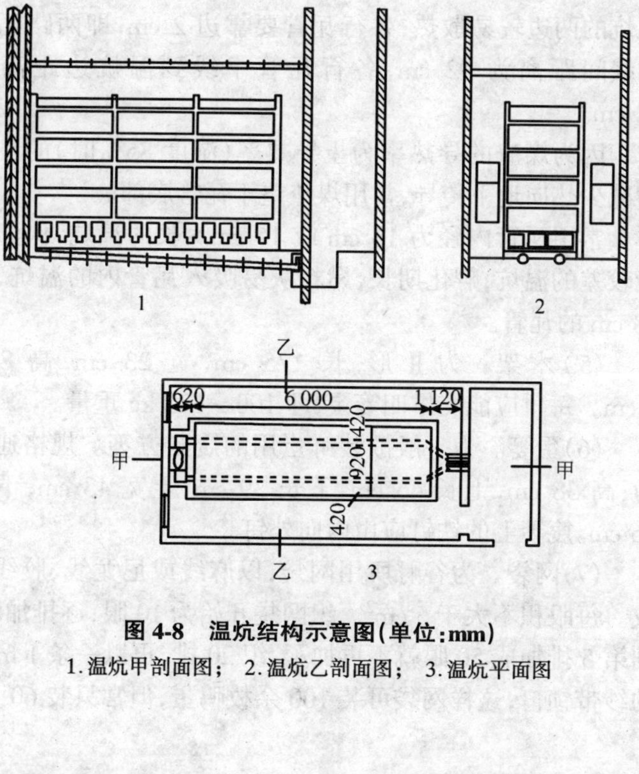

图 4-8 温炕结构示意图(单位:mm)

1.温炕甲剖面图; 2.温炕乙剖面图; 3.温炕平面图

(3)灶。常砌于温炕室外，为一般的烧柴草或锯末、稻壳的灶。不管何种灶，都要与温炕内瓦管相配：灶宽为两个瓦管喇叭口端直径的和，灶顶与瓦管顶部同一水平。灶膛长 50 cm，高 35 cm，下安炉桥，有出灰口。

(4)瓦管。两行平行安装于温炕底部，但灶端、烟囱端的瓦管须呈倒八字形和八字形安装，此两处瓦管必须在温炕外，否则会形成 4 个死角的温度较低。倒八字形瓦管的地表可作人形道。

近烟囱端瓦管上缘中线到炕面的距离为 70 cm，瓦管逐渐以 5%～6% 的斜坡向灶口方向下延，直排 13～15 个蛋篓的温炕，灶端瓦管上缘中线到温炕面距离 105 cm。因温炕的两边较易散热，各行瓦管要靠边 2 cm，即两路瓦管中线间距离为 92 cm，各行瓦管中线到温炕边距离为 42 cm。

因为煤渣的导热率为土导热率(湿度 85% 时)的1/5，为减少热向地下传导，常用煤渣垫于瓦管底部。

常用瓦管内径为 18 cm 或 15 cm。长的温炕，保温性能较差的温炕，孵化期长、燃料灰易吸入瓦管内的温炕，用 18 cm 的瓦管。

(5)木架。为 Ⅱ 形，长 175 cm，宽 23 cm，高 8～9 cm。每付应能支撑四篓蛋，即 100～125 kg 重量。

(6)蛋篓。为一般散装鲜蛋用的篾制方篓。规格通常为：高 38 cm，上长 46 cm，下长 39 cm，上宽 43 cm，下宽 36 cm。篾篓上的铁钉应由内向外钉。

(7)网袋。为谷孵所用网袋，以麻线或尼龙线、胶线织成。每眼积不大于 5 cm^2。织网袋开始为 10 眼，逐排加眼，到第 5 排加成 50 眼就不再加了，织 20 排，再以一条 1 m 长的纱带锁口，这样网袋可装 100 余枚鸭蛋，但常只装 60 只，以利翻蛋。

(8)烟囱。高度必须大于整个瓦管长,内空大于2个瓦管的内腔,方才"扯火"。在大型孵坊,常2个温炕共用一个烟囱,则烟囱的内腔要大于4个瓦管的内腔。

(9)摊床。宽同温炕,常落脚在温炕两边砖墙上,长亦可同温炕,常分4层(视最多受精蛋数量而定,鸭蛋以每平方米摊床400～420个计算),下层与炕面,顶层与顶壁以及层与层之间相距均为70 cm,每层边高15 cm。另设踏脚板。每层垫物依次为篾折或芦席,牛皮纸或黄草纸,稻壳或锯末、草席、孵蛋、棉被或棉絮,或单被,或皮纸。

(10)其他。温炕孵化其他用具还有照蛋器、电灯、电风扇等。电风扇常用30～60 W摇头扇,安于近灶端1/5处、两行瓦管中间。

2. 操作

(1)试温。应于开孵前1周进行,往往要反复进行数次。温炕干燥后,进行瓦管裸露状态下的试温。放上全部木架、蛋篓,将校正的温度表每篓中央摆一个,盖上棉絮,烧中等火,到38～42 ℃时,就迅速地逐个检查温度并做好记录(停火后3～6 h亦做检查和记录),温度一般有差异,就以堆干沙或土的办法来解决。温度最高处多堆,中等温度处少堆,低温处不堆。初步堆覆盖物(沙或土),灶口处可达20～15 cm,烟囱处3～10 cm。如温度相差较大,亦可转换覆盖物:原先是土,可在温度特高的地方堆沙;原先是沙,可在温度特高的地力堆煤渣。日本冈山县畜产技术渗透联络会议编写的《鸡的饲养环境的改善》一书所载各种材料的导热率(kcat/m^2·h·C)是:瓦管0.76土0.46,沙0.20,煤渣0.11。瓦管导热较大,若不堆土或沙,常使体积不太大的温炕迅速升温,不易掌握,特别是近灶处易高温,而另一端则

远离灶口获得热量较少。再者，由于导热率大，散热也快，要想保持温度，就要经常烧火。堆上沙或土后，大量热蓄积其内，厚的地方蓄积热量多，散热也慢一些。所以，每次烧火的 0.5 h 内，近烟囱处覆盖物薄的地方，温度稍高。3～4 h后，虽然灶边覆盖物厚的地方含热也多，但因其是缓慢传导的，会因空气的对流而使全炕温度近乎一致。堆好后进行第二次试温，视温炕内停火时和停火后 3 h 的温度情况加减覆盖物，使各篓温差最大不超过 1 ℃，温差越小则越好。

(2)上蛋。网袋内的种蛋，晴天放到太阳的晒罩上晒热。阴雨天移入温炕室内几小时预热。温炕内温度达到 40 ℃(104 ℉)时就上蛋。温炕内的热空气一接触入孵的冷蛋，就会在蛋表凝结出小水珠，网袋、棉絮也会湿漉漉的。这一天，每 4 h 要翻蛋 1 次，并将温炕上的棉絮翻转或者更换。大约经过 16 h，蛋面水分消失，蛋温平衡。

每个温炕只上一批蛋，上完蛋就在有代表性的蛋篓间挂上温度表。在孵化前期，要以蛋篓间温度表为主要依据，温炕孵化的后期则应以蛋间温度表为主要依据(辅以眼皮试温)。

(3)翻蛋(兼凉蛋，通风换气)。作用有 4：①转动蛋黄在蛋内的位置，②可使胚胎受热均匀、散热均匀；③通风换气；④凉蛋。

翻蛋时两人对面操作，各自翻两横排蛋篓里的蛋，把边篓的蛋翻到中间篓，把中间篓的蛋翻到边篓。每袋蛋都要翻到与原来相对的角上去。为了使中间网袋的蛋有落底、露面的机会，而面、底网袋的蛋又有在中间的机会，在每篓有 3 袋以上时，常将第 1 袋提起，而将第 2 袋落底，把第 1 袋排在第 2 位、第 3 位。翻蛋时把棉絮移开，将纱带锁紧，将原先摊开的蛋收拢，使网袋成橘形提起来，另一只手护送到另一篓边使蛋在手掌上斜溜到相对的篓角。温炕孵化法由于用网袋装蛋，可以有各种形状，使蛋翻的角度大，转动位置多。

温炕孵化期间每昼夜翻动3次，即常在6时、14时、22时翻动。

(4)烧炕与温度调节。烧炕是使温炕内温度保持所需的孵化温度。温炕的保温性能较好，除阴雨天大批入孵冷蛋、早春孵化和寒流来临时要多烧一两次火外，一般每昼夜只烧3次火就行。温炕内温度的升高，需经烧火→瓦管→温炕内瓦管→覆盖物→温炕内空气→蛋，这样一个过程，需要一定的时间，而翻完一温炕的蛋也要十多分钟到0.5 h，故常在翻蛋中途就烧火(这是指入孵初期的蛋，翻蛋前蛋温较低的蛋和气温低时)，因其容易散温而需热量较多。在整个孵化过程中，视翻蛋后蛋间温度高低再决定是否烧火。

温炕内温度常在停火后2 h达到高峰。烧火时要积累经验，要有预见。一般新蛋、孵龄小的蛋，在气温低时，或大温炕、蛋多时应多烧；反之则少烧。温度高了或继续向高温发展要立即停火，铲除灶内余烬，掀开温炕上的棉絮；温度低时，可继续烧一点火。当灶内余烬已经不多。温炕内温度已经停止上升，应将灶门的铁炉门关闭，减少冷风带走瓦管热量。温炕内各篓温度的高低，与多种因素有关。余烬多且长时间不灭，则灶端温度高；草本燃料则烟囱端温度高；中间篓高，边行篓低；有时燃料偏于一边又使该边的温度高；个别情况可见瓦管裂缝(堆沙解救)等。上述情况要勤检查，勤处理。一般烧火时就启动温炕底部的电风扇，可使温炕内温度基本一致，停火后1 h左右关闭。

温炕孵化的温度标准主要因种蛋的孵龄而异。要使温炕内温度和蛋温每日的平均数达到下列标准(炕温以篓间温度为准,华氏、摄氏对照表 4-2)。

表 4-2 炕温、蛋温日龄标准

日龄(天)	炕温		蛋温	
	℉	℃	℉	℃
1～2	104～102	40.0～38.9	103～101	39.4～38.3
3～10	102～100	38.9～37.8	102～100	38.9～37.8
11～16	98～96	36.7～35.6	100～102	37.8～38.9

鸭胚 12～13 天后,自己产热已相当多,进入自温孵化期。在温炕里,胚胎温度比温炕温度高,越往后,胚龄越大,发热能力越高。孵至 13～15 日龄的鸭胚,每篓 5 或 6 袋,保持 35.0～36.1 ℃的温炕温度就行了。如室温在25.6 ℃以上,翻蛋后也勿须烧火,温炕内温度会缓缓上升。

在一些有关孵化的技术资料中,提出了在鸭胚胎第 14 天就上摊床孵化,这样在孵化操作上必须把蛋温提高——避免受高温影响;在摊床上分三四层——难免翻蛋不便,破损蛋多,而且边缘蛋温度较低;把摊床温度升高,要耗费燃料。采用温炕孵化法,蛋可以在温炕里多呆 2～4 天,在气温低时,这样做更有必要。

在整个孵化期里,要逐日检查胚胎的发育情况,参照模式图,看胎施温:发育慢则提高些孵化温度,发育快则降低一点。

(5)湿度。在孵化原理上,孵化湿度要求“中间低、两头高”。但在温炕孵化法中,除最初的一两批,最末的两批可以如此分别调节,其初期和末期的湿度外,其他批次因其轮流入孵,每批相隔只有几天,相对湿度常取其平均值65%～

70%,让其自己调节。

(6)上摊。温炕孵化法后期也要上摊床。孵蛋上摊床日龄除适当推迟外,尚需将蛋温提高到38.9～40.0 ℃,并适当关闭门窗,提高温炕室温。上摊后立即盖棉絮保温。春天上摊后如蛋温降至35.6 ℃以下,采取上述措施也不济事,可将蛋堆成2层,待蛋温度上升到38.9～40.0 ℃时再散开。之后管理同摊床孵化法。

(三)火炕孵化法

所用的孵化设备就是北方冬季保暖用的火炕。用砖及土坯砌成,通过控制烧火次数、加减覆盖的棉被、翻蛋、调整种蛋在炕面的位置及调节室温等多种措施来调节孵化温度,完成孵化过程(图4-9)。

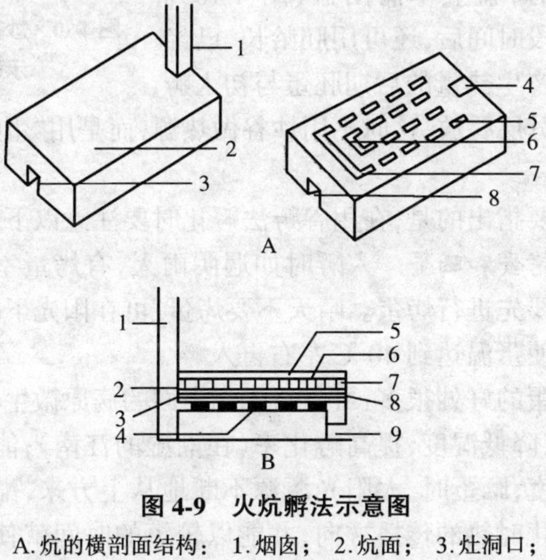

图4-9 火炕孵法示意图

A.炕的横剖面结构: 1.烟囱; 2.炕面; 3.灶洞口; 4.烟囱口; 5.砖脚; 6.小凹形; 7.大凹形; 8.灶洞口

B.炕的纵剖面结构: 1.烟囱; 2.秸草; 3.泥土; 4.砖脚; 5.棉絮; 6.种蛋; 7.隔条(边条); 8.草席; 9.灶洞口

(四)谷(桶)孵化法(炒谷法)

谷孵法起源于江西省,目前是我国南方应用较广泛的一种孵化法。谷孵法分几个流派,各派大同小异,主要设备都是木制或竹编的孵桶,糊上几层纸,内垫草袋、厚纸,作为盛蛋的孵化箱。热源主要是将稻谷炒热,使温度达到烫手的程度(60 ℃)。鸭蛋要用袋子(网袋或麻袋)装好。入孵时,先将热稻谷倒入孵桶内,盖上盖子预热几分钟,使稻谷温度在 41～42 ℃之间,将稻谷扒开,呈中间高边缘低,铺一层蛋,再放入一层炒谷,铺一层蛋,依此类推,最上层要厚厚地铺一层炒谷,盖上草蒲团盖(图 4-10)。孵化一段时间后,还可用胚龄长、已经能自身产生热量的后期胚蛋与初入孵的新蛋分层叠放,这时不用炒谷做热源,而是用“蛋孵蛋”的方法。

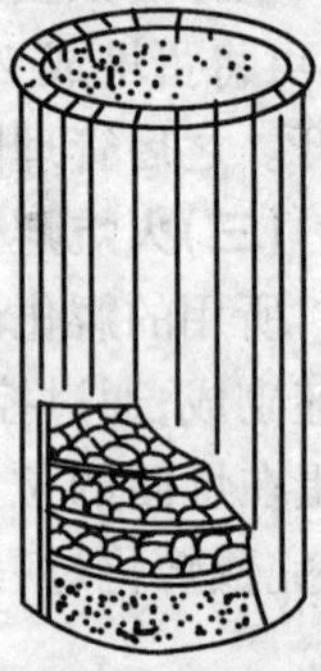

图 4-10　炒谷孵法示意图

需要指出的是,在用谷孵法孵化时要注意以下 6 点。

1. *烤蛋和晒蛋*　入孵时如遇阴雨天,有烤蛋室和烤蛋工具的要先进行烤蛋。晴天不要烤蛋,可在阳光下晒蛋,一直晒到使蛋温达到 40 ℃左右再入孵。

晒蛋的好处很多:可以杀灭壳表面的病原微生物;可蒸发水分,降低湿度,提高孵化率(在潮湿的江南);能均匀地提高温度;晒蛋时,太阳光源源不断地从上方来,酷似母鸡天然孵化时热的传播方向,并能以较短的时间就使胚盘感受孵化温度而开始萌动、发育,缩短孵化期;晒蛋还有合成维生素 D、提高胚胎生活力的作用等。

2. *翻蛋*　种蛋达到孵化温度后,每昼夜翻蛋 3 次,一般在凌晨、午后和晚上19时，每8 h翻1次。

每次翻蛋，要用眼皮测温，以决定炒谷温度。验温的方法是将蛋的大头压于鼻梁边的眼角10 s，以眼皮的感觉为标准检验蛋温的高低。孵化人员把蛋的温度分成7级：①“眼皮冷”，相当于35 ℃以下；②“眼皮凉”，相当于36 ℃；③“眼皮温”，相当于37 ℃；④“眼皮暖”，相当于38 ℃；⑤“眼皮热”，相当于39 ℃；⑥“眼皮烫”，相当于40 ℃；⑦“眼皮火”，相当于41 ℃以上。

应当确切指出的是，人的眼皮温是随气温的升降而略有升降的。一般说来，春天天气较冷，眼皮温度也较低，验出来的“眼皮热”，实际上只等于夏天天气较热时的“眼皮温”。所以，孵化谚语说：“春抱要做得起（热的意思）”，“夏抱要做得疲（温度较低的意思）”。

3. *看胎施温*　每日晚上要照蛋，参照鸭胚胎发育的标准检查种蛋，以决定施温高低。

4. *脱谷带蛋*　春天的鸭胚到第13～14天，夏天的鸭胚到第13天，鸭胚发的热可供自己发育，这时就可在桶底倾入42 ℃的热谷，然后将桶边缘的蛋翻到中央，中央的蛋放在桶边，不再一层蛋一层谷，而是一直铺蛋至桶顶，再盖上一大张厚纸，倾入温谷、热谷，盖上草蒲团盖，这叫做“脱谷”。若“脱谷”后蛋温太低，可加厚桶顶的热谷层，或在桶中段做一个“谷包子”——铺一层纸，倾入上下两层温谷，中间一层热谷，再铺一层纸，上面铺蛋直至桶顶（图4-11）。

5. *蛋抱蛋*　鸭胚胎发育到第15～16天，就可以不再以炒谷做桶底、桶面的保温热源了。一般把较热的两层老蛋分别做到桶底和桶面上，分别叫“落底”、“显面”。桶面的那一层蛋上盖棉絮，随日龄的增加，改盖棉毯、单层布或皮纸，到了第16～17天就可以单层“落底”或“显面”了。

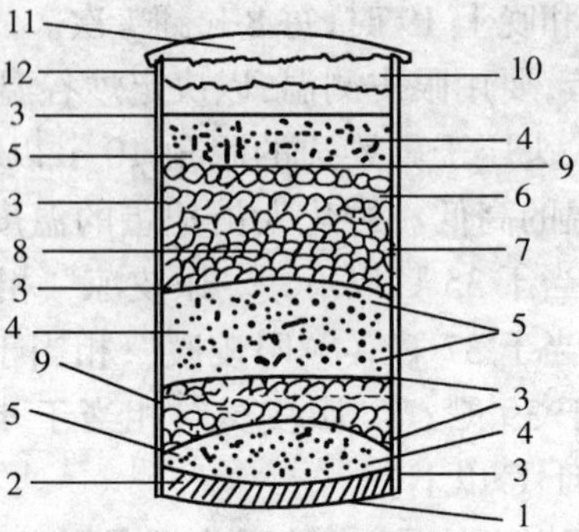

图 4-11　脱谷及“谷包”示意图

1. 桶底；2. 稻草；3. 垫纸；4. 热谷；5. 温谷；
6. 较冷蛋间的温谷；7. 边缘网袋装的种蛋；
8. 心袋装的种蛋；9. 圆单；10. 棉絮；
11. 蒲团；12. 桶及衬纸

“落底”、“显面”前后，第 2 批蛋全部被“带”上了。再升高温度就要搀入第 3 批蛋。这样，一个孵桶内就有了“热蛋”、“温蛋”、“新蛋”三批蛋，翻蛋时要按表 4-3 中顺序进行翻蛋。

表 4-3　孵桶翻蛋前后的次序表

节次和层次		翻蛋前孵蛋的排列次序	翻蛋后变成的次序
桶面	10	热老蛋为心，温老蛋为边	原下节热老蛋为边，温老蛋为心
上节	9	热新蛋为心，温新蛋为边	原下节热新蛋为边，温新蛋为心
	8	热媒蛋为心，温媒蛋为边	原下节热媒蛋为边，温媒蛋为心
	7	热老蛋为心，温老蛋为边	原中节热老蛋为边，温老蛋为心

续表 4-3

节次和层次	翻蛋前孵蛋的排列次序	翻蛋后变成的次序
中节 6	热新蛋为心,温新蛋为边	原上节热新蛋为边,温新蛋为心
中节 5	热媒蛋为心,温媒蛋为边	原上节热媒蛋为边,温媒蛋为心
中节 4	热老蛋为心,温老蛋为边	原上节热老蛋为边,温老蛋为心
下节 3	热新蛋为心,温新蛋为边	原中节热新蛋为边,温新蛋为心
下节 2	热媒蛋为心,温媒蛋为边	原中节热媒蛋为边,温媒蛋为心
下节 1	热老蛋为心,温老蛋为边	原桶面热老蛋为边,温老蛋为心

6. 扯“光桶” 第 2 批蛋 16 天后,第 1 批蛋一般要上摊床,第 2 批蛋升级为老蛋。如此类推,一般每 4～5 天上一批新蛋。新蛋入孵后,将老蛋在桶边缘做成圈重叠起来,做热源孵新蛋,这叫“做箍”。如温度较低,可做“双箍”、“四箍”。

(五)平箱孵化法

1. 平箱的构造 平箱高 157 cm,宽、长均为 96 cm,一般 2 只箱并在一起,外形像一只长方形的大箱子。可就地取材,木材、土坯、厚纸板、纤维板均可。箱的底座用土坯砌,支架用 5 cm 见方的木头,再用纤维板做成夹层。中间用松软的废棉絮、玻璃纤维、塑料海绵等填充。箱内装有转动式的蛋架,蛋架底部和上部的中心,有一个轴心柱,既能撑得住蛋架,又能旋转自如(图 4-12)。箱内蛋架共有 7 层,上面 6 层放蛋筛。蛋筛圆形,直径 76 cm,由竹篾编成,边高 8 cm。最下层不孵蛋，只放一个空竹匣，起缓冲温度的作用。每只平箱可孵鸭蛋 900 枚。

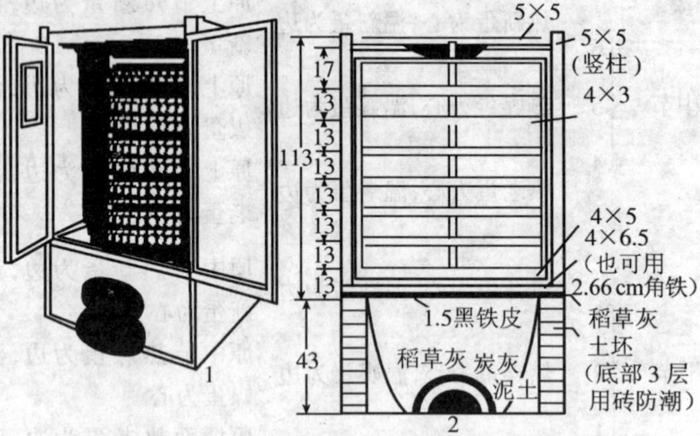

图 4-12　平箱孵化法示意图(单位:mm)

1. 平箱的正侧面；　2. 平箱剖面图

平箱的下半部是热源部分，四周用土坯或砖块砌成，内部四角用泥抹成圆形，成为一个圆形炉膛(一般用炭火加温)，正面留一个高 25～30 cm、宽约 35 cm 的炉口，并用稻草编成炉门，或装个活动门。热源部分与箱身的连接处安装一块厚铁板，上面抹一层泥，作为缓冲层。如底筛的蛋温仍高于顶筛，可再铺一层稻草灰，以达到上下层蛋温一致为标准。

平箱需要一个木制的翻蛋架，其内径比蛋筛略大，翻蛋时将三角形的翻蛋架张开，蛋筛放在上面进行操作。此外，还要准备一个小箩筐，供翻蛋时盛边蛋用。

2. 平箱孵化法的操作

(1)加温。平箱的热源一般都用木炭屑，引燃后上面覆盖稻草灰，以延缓燃烧速度，保持恒温。每日加炭 1 次，一般在下午 14 时左右。每次加两三勺,视气温高低而增减。加炭时先用火铲把盖在上面的一层炭灰拨向两边,再将引燃的炭屑刮平,然后用火铲在炭面上铲一条裂沟,将新炭放在其中,再用火铲将炭屑表面整平,然后盖上炭灰,任其慢慢燃烧。

(2)翻蛋。每日 3 次,每次将中心蛋与边蛋互调位置,并转动每枚蛋。操作时先将筛放在翻蛋架上,然后将筛周围的蛋取出,放在架旁的小箩筐内,再将中心蛋翻到边缘,最后将箩筐内的边蛋放在筛的中心。

(3)调筛与转筛。与翻蛋同时进行。目的是使各层胚蛋都能均匀受热。由于箱内底层和顶层温度较高,中层略低,因此,调筛时要按一定的顺序进行(表 4-4),以避免混乱。

表 4-4 调筛循环顺序表

调筛前层次排列	每次调筛后的排列						顺序例筛法后的排列					
1	2	3	6	1	4	5	6	5	4	3	2	1
2	3	6	5	2	1	4	1	6	5	4	3	2
3	6	5	4	3	2	1	2	1	6	5	4	3
4	5	4	1	6	3	2	3	2	1	6	5	4
5	4	1	2	5	6	3	4	3	2	1	6	5
6	1	2	3	4	5	6	5	4	3	2	1	6
空匾(底层)												

同时,由于靠箱壁处的温度较高,为使蛋温均匀,应每隔 2 h 将筛转动 1 次,每次转动 180°。

测定平箱内的温度有两种方法:眼皮测温和温度计。判断温度是否恰当,最好是看胎施温。早春孵蛋时,有“新缸不能低,老缸不能高”的说法。新缸期内,胚胎无自温能力,温度宜稍高些。到了陈缸期,特别是孵到第 13～16 天后,胚胎自温能力强,箱内温度不能高。

现在,平箱孵化又有发展。有的热源改为电、炭两用,即在底部装一块 300 W 电热板,用水银导电表和继电器控制。有的把几个平箱连在一起,下面铺设烟道,通过烧煤或烧柴供热。

(六)摊床孵化法

缸孵、炕孵、平箱孵化法后期普遍采用摊床孵化。摊床孵化不用热源,依靠胚蛋后期的自发温度及孵化室的室温,进行自温孵化,是一种十分经济的方法。

1. *摊床的构造和设备*　摊床一般设在孵化器(包括土缸、土炕、电孵机等)的上方(图 4-13),以充分利用空间和孵化器的余热。如果孵化室太大,不易保温,或者房屋低矮,可单独设置摊床孵化室。

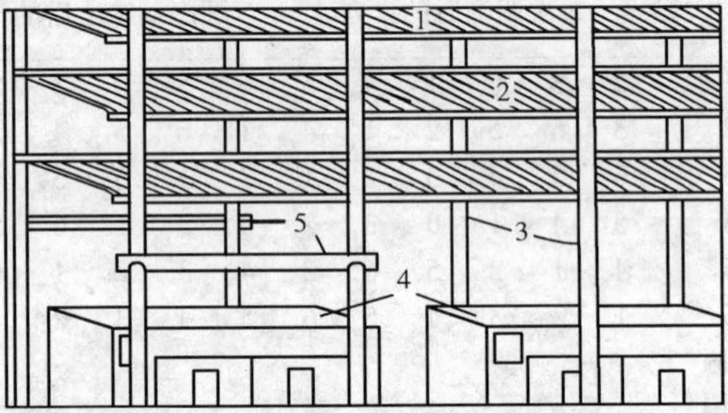

图 4-13　摊床在孵化室内的设置

1. 第 3 层一般作为堆放杂物之用；　2. 摊床；　3. 摊床架
4. 电孵机；　5. 踏脚本(可以同时对面操作)

摊床是用木头(或水泥桩或三角铁)做架,钉上竹条,然后铺上草席，孵化时根据胚龄大小及室温的高低配备棉絮、棉毯或被单等物，以保持胚胎所需温度。摊床的面积根据孵化室的大小及生产规模而定，可设1～3层。摊床应底层最阔，越上层越窄，便于操作时站立。一般底层宽1.8 m时，每上一层收进20 cm。

2. 上摊时间　鸭蛋在第14天，即在第二照蛋以后上摊，如果外界气温较低，可以稍微推迟上摊时间。

3. 温度调节　摊床的温度应掌握“以稳为主、以变补稳、变中求稳”的原则。即要求中心胚蛋的温度保持平稳正常；中心蛋达到适温，边蛋必然偏低，通过翻蛋，调整边蛋和中心蛋的位置，以求温度的均衡；需要升温时，不可升得过高过快，变温不能太大，要讲究稳。调节温度的办法：翻蛋、掀盖覆盖物和以不同方式叠放胚蛋，翻蛋使温度均匀，并增加胚蛋活动。胚蛋在刚上摊时，一般要放成双层蛋，随着蛋温的增高，上层可放稀些。具体举例如下：如早上上摊，先把胚蛋摆成双层摊，盖被折成3层盖上；第2天清晨把上层蛋再放稀些，俗称“棋摊”，像摆棋子一样孤散开，盖被只盖一层；第2天下午就放平了（即一层蛋），一般鸭蛋到第16天下午放平，此时只盖一层被。

4. 摊床的管理　管理摊床，主要应勤看、勤掀、勤盖。根据胚蛋发温的特点，确定每日检查次数。上摊头3天，胚蛋自温能力不强，可以每3 h检查1次温度；以后随着蛋温的升高，可每2 h检查1次；将要出壳时，要随时检查，更要勤掀、勤盖。要准确掌握“掀、盖”的技巧，还须做到四看：

一看胚龄。胚龄越大，自温能力越强，特别是在“封门”以后，胚蛋自发温度大大提高，因此，随胚龄增大，覆盖物由多到少，由厚到薄，覆盖时间由长到短。

二看外界温度。冬季和早春，气温和室温较低，要适当多盖,盖的时间略长些;夏季外界温度高,适当少盖,盖得时间短些;早晨及下半夜,外界温度低,适当多盖;中午及上半夜,外界温度高,适当少盖。

三看边蛋的蛋温。应根据边蛋的蛋温高低或适中等不同情况,增减覆盖物。一般边蛋的蛋温正常,则温度合适,翻蛋后仍按原覆盖物覆盖;边蛋蛋温略低,翻蛋后就多盖几层棉被,待蛋温升高后,再酌情减去,以免温度过高;如盖后蛋温不均,要将盖被抖凉后再盖。

四看胚胎发育。摊床温度掌握是否合适,主要采用看蛋施温的方法检查。

在具体操作时,如果温度适当,可以边翻蛋,边盖被,按正常操作;如温度过高,要及时掀被散热;如温度过低,要减少翻蛋次数,适当多盖,并尽可能提高室温。

三、孵化中应注意的问题

(一)温度控制

温度是孵化的首要条件,只有在适宜的温度条件下才能保证胚胎正常发育。在孵化过程中,各种物质的代谢都是在一定温度条件下进行的。温度过低,胚胎发育缓慢,严重时会死亡。据测定,温度超过 42 ℃(107℉),经过 2～3 h 就可使胚胎死亡。在电温箱内,46 ℃的高温可使胚胎在 40 min 内血管破裂。低于 25 ℃的温度可使胚胎 30 h 死亡。

不同日龄的胚胎对外界温度条件要求也不同。胚胎发育初期,代谢处于初级阶段,自身产热少,因而要求温度较低。根据这一特点,我国采用降温孵化法和恒温孵化法。前者适于整批入孵的种蛋孵化,孵化温度随胚胎日龄增大而逐渐下降。我国广大农村,孵鸭蛋时,大多采用机孵和摊床相结合的孵化方法。当外界气温在10～15 ℃时,孵化机内的温度控制在:1～6天为38.6 ℃;7～13天为38.3 ℃;14天上摊床。江苏省苏州市家禽孵化场等地根据多年经验,提出了不同类型的种蛋在不同环境温度下的施温要求(表4-5)。

表4-5 鸭蛋变温孵化的施温标准上为℃,下为℉

品种类型	孵化室内温度	孵化机内温度				
		1～5天	6～11天	12～16天	17～23天	24～28天
中型麻鸭	23.9～29.4	38.6	38.3	38	37.8	37.5
	75～85	101.5	101	100.5	100	99.5
昆山鸭	29.4	38.3	38	37.8	37.5	37.2
	85	101	100.5	100	99.5	99
高邮鸭	29.4以上	38.3	38	37.8	37.5	37.2
	85以上	101.0	100.5	100.0	99.5	99.0
大型肉鸭	23.9～29.4	38	37.8	37.5	37.2	36.9
	75～85	100.5	100.0	99.5	99	98.5
北京鸭	23.9～29.4	38	37.8	37.5	37.2	36.9
	75～85	100.5	100.0	99.5	99.0	98.5
狄高鸭	29.4	37.8	37.5	37.2	36.9	36.7
	85	100	99.5	99.0	98.5	98
樱桃谷肉鸭	29.4以上	37.8	37.5	37.2	36.9	36.7
	85以上	100.0	99.5	99.0	98.5	98.0

若种蛋定期分批入孵,交错上盘孵化,新老蛋互相调节温度时,则采用恒温孵化法。恒温孵化法的孵化温度实际是降温孵化温度总和的平均数。

实践证明,在孵化过程中,看胎施温技术是最好的方法。看胎施温,就是在人工孵化过程中,使用灯光或照蛋器透视检查胚胎发育是否符合鸭在此胚胎时的长相，作为制定与控制孵化温度的依据。检查时应仔细观察胚胎的长相是否与鸭胚发育照蛋标准图相符。其具体使用方法如下。

(1)入孵第1批种蛋时，先参考施温方案定温，每隔3天抽样20～30枚种蛋，检查胚胎发育情况。如多数胚胎发育比规定日龄快，则表示温度偏高，应适当降低温度；相反，胚胎发育慢，则表明温度偏低，应适当调高温度；胚胎发育符合标准，则温度合适。

(2)在定准第1～2批适合本机型温度的基础上，只要上一批种蛋出壳正常，下一批种蛋出壳也正常。随后只要室温上升6.17 ℃，箱温应下降0.28 ℃就可以了，一般可不用抽样看胎，而结合头照、二照、三照等照日龄进行检查。

(3)在孵化机具外界条件出现变化或种蛋品种改变而确定温度没有十分把握时，必须抽样看胎，重新确定用温标准，以控制胚胎正常发育。

(二)湿度控制

胚胎发育时，如湿度过高，蛋内水分不易蒸发，影响胚胎发育；如湿度偏低，蛋内水分蒸发加快，容易造成粘连蛋壳的现象。特别是使用有鼓风装置的大型孵化机时，空气流通快，蛋内水分容易蒸发，如不注意湿度控制，就会影响孵化效果。尽管如此，相对于温度来说，湿度要求不是那么严格，适应的范围比较宽，如温度稳定，相对湿度偏差一些，也不会严重影响孵化率。鸭是水禽，孵化时要求湿度较高。在鸭蛋化学组成中，水分为69.5%，比鸡蛋低2.6%，所以对湿度的要求比鸡蛋要大，总的范围是60%～80%。

孵化期间，湿度掌握的原则是“两头高、中间低”。孵化前期，胚胎要产生羊水和尿囊液，要从空气中吸收一些水蒸气,故湿度要高。一般第1周相对湿度控制在75%～80%;孵化中期,胚胎要排出羊水和尿囊液,应降低相对湿度,以保持60%为宜;在出雏前1周和出雏时,为了有适当的水分和空气中的二氧化碳产生碳酸,使蛋壳中的主要成分碳酸钙变为碳酸氢钙而变脆,有利于雏鸭破壳,并防止蛋壳膜和蛋白膜过分干燥粘连以及雏鸭绒毛粘壳,最好将相对湿度恢复到入孵初期的湿度。

湿度可在孵化机内挂相对湿度计或干湿表测定,用增减水盘面积,或通过孵化室地面洒水或直接在蛋面喷洒温水来调节。

湿度过大,雏鸭体重大,绒毛长,过于嫩弱;湿度低,雏鸭绒毛干而粘连。掌握适宜的湿度使初生雏的体重正常,一般体重为蛋重的65%～70%。

(三)通风控制

家鸭的胚胎在发育过程中,不断吸入氧气,排出二氧化碳,为维持其正常的新陈代谢,必须供给新鲜空气。自然孵化时,空气流通不成问题,在人工或机器孵化时,孵化器密闭,种蛋多,需要的氧气多,排出的二氧化碳也多,就要合理通风。

孵化机内二氧化碳的最高允许量为1.5%～2%,超过2%,胚胎发育迟缓,死亡率增高,出现胚位不正或畸形等现象。一般要求孵化机内的氧气含量不能低于20%,二氧化碳含量在0.3%～0.6%。

胚胎对氧气的需要量随胚胎发育阶段的进展而不同。胚胎初期,物质代谢能力较低,需要氧气较少;至中后期,随着尿囊的发育,呼吸量逐渐增大;孵化至最后2天,胚胎开始用肺呼吸,吸进的氧气和排出的二氧化碳显著增加。因此,通风换气的程度应随胚胎发育时期而定。

近年制造的孵化机，一般都较注意机内的通风装置，开设了进出气孔，有的增加了风扇数量，有的加快风扇转速，具体掌握时，只要不影响温度，通气越畅越好。

通风的要诀是按胚龄大小开启通气孔，将孵化全过程分为3期，前期开1/4～1/3，中期开1/3～1/2，后期全开。如分批孵化，孵化机内有2批以上的蛋，而外界气温不是很低，可以全部打开通气孔。

(四)翻蛋处理

翻蛋的目的是使胚胎各部受热均匀，增加了胚胎运动，同时增加了卵黄囊血管、尿囊血管与蛋黄、蛋白接触的面积，有利于养分的吸收，还起到防止蛋壳粘连的作用，提高了孵化率。

有人做过试验，将种蛋分成4组，在温度平均的电温箱里进行不同的翻蛋处理，其结果如表4-6所示。

表4-6　不同翻蛋处理的孵化结果　　%

翻蛋处理方式	孵化率
整个孵化期间都不翻蛋	29
前7天翻蛋，7天后不翻蛋	79
前14天翻蛋，14天后不翻蛋	95
啄嘴以前的所有天都翻蛋	92

从上述试验明显看出，孵化期间需要翻蛋，特别是在孵化前2周。

翻蛋从入孵后数小时起直至啄嘴止，每昼夜8～12次。有自动翻蛋设备者翻蛋角度有限，而且方向、角度一定，没有什么变化，而手工翻蛋角度大，每次翻蛋方向多变化，因此，自动翻蛋要比手工翻蛋每昼夜多翻3或4次。翻蛋的角度不得少于45°，其中以90°最好(表4-7)。

表 4-7　翻蛋角度对孵化率的影响　　%

翻蛋角度	40°	60°	90°	手工翻蛋
受精蛋孵化率	69.1	78.6	84.9	89.1

有自动翻蛋设备的孵化器,也应适当添加手工翻蛋的次数。如每回照蛋和13日胎龄时将鸭蛋逐个翻转180°,即原来的蛋的底面翻身朝上,这样有利于胚胎发育。在13日胎龄时则使尿囊顺利合拢,尿囊的合拢对顺利出雏十分必要,可以提高孵化率。

(五)凉蛋

孵化至中期后,由于胚胎逐日长大,体内物质特别是脂肪代谢加强,产生大量的生理热。凉蛋就是为了短时间内降低蛋温,帮助胚胎散发多余的生理热,促进气体代谢,增强血液循环和胚胎调节体温的能力,从而提高孵化率和雏鸭的品质,这一点对肉鸭特别重要。因为肉鸭蛋脂肪含量高,入孵14天后,脂肪代谢增强,蛋温急剧增高,对氧气需要量增大,由于它们本身蛋重较大,而蛋表面积相对比鸭蛋小,散热能力差,常要通过凉蛋才能降温散热。

自然孵化中,母禽常定期离巢、采食、饮水、排粪,这样蛋温就下降了。在人工孵化中,对于具有良好通风系统的电孵机来说,在机内温度正常时一般不需要凉蛋。只有在机内温度偏高,胚胎发育过快时,才有必要凉蛋。对于没有通风系统的电孵机,凉蛋是被结合在翻蛋和通风换气的同时进行的。

凉蛋的方法很多,机器孵化鸭蛋时,每日打开机门2次,对已经孵化18～24天的蛋,连同蛋盘从蛋架上抽出1/3,进行凉蛋。25天落盘以后直至出雏,每日也凉蛋2次,可以间隔地抽出雏盆。凉蛋时如发觉蛋温过高,达到烫眼皮的程度,应立即将蛋盘拿到机外凉蛋,到用眼皮测试蛋温感觉稍凉时即可放回孵化机内。也可喷上40.5℃的温水，直到用眼皮感触蛋身温和时，再送入机内。凉蛋的时间，随季节、室温、胚龄而异，通常为20～30 min，早期及寒冷季节不易过长。大型孵化机，凉蛋时一般关闭热电源，只开动风扇，让机温自然下降。有的采取机孵和上摊床相结合的方法，通过翻蛋来进行凉蛋。

此外，孵化室内的环境条件，对孵化机能否维持适宜的孵化条件也有很大的影响。一般要求孵化室保持室温21～24℃，相对湿度50%～60%。室内要保持清洁卫生，设备用具摆放整齐，空气要新鲜，要避免阳光直射或冷风直吹到孵化机上。孵化室最好用水泥地板，并设有排水系统，以便冲洗用具，保持清洁卫生。如有条件，特别是孵化量大的孵化场，可分设种蛋储存室、孵化室、出雏室、洗涤消毒室等，以利于卫生防疫，提高肉鸭质量。

第五节　鸭胚胎的检查及后期管理

一、照　蛋

照蛋的方法很多，没有电时，可遮住窗户留一亮洞，或在墙壁上挖一椭圆的洞，让阳光从洞中透进。也可作一长、宽、高都约20 cm的小方盒，中间安电灯或煤油灯，在两边各开2个圆洞。照蛋时每手持蛋2枚，轮流纳入圆洞内略加转动即可见蛋内胚胎发育情况。一般情况下，照蛋都用照蛋灯或验蛋台验照(图4-14和图4-15)。

每批蛋在孵化期间一般照3次，也有的只照2次。头照在入孵后4～7天进行，区分受精蛋与无精蛋，死胚蛋与活胚蛋，弱胚蛋与正常发育的蛋(图4-16)。

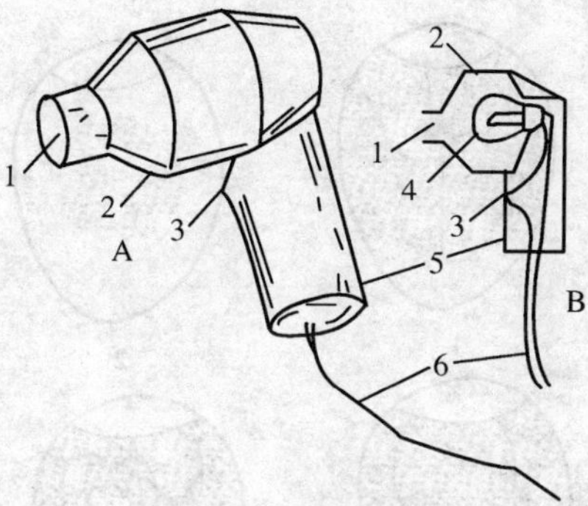

图 4-14　验蛋灯

A. 外形；　B. 结构模式

1. 照蛋口；　2. 外壳；　3. 开关；　4. 灯泡；　5. 把手；　6. 电线

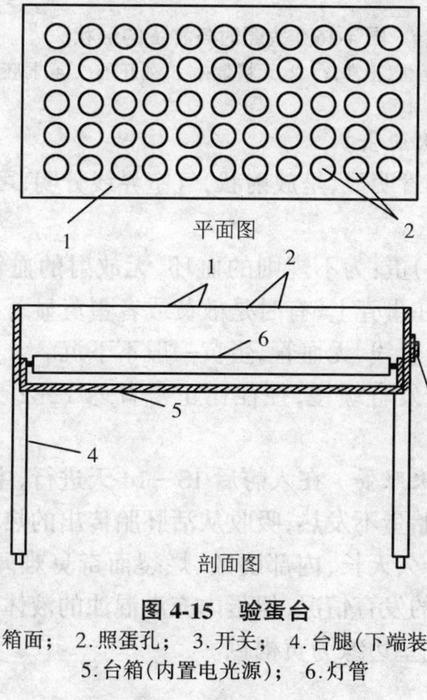

图 4-15　验蛋台

1. 台箱面；　2. 照蛋孔；　3. 开关；　4. 台腿(下端装小轮)；
5. 台箱(内置电光源)；　6. 灯管

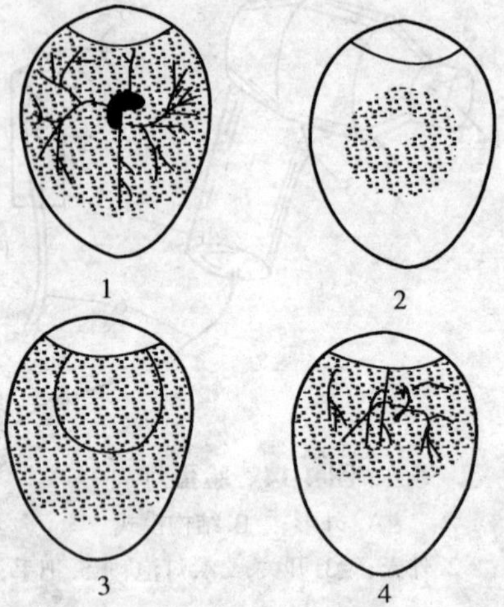

图 4-16　头照时各种蛋的形状

1.受精蛋(正常)；2.无精蛋；3.死胚蛋；4.弱胚蛋

1.第 1 次照蛋

活胚:血管明显,呈放射状,气室界线分明,可见胚的黑影活泼移动。

死精(胚)蛋:为不规则的血环,无放射的血管,有时是一条血线贴在蛋壳上,有时是散黄或者蛋黄显著扩大。

无精蛋:色浅,无血管,蛋黄一般不下沉。

弱胚蛋:发育缓慢,往往比正常者迟 1～2 天,血丝细弱,胚胎小。

2.第 2 次照蛋　在入孵后 13～14 天进行,主要是验出死胎蛋。死胎蛋不发热,吸收从活胚胎传出的热,影响活胚胎的发育,日久天长,内部腐败、烂裂而奇臭难闻。死胎往往有前几天的发育情况,但蛋内充满混浊的液体,随蛋的转动而转动,气室边缘为黄褐色。

3.第 3 次照蛋　在入孵后第 23～24 天进行，拣出死胎。死胎气室暗红或黄褐色，头偏小，凉蛋后冰冷，摇动时作水响声，无黑影闪动，在水中不自行晃动。正常的活胎气室为青色，“斜口”大，占蛋的 1/4，胚胎频频闪动，在水中自行晃动，凉蛋后仍有热的感觉。

二、胚胎雌雄鉴别

入孵后 4～7 天第 1 次照蛋，可以鉴别胚胎雌雄。

早期鉴别胚胎雌雄，在经济上有很大意义。孵化蛋鸭的孵化场，就常将雌胚胎留下继续孵化，而将雄胚胎拣出及时处理。

早期胚胎雌雄鉴别以卵黄囊血管的发育情况和分布类型来鉴别。先找出胚胎前后的卵黄囊血管，以它们的联线作为“中轴”，如果中轴两边分布的血管对称而且粗大，密度较稀，似“主根形”，就是雄胚。如果中轴两边分布的血管不对称，尤其是胚盘下半部左右两侧明显不对称，一边多另一边少，并且纤细，似“须根形”，即为雌胎（图 4-17）。在观察时如果中轴难以确认，类似中轴的血管多于 2 条，则多发育成怪胎。对绿壳蛋进行鉴别时，需要较强的光源。

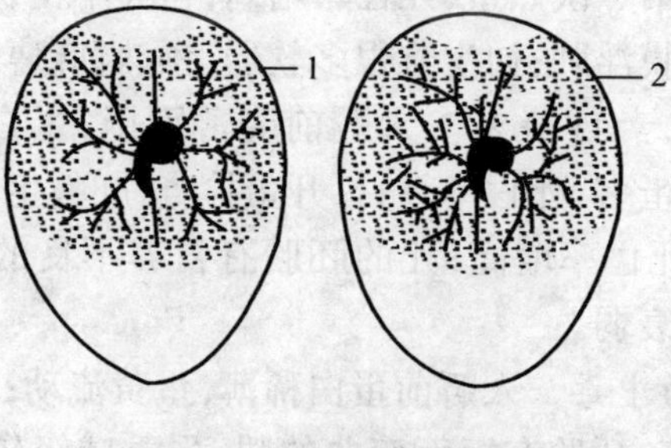

图 4-17　胚胎雌雄的鉴别

1.雄胚；　2.雌胚

三、蛋重检查

在孵化时，由于蛋内水分蒸发，以及由于进行发育，发散热能，消耗养分，蛋重会逐渐减轻，且在某个时间内有一定比例，正常情况下，蛋重减轻的标准如表4-8所示。

表 4-8　孵化期间蛋重减轻的标准

入孵时间(天)	5	10	15	20	25
蛋重减轻(%)	2～2.5	4～5	7～8	9～11	12～14

四、不良孵化成绩的检验

通过照蛋、蛋重检查、毛蛋解剖等方法，发现不正常胚胎，及时查出特异卵，做好记录，分析原因，总结经验。

(一)不良孵化结果原因及生物学特征

1. 维生素 A 缺乏　蛋黄颜色浅淡；入孵后第 1 次照蛋受精率不高，有较多死胎；打开蛋检查，发育较迟缓；第 2 次照蛋，肾及其他器官有盐的沉淀；许多雏无力破壳，或破壳无力造成死胎；初生雏很多有眼病(眼肿胀)。

2. 维生素 B 缺乏　入孵前蛋白稀薄；打开蛋检查，生长较迟缓；第 2 次照蛋，死亡率增高，营养不良；死胎的羽毛"萎缩"，脑膜浮肿；初生雏很多软弱，颈、脚麻痹。

3. 维生素 D 缺乏　入孵前壳薄而脆，蛋白稀薄；第 1 次照蛋，破蛋多，死亡率高；打开蛋检查，胚囊生长迟缓。第 2 次照蛋，死亡率增高；死的胚胎有营养不良的征兆；出雏不齐，幼雏衰弱。

4. 蛋白中毒　入孵前蛋白稀薄，蛋黄流动；第 2 次照蛋死亡率提高，死胎有短而弯曲的腿，蛋重减轻较多；死胎的胚胎营养不良，腿短而弯曲，"鹦鹉嘴"；初生雏许多弱雏，颈和腿麻痹。

5. 陈蛋　入孵前气室大，壳陈旧，系带、卵黄膜软；第1次照蛋，胚胎多在1～2日龄死亡，胚盘多泡沫状的表面；打开蛋检查，发育迟缓；第2次照蛋，发育仍较差；初生雏出壳时期延迟。

6. 运输中受强力震动　入孵前系带折断，蛋白流入气室，气泡流动；第1次照蛋，许多散黄蛋；打开蛋检查，蛋白、蛋黄混为一体。第2次照蛋有许多臭蛋。

7. 入孵头2天过热　第1次照蛋胚胎发育加速，很多畸形并粘在壳上；第2次照蛋，很多头、眼、颚的畸形；死胎很多；初生雏出壳早，很多畸形。

8. 入孵3～5天过热　第1次照蛋许多部位充血、瘀血和异位；第2次照蛋尿囊早期包围蛋白、心、肝、胃，畸形，胚胎异位；死胎尿囊早期包围蛋白；初生雏出壳早。

9. 短期的强烈过热　第1次照蛋，干而粘在壳上；打开蛋检查，尿囊血管暗黑色，血液凝结；第2次照蛋，肝、肾、脑充血、瘀血；死胎，皮肤充血，头的位置不正。

10. 孵化后半期长期过热　死胎啄壳时死亡多，不能很好地吸收卵黄，卵黄囊、肠、心充血，心脏小；初生雏出壳时间早，时间拖长，雏鸭弱小，羽毛红枯粘壳，脐出血，蛋壳上满布血丝。

11. 热量不足　第1次照蛋，生长发育比较迟缓；第2次照蛋生长发育非常迟缓，气室边界平齐；死胎，有很多活胎不能出壳，尿囊充血，心肥大，卵黄呈绿色，肠内充满卵黄和粪；初生雏出壳延期，时间拖长，雏萎缩，站立不稳，腹大，全身浮大，有时下痢，蛋壳内部污秽多粪。

12. 湿度过高　第1次照蛋检查，尿囊闭塞发育迟缓；第2次照蛋，气室限界平齐，蛋重减轻较多；死胎，啄壳时，喙黏于外壳，肠胃满是黏性液体；出雏期延迟，绒毛发达，雏与蛋壳黏着，腹大。

13. 湿度不足　第 1 次照蛋，死亡率增高；打开蛋检查，蛋重减轻较多，胚胎充血，黏附于蛋壳；死胎的蛋壳膜黏附结实，啄壳困难，绒毛干燥；初生雏早期出雏，雏轻，绒毛干燥，多枯红色。

14. 通风换气不良　打开蛋检查在羊水中有血液；第 2 次照蛋内脏充血、瘀血，死亡率增高；死胎，在蛋的小端啄嘴，不能出壳。

15. 翻蛋不正　第 1 次照蛋蛋黄粘于蛋壳上，不能转动；打开蛋检查，尿囊没有包围蛋白；第 2 次照蛋，尿囊之处有黏着性剩余蛋白；死胎增多。

16. 种蛋未消毒受到双球菌污染　第 1 次照蛋蛋壳污秽，多弱精蛋；打开蛋检查，发育迟缓；第 2 次照蛋，气室处的蛋白膜上有绿色霉斑，以后扩大到全部气室；死胎死前胚胎衰弱，发育迟缓，死亡率增高，死胎腐败，混浊，具臭味。

(二)不良孵化结果及其产生原因

1. 无精蛋产生的原因　①公鸭无受精能力；②公鸭年龄过大；③种鸭营养不良；④公母鸭比例不当；⑤种鸭饲养密度过大。

2. 孵化早期死亡的蛋　①种蛋经长途运输震动；②种鸭缺乏营养；③种蛋储存期温度过高；④种蛋消毒(熏蒸)不当；⑤孵化初期温度不当；⑥孵化期翻蛋不当。

3. 胚胎发育中期死亡的蛋　①种鸭缺乏营养；②孵化温度不当；③孵化期换气不良；④孵化期翻蛋不当。

4. 胚胎发育正常，但在破壳前死亡　①孵化器的温、湿度不当；②换气不良；③翻蛋不当；④出雏器温度不当。

5. 打啄后死亡　①温度过低；②短时间高温；③换气

不足。

6. 因胎位不正而造成的毛蛋　①种鸭缺乏营养；②孵化温度过高或过低；③换气不足；④温度不够；⑤翻蛋不足。

7. 过早出雏，脐带出血　孵化器和出雏器温度过高。

五、嘌　蛋

将快要出壳的胚蛋，运输到另一个地方出雏，这个过程称嘌蛋。嘌蛋是我国人工孵化技术的特色之一。它比运输雏鸭更方便，尤其是在天气炎热或交通不便的地区，嘌蛋更有实际意义。

嘌蛋的方法是将孵化20天以后的鸭蛋，经照蛋剔除死胚、弱胚后，装在竹箩筐里（江浙一带多用圆形箩，高18 cm，直径60～64 cm），四周用报纸糊好，筐底垫一层稻草，每筐放3～4层，上盖棉被保温。在火车或船上，可以几个筐摞在一起，四周再用棉被包住，放在避风处，严防雨淋。路上每3～4 h检查1次蛋温，发现蛋温过低或过高，要及时调整。启运日期应根据路程而定，以出雏前能达到目的地为原则。如途中运输需要5天，则以孵化第22天启运为宜。

嘌蛋途中的管理，根据不同季节而有区别，冬季或早春，嘌蛋主要是保温；夏季嘌蛋主要是散热，气温超过30 ℃时，竹箩筐四周不可糊纸，底下不垫稻草，只垫一层报纸，蛋只放一层或一层半（即上层蛋放得稀些）。途中严防暴晒和雨淋，把蛋放在通风阴凉处。

六、强 弱 分 级

每次孵化，总有一些弱雏和畸形雏，出雏后，发运之前要进行严格的挑选分级。畸形雏坚决淘汰，弱雏单独饲养，决不可留做种用。强弱雏的区别见表4-9。

表 4-9　强雏和弱雏的区别

项　目	强　雏	弱　雏
出壳时间	正常时间内	过早或最后出雏
绒毛	绒毛整洁，长短适合，色素鲜浓	蓬乱污秽，缺乏光泽，有时绒毛短缺
体重	体态匀称，大小均匀	大小不一，过重或过大
脐部	愈合良好，干燥，其上覆盖绒毛	愈合不好，脐孔大，触摸有硬块，有黏液，或卵黄囊外露，脐部裸露
腹部	大小适中，柔软	特别膨大
精神	活泼，腿干结实，反应快	痴呆，闭目，站立不稳，反应迟钝
感触	饱满，挣扎有力	瘦弱，松软，无挣扎力

七、雏鸭的雌雄鉴别

肉用型的鸭可以公母分群饲养，发育整齐。公鸭可按营养要求给料，促进快速肥育，缩短饲养期，种鸭在出售时，可以按性比配套提供。因此，现代养鸭业非常重视鉴别雌雄。

雏鸭的雌雄鉴别有鸣管鉴别和肛门鉴别两种方法。使用最普遍、准确率最高的是肛门鉴别法。

图 4-18　公雏鸭的阴茎

初生的公雏鸭，在肛门下方有一长 0.2～0.3 mm 的小阴茎，状似芝麻，翻开肛门时肉眼可以看到(图 4-18 和图 4-19)。有经验的鉴别师不用翻肛门，而是采用捏肛法。鉴别时，左手抓鸭，鸭头朝下，腹部朝上，背靠手心，鉴定者右手拇指和食指捏住肛门两侧，轻轻揉搓，如感觉到肛门内有个像芝麻似的小突起，上端可以滑动，下端相对固定，这便是阴茎，即可判断为公鸭；如无此小突起的，即是母鸭（母雏在用手指揉搓时，虽有泄殖腔的肌肉皱壁随着移动，但没有芝麻点的感觉）。

图 4-19　肛门鉴别法

A. 捏肛法手势；　B. 翻肛鉴别手势

采用捏肛鉴别法时，术者必须手皮薄，感觉灵敏，准确率可以达到 99% 以上。

第五章　肉鸭营养与饲料

肉鸭的营养来源于饲料。鸭通过采食饲料，消化吸收其中的各种营养物质，转化为自身的物质，以满足生长发育的需要，并形成肉鸭产品。因而饲料是确保肉鸭生长、产蛋、产肉或肥肝等生命活动的物质基础。饲料中的营养成分不同，其作用也不同，只有在了解饲料中的营养物质组成及鸭的营养需要的基础上，科学配制日粮，才能达到降低成本，生产更多更好鸭产品的目的。

第一节　饲料中的营养物质

饲料中的营养物质可以分为 6 大类，即水分、蛋白质、脂肪、碳水化合物、维生素和无机盐。而按其功能则分为能量物质、蛋白质、维生素、无机盐和水。归纳如下：

- 饲料
  - 干物质
    - 矿物质(粗灰分)
    - 有机物
      - 含氮物质(粗蛋白)
        - 纯蛋白(真蛋白)
        - 氨化物(非蛋白)
      - 无氮物质
        - 粗脂肪
        - 碳水化合物
          - 粗纤维(存在于植物中)
          - 无氮浸出物
            - 淀粉
            - 糖
  - 水

饲料中的碳水化合物、脂肪和蛋白质称为能量物质。鸭采食饲料后，其能量在体内的转化形式为：

肠胃甲烷能　体热能　　用于维持
↑　　　　　↑　　　　↑
饲料总能→消化能→代谢能→净能→用于生产
↓　　　　↓
粪能　　尿能

饲料中的有机物经测热器测定，其化学能转变为热能，即饲料总能。食进的饲料一部分被消化转化为消化能，而另一部分未被消化则转化为粪能，粪能占总能比例主要与采食的饲料性质有关。消化能中参与代谢的部分为代谢能。代谢能用来衡量肉鸭的饲料营养能量。根据肉鸭的真代谢能来制定饲养标准和计算饲料配方。代谢能中一部分为体热能，另一部分为净能；净能用于肉鸭的产肉、肥肝、产蛋和产羽等，体热能是饲料能量在动物体内代谢过程中不可避免的损耗。通常饲喂肉鸭的日粮若不平衡，将会显著提高代谢能中热增耗的比例。只有当各种营养物质达到平衡时，才能使肉鸭处于最佳生长发育及生产状态。否则，若缺乏某种营养物质，不仅会造成饲料浪费，还会使肉鸭的生长发育受阻，出现异常或病态，导致产蛋率下降，蛋质量差，受精率、孵化率降低等一系列不良后果。因而营养与饲料问题是养殖肉鸭生产中最为重要的一个环节。

第二节　营养需要

肉鸭具有消化力强、代谢旺盛、体温高、生长发育快、成熟早、易肥育等特点，因而同样体重的鸭与其他家禽相比，肉鸭需要更多的各种营养物质。

一、肉鸭对能量的需要

能量饲料是鸭维持体温和一切生命活动中需要量最大的营养物质。

(一)日粮能源

在肉鸭的日粮成分中主要有以下3种能源:碳水化合物、脂肪和蛋白质。将蛋白质作为肉鸭的能源是极不经济的,不仅产能率低,而且价格通常较高,在此不作介绍。

1.碳水化合物　肉鸭对能量的需求主要由富含碳水化合物的植物提供。碳水化合物包括粗纤维和无氮浸出物,后者中的多糖类淀粉是最大量的可消化能源;单糖类、双糖类也都极易消化。而前者即纤维素和木质素中所含的能量不能被鸭所利用,因为肉鸭的消化道中没有分解纤维素的酶,只能靠盲肠中的微生物对半纤维素进行部分分解,所以肉鸭对粗纤维的利用率很低。如果日粮中所含粗纤维过高,会加快食物通过消化道的速度从而影响肉鸭对其他养分的吸收。但适量的粗纤维可以改善日粮结构,刺激胃肠蠕动,有利于酶的消化作用,并能防止肉鸭发生啄癖。一般粗纤维的适宜含量为雏鸭不超过3%,青年鸭、肉鸭不超过6%。淀粉、双糖和单糖容易被消化吸收,是供给肉鸭体热能、维持体温的主要养分,其在体内分解后,放出热量并可转变为糖原储藏于肌肉和肝脏中,剩余的则转变为脂肪贮积在体内。故在肉鸭的肥育期需要供给充足的富含淀粉的饲料。当碳水化合物充足时,可减少蛋白质的消耗,有利于肉鸭的正常生长和保持一定的生产性能。而当碳水化合物及脂肪供应不足时,肉鸭就会分解体内的蛋白质,以满足对热能的需求,从而造成蛋白质浪费。但是饲料中碳水化合物也不宜过多,以免使肉鸭生长过肥,影响肉的质量。

2.脂肪　脂肪是肉鸭体组织、器官、激素和蛋的重要成分。如神经、血液、肌肉、肝、脑、卵子和精子等都含有脂肪。脂肪在蛋内约占11.2%。脂肪是储存能量的最好形式,肉鸭将剩余的脂肪和碳水化合物转化为体脂肪,储存于皮下、肌肉肠系膜和胃的周围,能起到保护内脏器官、防止体热散发的作用。脂肪还是脂溶性维生素的溶剂,它能促进维生素A、维生素D、维生素E、维生素K及胡萝卜素的吸收和利用。在肉鸭的营养上惟一的必需脂肪酸是亚油酸,它是一种不饱和脂肪酸,存在于植物性油脂中。当亚油酸不足时,雏鸭易患脂肪肝病和呼吸道病,种鸭也表现出产蛋量降低,孵化率下降。

脂肪的能值很高,是淀粉的2.25倍。在日粮中添加适量的脂肪不仅可以增强饲料的适口性,还能产生称为"额外热能效应"的有益作用。对肉鸭的研究已证实,即使日粮中代谢能和蛋白蛋维持在相等的水平,饲料利用率将随日粮中添加脂肪水平的增加而直线提高。与其他家禽相比,肉鸭对脂肪的代谢能力表现更强,尤其有趣的是,肉鸭在不同日龄均对米糠中的油(含量>16%)的消化利用率极高。

(二)日粮能量对进食量的影响

大量资料均证实,对肉鸭来说,日粮能量水平是决定饲料进食量的最重要因素。相对其他家禽而言,肉鸭对低能日粮的接受能力更强。一项研究实验表明:当日粮代谢能在12.89~9.20 MJ/kg之间变化时,48日龄肉鸭的平均活重差异并不明显。肉鸭能使大体积的日粮有效地通过消化道,它根据日粮的能量浓度调节采食量的能力较强。但是,饲喂低能日粮的肉鸭饲料转化率明显降低。

限制肉鸭的能量进食量将使鸭的生产降低，降低的幅度与限制的严格程度成比例。在这些限制能量进食量的实验中，其他的营养素如蛋白质、矿物质、维生素、无机盐均保持不变。由此得出的结论是：能量的进食量水平对生长、增重起着至关重要的作用，这对肉种鸭育成期的体重控制是一个极为重要的营养理论依据，而且已经在实际生产中得到充分利用。

鸭对能量的需求（采食）常随环境条件的变化而增减，但对蛋白质、无机盐的需求量却一般不随环境条件而变化，主要由产蛋率、生长率的高低来决定。假如在某一时期根据鸭的营养需要和采食量制定了配合饲料，当时饲料中的能量和蛋白质恰能满足其需要，后来温度降低了，鸭体需要较多的能量，因而增加了采食量，此时蛋白质的摄入量也随之增加，但是肉鸭对蛋白质的需求并未增加，因而造成了蛋白质的浪费；反之温度升高，采食量减少，蛋白质就会不足，也影响鸭肉的正常发育和产蛋。因此，肉鸭的这种根据能量自动调节其采食量的特性，虽然保持了其本身的能量需求平衡，却影响了对蛋白质及其他营养物质的需求平衡。因而应根据不同季节，不同生长发育阶段，及时调整肉鸭日粮中的能量水平。

二、肉鸭对蛋白质的需求

（一）蛋白质的功能及其来源

蛋白质是肉鸭体一切组织如肌肉、血液、皮肤等和各种器官以及酶、激素、抗体、色素等的重要组成成分，是重要的结构物质，几乎占细胞重的 1/2；同时也是鸭肉、羽毛等鸭产品的重要组成成分。因而蛋白质是维持机体正常代谢、生长发育、繁殖和形成肉、蛋、羽等最需要的营养物质。当肉鸭体内碳水化合物或脂肪不足时，蛋白质还可氧化放出能量，来满足肉鸭体的能量需要。但肉鸭必须从饲料中摄取蛋白质，经过体内的同化作用重新组成肉鸭体蛋白质，而不能用碳水化合物、脂肪和其他养分来代替。当肉鸭摄取的饲料蛋白质不足时，其体内蛋白质的分解比合成多，正常的生理功能就不能保障，表现为雏鸭、中鸭贫血，生长发育减慢、停滞甚至退膘；成年鸭开产期延迟，产蛋率下降，蛋重减轻，品质变劣，孵化率低，肉鸭体内免疫蛋白减少，抗病力降低，严重时体重降低，产蛋停止，甚至死亡。但蛋白质过量也会引起消化障碍，而出现拉白屎和尿酸盐沉淀等症状，并导致蛋白质的浪费，饲料成本高；同时，还因排泄大量含氮物而污染环境。

(二)蛋白质的品质与限制性氨基酸

肉鸭对蛋白质的需要实际上是对包括必需氨基酸和非必需氨基酸在内的全部氨基酸的需要。日粮中完整的蛋白质被分解，最终以游离氨基酸的形式进入血液，被输送到肝脏和其他体细胞，以合成鸭体所需要的各种蛋白质。蛋白质的品质是由氨基酸的种类和含量所决定的。目前，已知饲料中的氨基酸种类有 22 种，其中有 13 种氨基酸在鸭体内不能合成或合成的速度及数量不能满足正常生长的需要，必须从饲料中摄取，这类氨基酸即为必需氨基酸。它们是赖氨酸、蛋氨酸、色氨酸、组氨酸、苏氨酸、精氨酸、异亮氨酸、亮氨酸、苯丙氨酸、缬氨酸、胱氨酸、酪氨酸和甘氨酸。另一些氨基酸在鸭体内能合成，或需要量较少，不必由饲料供给，也能维持正常生长，称为非必需氨基酸。质量好的蛋白质不仅含有各种必需氨基酸，而且配合比例也比较恰当。例如，动物性蛋白质的氨基酸组成就比较合理，其中所含必需氨基酸比较完全，尤其是赖氨酸、蛋氨酸的含量较高；而植物性蛋白质所含必需氨基酸种类少,品质就差些。含有全部必需氨基酸的蛋白质,称为全价蛋白质。在非全价蛋白质饲料如植物性饲料中,通常赖氨酸、蛋氨酸、色氨酸缺乏或含量不足,就会限制其他各种必需氨基酸的利用率,这样的氨基酸被称为限制性氨基酸。如在鸭的13种必需氨基酸中有12种达到了营养需要量的100%,而赖氨酸只达到需要量的60%,这样日粮蛋白质中的全部氨基酸有效利用率就会受到限制,整个降低到60%,剩余的40%在肝脏中进行脱氨,并合成尿素,随尿排出体外。在肉鸭的氨基酸需要中,首先含硫氨基酸是最为限制性的,其次为赖氨酸。因而在日粮中适量添加蛋氨酸、赖氨酸、胱氨酸,能有效地提高饲料蛋白的利用率,故这几种氨基酸被称为蛋白质饲料的强化剂。可见蛋白质的利用率取决于氨基酸含量是否齐全,比例是否平衡。在各种必需氨基酸平衡的全价蛋白质饲料中,被肉鸭同化在体内,变成体蛋白的量就多,被排出或浪费的就少。但是,许多单一饲料中所含蛋白质中的氨基酸种类往往不齐全或不适量,所以日粮中饲料成分单纯时,蛋白质的利用率就低,如能采食多种饲料,饲料蛋白质中的氨基酸能够取长补短,相互补充,使日粮中各种必需氨基酸齐全且适量,就能够提高蛋白质的利用率和营养价值,这种作用称为氨基酸的互补作用。

有些氨基酸在肉鸭体内除合成蛋白质外,还可以形成维生素和激素等,供鸭体生长所需。如色氨酸可形成烟酸;酪氨酸可合成甲状腺素和肾上腺素,也是形成黑色素所必需的;蛋氨酸为一种甲基化剂;能代替日粮中的部分胆碱。

现以北京鸭、土番鸭、杂交鸭为例,各时期摄取的必需氨基酸及其需要量见表5-1所示。

表 5-1　肉鸭的必需氨基酸及其需要量　%

项　目	北京鸭		土番鸭		杂交鸭	
	0～3 周	4～8 周	0～3 周	4～10 周	0～3 周	4～7 周
代谢能 (MJ/kg)	11.72	12.14	12.08	12.08	11.09	12.78
粗蛋白质	18.0	16.0	18.7	15.4	20.0	18.0
蛋氨酸	0.45	0.45	—	—	0.50	0.45
蛋氨酸+胱氨酸	0.98	0.77	0.69	0.67	0.85	0.77
赖氨酸	1.00	0.89	1.10	0.90	1.11	1.00
色氨酸	0.20	0.18	0.24	0.20	0.22	0.20
精氨酸	1.00	0.89	1.12	0.92	1.11	1.00
组氨酸	0.40	0.36	0.43	0.35	0.44	0.40
亮氨酸	1.50	1.33	1.31	1.08	1.67	1.50
异亮氨酸	0.50	0.44	0.66	0.54	0.56	0.50
苯丙氨酸	0.80	0.71	—	—	0.89	0.80
苯丙氨酸+酪氨酸	1.19	1.06	1.44	1.19	1.33	1.19
苏氨酸	0.55	0.69	0.69	0.57	0.61	0.55
缬氨酸	0.80	0.71	0.80	0.68	0.89	0.80
甘氨酸	1.00	0.89	1.22	0.71	1.11	1.00

(三)氨基酸需要量的测定与能量蛋白比

肉鸭的氨基酸需要量的测定方法常用成年肉鸭喂无氮日粮,测出肉鸭内源氨基酸的排出量及排出模式;用低氮日粮测出成年肉鸭在维持状态下的损失氮,再测定排泄物中的肌酸肌酐总量推测出甘氨酸、精氨酸和蛋氨酸的损失,这三项之和即为氨基酸的维持需要量。生长所需的氨基酸模式则可根据生长鸭的体重和体氮含量、胴体氨基酸分析获得。分析羽毛的氨基酸组成和羽毛生长量得到羽毛的氨基酸需要量。维持需要量和生长需要量之和为鸭的氨基酸需要量，再根据鸭饲料采食量，从而得到饲料中氨基酸的需要水平。

在确定肉鸭日粮蛋白质水平时，通常要与能量结合起来考虑。与鸡类似，肉鸭日粮中适宜的能量蛋白比（ME/CP）对于肉鸭的生长、饲料转化率及其经济效益的作用都显得比单独的蛋白质需要量更为重要。因此，用能量蛋白比来表示肉鸭的蛋白质需要量。雏鸭的 ME/CP＝14 时较为适宜，而生长育成期鸭的 ME/CP＝17～19 时所产生的综合效果最佳，这也是最为实际的选择范围。

常规的蛋白质原料如豆粕、鱼粉、肉骨粉等是肉鸭的较好蛋白质来源，人工合成的商品氨基酸也在肉鸭的生产中得以广泛利用。

三、肉鸭对维生素的需要

维生素的功能是调节新陈代谢过程，它与酶的活性有密切关系。肉鸭体不能合成它们，必须从食物中获得，虽然肉鸭对维生素的需要量极其微小，但其对各种生命活动均有重大影响。当缺乏时，会引起相应的维生素缺乏症。发生代谢紊乱，影响正常的生长发育、受精、产蛋和种蛋的孵化，严重时可导致鸭死亡。肉鸭在逆境因素刺激下，如转群、拥挤、预防接种、高温、潮湿和运输等条件下对维生素的需求会成倍增长，因此应及时补充。

维生素有 20 多种，根据其溶解特性可分为两大类，即脂溶性维生素和水溶性维生素。脂溶性维生素在肉鸭体内有一定储存，但不稳定；水溶性维生素在体内不能储存，很快随尿排出，须经常由饲料供给。

（一）脂溶性维生素

脂溶性维生素主要有维生素 A、维生素 D、维生素 E、维生素 K 等,分述如下。

1. 维生素 A　维生素 A 又称为抗干眼维生素、抗传染病维生素或生长维生素等。维生素 A 能保持黏膜的正常功能,促进肉鸭的生长发育,保证视觉器官、呼吸系统、消化系统和生殖系统黏膜的健康;加强对传染病及寄生虫病的抵抗力;提高产蛋、产肉、孵化和成活率,对骨骼的形成也有作用;还能增进食欲,促进消化,预防夜盲症等。当维生素 A 缺乏时,鸭表现为运动肌肉和神经失调,关节僵硬、肿大,行走蹒跚,生长发育不良,眼睛流泪、红肿,患夜盲症或干眼炎;产蛋率和孵化率下降,公鸭配种能力下降,输尿管和肾脏尿酸沉积,精神不振,羽毛蓬松等。雏鸭和青年鸭对维生素 A 的需要量为每千克日粮含 2 500 IU。

维生素 A 存在于动物性饲料中,以鱼肝油和蛋类中最为丰富。青绿多汁饲料如胡萝卜、南瓜、青菜、苜蓿、甘薯、黄玉米及嫩草等含有丰富的胡萝卜素,在体内经水解后能转变成维生素 A。因此,放牧和饲喂这些饲料的鸭群一般不必添喂维生素 A。

由于天然维生素 A 不稳定,饲料中的含量变化大,在工厂化饲养的过程中,鸭往往发生维生素 A 缺乏症,此时应添加适当量的维生素 A,通常以高于营养需要规定的标准添加(一般超出 2 倍),并以较稳定的合成维生素 A 为好。

1 IU 维生素 A 相当于 0.3 μg 维生素 A 醇,或 0.344 μg 维生素 A 醋酸酯,或 0.6 μg β-胡萝卜素,或 1 μg 粗胡萝卜素。

美国国家研究委员会(NRC)制定的标准中,肉鸭维生素 A 的需要量为每千克日粮 2 500 IU。

2. 维生素 D　维生素 D 又称抗佝偻病维生素,是几种脂溶性胆固醇衍生物的综合名称。它与肉鸭体内的钙、磷代谢有关。能帮助钙、磷的吸收，促进骨骼和蛋壳的生长和形成。维生素D对任何年龄的肉鸭都很重要。在维生素D中，维生素D_2和维生素D_3最重要。维生素D_3的效能比维生素D_2高40倍。如果缺乏维生素D，骨组织的形成会受阻，雏鸭出现生长发育不良，双腿无力，喙、脚及骨质变软，腿骨弯曲，发生佝偻病。种鸭则产薄壳，软壳或畸形蛋，产蛋率下降，孵化率降低。雏鸭和青年鸭对维生素D_3的需要量为每千克日粮含200 IU。

维生素D在鱼肝油、蛋黄和动物肝脏中最为丰富，通常用鱼肝油作为维生素A、维生素D的补充剂和缺乏症的治疗药物。肉鸭体表皮组织和羽毛中的7-脱氢胆固醇经紫外线照射，可以转变为维生素D_3而被吸收；青饲料中的麦角固醇经阳光照射可转变为维生素D_2，所以放牧的鸭群不会缺乏维生素D。雏鸭在室内育雏期间，每日有20 min的阳光照射，就可以满足对维生素D的需要。在舍内饲养和阳光照射不足的季节，应注意补充鱼肝油等。1 IU维生素D相当于0.025 μg结晶维生素D_3。

3.维生素E　维生素E又称为抗不育维生素或生育酚。其功能是有助于维持生殖器官的正常机能和肌肉正常的代谢作用。维生素E又是一种有效的体内抗氧化剂，对鸭的消化道及机体组织中的维生素A有保护作用，且与硒的代谢和作用有关。故维生素E能保持种鸭正常的生殖功能，提高产蛋率、种蛋受精率和孵化率，同时也促进雏鸭的生长并增强其生活能力。当缺乏时，可能引起细胞组织软化、渗出性素质病以及肌肉营养不良。公鸭缺乏时，睾丸退化，配种能力下降，种蛋孵化率降低或丧失。鸭对维生素E的需要量大约为每千克日粮10 mg。

维生素 E 可用化学方法合成，或从植物油中分离。在蛋黄、植物油和谷物子实的胚芽中含量丰富，在青绿饲料和油饼中含量也较多。鸭的日粮中如含有一定比例的谷物和油饼，又有充足的青饲料，就不会缺乏维生素 E。当缺乏时，可在日粮中添加 0.5% 的植物油。

1 IU 维生素 E 相当于 1 mg *DL*-α-生育酚醋酸酯或 1.49 mg α-生育酚。

4. 维生素 K　维生素 K 又称为抗出血维生素，它参与凝血作用，促进伤口血流迅速凝固，防止流血过多。当缺乏维生素 K 时，易患出血病，肉鸭因凝血时间延长，导致大量流血，引起贫血症。雏鸭出壳后 2 周内肠边细菌少（细菌有合成维生素 K 的功能），容易出现维生素 K 缺乏症。在发生鸭球虫病时，肠道出血多，往往造成维生素 K 的缺乏，这时每千克日粮可加入 2 mg 的维生素 K。

维生素 K 有 4 种：维生素 K_1 在青饲料、苜蓿粉、大豆、肉骨粉、鱼粉和动物肝脏中含量丰富；维生素 K_2 可在肠道内由细菌等合成；维生素 K_3 和维生素 K_4 为人工合成的，可作为补充剂或添加剂使用。

（二）水溶性维生素

水溶性维生素主要有 B 族维生素和维生素 C。B 族维生素是辅酶的组成部分，与体内的代谢活动关系密切。

1. 维生素 B_1　又称硫胺素，为鸭体碳水化合物正常代谢所必需的，其可使神经组织中碳水化合物供应充足，维持神经细胞的正常机能，避免乙酰胆碱受到胆碱酸酶的破坏而维持正常的肠蠕动，保持良好的食欲，促进生长。缺乏时，正常神经机能受到影响，鸭表现为食欲减退，体重减轻，羽毛松乱无光泽，发生多发性神经炎，严重时，腿、翅、颈发生痉挛，头向后极度弯曲呈“望星状”，瘫痪，倒地不起。雏鸭对硫胺素的需要量很大。

维生素 B_1 在糠麸、青饲料、胚芽、草粉、豆类、发酵饲料和酵母粉中含量丰富，日粮中配有一定量的糠麸及豆粕类，并常喂青绿饲料，一般不会出现维生素 B_1 缺乏症。

1 IU 维生素 B_1 重 3 μg。

2. 维生素 B_2　又称为“核黄素”，呈黄绿色。它对体内氧化还原、细胞呼吸作用有重要影响，是 B 族维生素中最易缺乏的一种。缺乏时最明显的症状是脚趾向内侧弯曲，软腿瘫痪，以膝关节触地行走，生长不良，成年鸭产蛋量下降，蛋的孵化率降低；出壳雏鸭脚趾卷曲，绒毛稀少，卵黄吸收不良。

核黄素在豆科植物、大麦、小麦、麦麸、米糠、豆饼、谷芽、青干草粉、酒糟、酵母、鱼粉、血粉、蚕蛹渣、发酵产品中含量较多。但核黄素易在碱性环境中被光和热破坏，因此要经常补给。如发生缺乏症，可在每千克日粮中加入 4 mg 维生素 B_2，或加喂些酵母。

1 IU 维生素 B_2 重 2.5 μg。

3. 维生素 B_3　又名泛酸，是辅酶 A 的组成部分，与碳水化合物、脂肪和蛋白质代谢关系密切。缺乏时，雏鸭生长缓慢，羽毛粗乱，皮下出血、水肿，发生皮肤炎，嘴角及眼睑周围结痂，种鸭产蛋率、孵化率降低，胚胎在孵化后期死亡。

泛酸在青饲料、糠麸、花生饼、大豆饼、小麦、苜蓿、干草、谷实中含量较多，谷实的副产品中也都含有，但玉米中含量少。

泛酸与维生素 B_2 的利用有关，当一种缺乏时，另一种的需要量增加。泛酸虽在植物中分布较广，但并不稳定，受热易破坏。鸭饲料中常需添加酵母、发酵残渣、糠麸等以防泛酸缺乏。

4. 维生素 B_6 又名吡哆醇，是蛋白质和氮代谢中的一种辅酶成分。缺乏时，生长停滞，肌肉动作不协调，抽搐，皮肤发炎，羽毛粗糙，母鸭产蛋减少，种蛋孵化率下降。

维生素 B_6 在糠麸、苜蓿、绿干草粉、胚芽、谷类及其副产品和酵母中含量丰富，日粮中一般不会缺乏。

5. 维生素 B_{12} 又名钴胺素，与核酸、甲基的合成代谢有关，也参与碳水化合物、脂肪的代谢，维持血液中的谷胱苷肽，有助于提高造血机能。它能促进体细胞的形成，提高鸭对日粮中植物性蛋白质的利用率，对肉鸭的生长有显著的促进作用。当缺乏动物性饲料时，添加钴胺素也可以获得较好的饲料报酬。当缺乏维生素 B_{12} 时，雏鸭表现为贫血，消瘦，食欲不振，饲料利用率低，生长停滞甚至死亡。成年鸭有时外观虽不表现出特殊症状，但产蛋量下降，蛋重减轻，蛋形变小，孵化率降低，孵化 18 天时胚胎死亡率很高。鸭对维生素 B_{12} 的需要量按每千克日粮的含量计算，雏鸭和青年鸭为 0.009 mg，成年鸭为 0.003 mg。

维生素 B_{12} 在动、植物体内均不能合成，只有微生物能够合成，但动物组织能储存维生素 B_{12}，因而在鱼粉、肉骨粉、血粉、蚕羽粉、动物心、肝、肾及其他动物性饲料以及酵母、发酵产品中含量丰富。当日粮中动物性饲料少时，应添加维生素 B_{12}。

6. 烟酸 又名尼克酸或维生素 B_5，是所有活细胞都必需的一种维生素，它对体内碳水化合物、脂肪和蛋白质的代谢起主要作用，并有助于产生色氨酸。鸭对烟酸的需求量比鸡的高。缺乏时，鸭表现为食欲不振，生长停滞，口腔黏膜发炎呈暗红色，羽毛蓬乱、稀少、缺乏光泽，并伴有下痢和曲腿内弯现象，膝关节肿大，但骨质坚实，区别于软骨症。两腿内弯程度随日粮中烟酸缺乏程度而异，严重时不能行走，甚至瘫痪。

维生素 B_5 在糠麸、大麦、小麦、谷物饲料、花生饼、菜子饼、向日葵饼、粗面粉、发酵副产品、青苜蓿中含量较多。

7. 胆碱　胆碱是一种含甲醛的化合物，为蛋氨酸等合成甲醛的来源，也是构成磷脂和卵磷脂的成分，与传递神经冲动和肝脏中脂肪的转运有关，为雏鸭生长所必需。鸭对胆碱的需求量比其他维生素大很多，缺乏时，易患脂肪肝症和滑腱症，雏鸭生长减缓，母鸭产蛋减少。

一般天然饲料中都含有胆碱，菜子饼、豆饼、棉子饼、葵子饼、糠麸、大麦、小麦及鱼粉、饲料酵母中含量丰富。胆碱和蛋氨酸可相互提供甲醛，都可做体内甲醛的来源，两者也都有促进生长的效用。当日粮中缺乏蛋氨酸，或饲喂高脂肪低蛋白的饲料时，必须添加胆碱。鱼粉、大豆粕和酒糟残液是胆碱的良好来源。目前，多使用工业生产的氯化胆碱。

8. 生物素　又名维生素 H，在鸭体内参与蛋白质和碳水化合物的代谢，并与脂肪合成有关。在生鸡蛋清中含有一种蛋白，可以与生物素紧密结合，从而使生物素失去作用，这种蛋白称为抗生物素蛋白，因而不可让鸭食生鸡蛋清。当鸭体内缺乏生物素时，表现为易患皮炎，脚发红，骨骼畸形，运动失调。

生物素分布很广，一般饲料中含量都比较丰富。高温及氧化剂易使生物素丧失活性，有啄蛋癖的鸭易缺乏生物素，在以小麦或非玉米为主的日粮中应添加生物素。

9. 叶酸　叶酸(维生素 B_{11})又称蝶酸谷氨酸，它以辅酶形式参与许多代谢反应。叶酸与维生素 B_{12} 共同参与核酸代谢和核蛋白的形成。缺乏时雏鸭生长缓慢，有色羽毛，缺乏色素，血红蛋白含量降低，贫血，口腔黏膜苍白，胫骨弯曲骨粗短，出现典型的颈部麻痹。

叶酸在动植物饲料中含量都较丰富，日粮中一般不缺乏。

10. 维生素C　又名抗坏血酸，与细胞间质、骨骼原的形成和保持有关，并促进形成蛋壳。高温条件下会破坏蛋壳上胶原基质的形成，碳酸钙就沉积在胶原基质上，因此在热应激条件下，补加维生素C能提高存活率、产蛋率和蛋壳厚度。在发生传染病时饲喂维生素C，能改进鸭的总体状况，提高抗病力。维生素C也常作为抗应激药剂，能缓解应激影响。正常情况下，鸭体内能合成维生素C，因而不会发生缺乏症。

肉鸭对各种维生素需要量参见表5-2。

表5-2　肉鸭维生素的推荐量

维生素	NRC（1994年）	布莱尔（1983年）	瑞士罗氏公司（1998年）	莱桑尼特等（1992年）
A(IU/kg)	2 500.0	7 000.0	12 000.0	8 000.0
D_3(IU/kg)	400.0	1 025.0	3 000.0	1 500.0
E(IU/kg)	10.0	15.0	40.0	15.0
K(IU/kg)	0.5	1.9	3.0	1.5
硫胺素(mg/kg)	—	5.5	2.0	2.0
核黄素(mg/kg)	4.0	5.5	7.0	4.0
烟酸(mg/kg)	55.0	53.0	40.0	60.0
泛酸(mg/kg)	11.0	10.2	10.0	12.0
吡哆醇(mg/kg)	2.5	3.3	5.0	3.0
生物素(mg/kg)	—	0.25	0.10	0.2
叶酸(mg/kg)	—	0.75	1.0	0.5
胆碱(mg/kg)	—	1 428.0	300.0	1 400.0
B_{12}(mg/kg)	—	0.01	0.02	0.01

四、肉鸭对矿物质的需要

矿物质是指一些金属或非金属元素，它们在饲料中以有机盐或无机盐的形式存在。虽然需求量甚少，但却是肉鸭进行正常生长发育、产蛋和繁殖等生命活动所不可缺少的。矿物质主要存在于肉鸭的骨骼、组织和器官中，有控制体液平衡、调节渗透压、调节酸碱平衡和激活酶系统等作用，又是骨骼、血红蛋白、甲状腺激素及蛋壳的重要成分，对肌肉和神经的敏感性有重要影响，并且与维生素的功能有关。动物所需的必需矿物元素有16种，人们把占鸭体重0.01%以上的称为常量元素，如钙、磷、氯、钠、镁、硫、钾等7种，而把占鸭体重0.01%以下的称为微量元素，如铁、铜、锌、锰、碘、硒、钴、铂、氟等共9种。

（一）常量元素

1.钙　是构成骨骼和蛋壳的主要成分，它对于凝血及与钠、钾一起保持酸碱平衡和维持正常的心脏机能很重要，还有调节神经和肌肉的功能。缺钙时，雏鸭易患软骨病；种鸭和蛋鸭则骨质疏松，甚至瘫痪，产薄壳或软壳蛋，且产蛋率下降。但鸭对过量钙的耐受性较差，钙过多也会影响雏鸭生长和对锰、锌的吸收。在日粮中钙的需要量，雏鸭为0.9%～1.0%，育肥鸭约为0.6%。老龄鸭对钙的吸收能力较差，需钙量较多。气温高时，鸭呼出二氧化碳多，不利于钙的吸收，需钙量较高，钙与日粮中的代谢能水平有一定联系，日粮代谢能高时（12.97 MJ/kg），含钙量应高（4.1%～4.6%），日粮代谢能低时（11.51 MJ/kg），则含钙量也要相应低些（3.2%～3.7%）。

钙在鸭体内的存留率为50%～70%，谷物、糠麸含量很少，饲料中容易缺乏，应注意补充。一般粉状钙易吸收，利用快，应尽可能喂些碎粒状钙。

2. 磷　主要以与钙结合的形式存在于骨组织中，在碳水化合物和脂肪代谢中起重要作用，并参与细胞重要成分的组成和维护机体酸碱平衡。缺磷时，鸭生长缓慢，食欲减退，严重时关节硬化，骨质松脆。磷与钙关系密切，日粮中钙含量低会增加磷排泄量，而钙含量过高又会降低磷的吸收率。所以，饲料中只有保持适当的钙、磷比例，才能保证鸭对钙和磷的需要。

磷在植物性饲料中主要以植酸磷的形式存在，而鸭对植酸磷的利用率极低，玉米和豆粕中植酸磷的含量分别为0.08%和0.22%，但鸭对其的利用率基本上等于零。小麦和大麦中含内源植酸酶，其中植酸磷的利用率可达15%～30%，所以常用饲料原料中磷含量的60%～75%都不能被鸭利用。近年来，常用在饲料中添加植酸酶的方法，提高磷的利用率，同时还可降低饲料成本。一般鱼粉和骨粉中含量较高。鸭饲料中容易缺乏，可用磷酸钙、磷酸钠补充。一般育肥鸭磷的需要量约占日量的0.3%。

3. 氯和钠　常以食盐的形式供给。氯化钠具有维持鸭体内渗透压和酸碱平衡、促进食欲等作用。钠多存在于细胞外的体液中，对心脏活动起调节作用。肉鸭对缺钠日粮的反应尤为明显。缺钠时，心肌的收缩和伸长停止，生长停止，产蛋下降；缺氯时，食欲下降，生长迟缓。而食盐量过多也易引起食盐中毒。鱼粉中含有食盐，因而配制日粮时应加以考虑，食盐应不超过日粮的0.37%。一般育肥鸭钠的需要量约占日量的0.15%，氯的需要量约占日量的0.12%。

4. 钾　红细胞内含量最多，在细胞内形成缓冲体系，是维持细胞内渗透压的主要离子。对神经和肌肉的兴奋以及细胞分裂和发育均有特殊作用。一般饲料中不缺钾。通常育肥鸭钾的需要量约占日量的0.28%。

5.硫　存在于鸭体蛋白质、羽毛和蛋内,饲料中主要靠含硫氨基酸(蛋氨酸和胱氨酸等)中的硫来满足肉鸭对硫的需要。缺乏时将影响蛋和羽毛的生产。放牧的鸭群能吃到动物性蛋白饲料,不会缺硫,但在舍饲期,则应补充些鱼虾、蚯蚓、鱼粉、豆饼、干酵母等含硫较多的饲料以补充硫。

6.镁　是体内许多酶机能活动所必需的。一般饲料中容易缺乏,应注意补充。

(二)微量元素

1.铁　参与血红蛋白的形成,是各种氧化酶的组成成分,与血液中氧的输入和细胞生物的氧化过程有关,缺乏时发生营养性贫血。过量时,鸭采食量减少,体重下降,干扰磷的吸收。饲料中以谷实类、豆类、鱼粉等中含铁量丰富,一般不缺乏。一般育肥鸭铁的需要量每千克饲料中含75 mg。

2.铜　是酶的组成成分,参与多种酶的活动,能促进铁的吸收和血红蛋白的形成,缺乏时引起贫血、骨质疏松和生长不良。过量时发育不良,出现溶血症。一般饲料中不易缺乏。一般育肥鸭铜的需要量每千克饲料中含4.5 mg。

3.锌　参与酶系统的作用,有助于锰、铜的吸收,与骨骼、羽毛的生长发育有关。缺乏时雏鸭采食量减少,生长迟缓,羽毛生长不良,蛋壳变薄,甚至产软蛋。主要来源为动物性饲料、饼粕、糠麸或含锌化合物。一般日粮中比较容易缺乏,而且鸭对锌的需要量要比鸡高一些。一般育肥鸭锌的需要量每千克饲料中含48 mg。

4.锰　是鸭生长、繁殖和防止脱腱症所必需的微量元素。缺乏时,鸭腿骨粗短,蹠关节肿大,易产生脱腱症。种鸭缺锰时，蛋壳变薄，孵化率降低。雏鸭对锰的需要量为每千克饲料含纯锰 55 mg，种鸭的需要量为 33 mg。糠麸、豆类、胚芽中含有锰，但日粮中常缺乏，可添加硫酸锰补充，每千克饲料用量：雏鸭为 150 mg，成年鸭为90 mg。

5. 碘　是酶的活性元素，能维持甲状腺的正常功能。缺碘时，甲状腺肿大，体重下降，胚胎后期死亡。一般日粮中不易缺乏。

6. 硒　与维生素 E 相互协调，是谷胱甘肽过氧化物酶的组成成分，是谷氨酸转化为半胱氨酸所必需的元素，并有防治肌肉萎缩与渗出性素质病以及提高种蛋受精率和孵化率等作用。硒是鸭最容易缺乏的微量元素之一，我国东北等一些地区土壤中缺硒，产出的饲料（玉米）中也缺硒。缺硒时，鸭表现为血管通透性差，心肌损失，心包积水，心脏扩大。补硒的方法是在饲料中按 0.1 mg/kg 添加亚硒酸钠，但亚晒酸钠毒性很强，必须严格控制添加量，并与饲料彻底混匀。否则，若添加量超过 5 mg/kg 时，鸭生长受阻，羽毛蓬松，神经过敏，性成熟延迟，种蛋孵化后出现畸形胚胎，添加量超过 1 mg/kg 时，人食用鸭肉、鸭蛋后会有不良影响。

7. 钴　是维生素 B_{12}重要原料。缺乏时，不仅会影响鸭体肠道内微生物对 B_{12}的合成，还会引起鸭生长迟缓和恶性贫血，容易发生骨短粗症。肉鸭对矿物质元素需要量参见表 5-3。

表 5-3　肉鸭矿物质元素的推荐量

矿质元素	布莱尔等（1983）		NRC（1994）		沈添富（1998）	
	育雏	育肥	育雏	育肥	0~3 周龄	4~6 周龄
钙（%）	0.79	0.82	0.65	0.60	1.1	1.0
总磷（%）	0.65	0.62	—	—	—	—

续表 5-3

矿质元素	布莱尔等（1983）		NRC（1994）		沈添富（1998）	
	育雏	育肥	育雏	育肥	0~3周龄	4~6周龄
可利用磷（%）	0.43	0.40	0.40	0.30	0.41	0.38
钠（%）	0.17	0.15	0.15	0.15	0.15	0.09
钾（%）	0.27	0.28	—	—	—	—
氯（%）	0.17	0.17	0.12	0.12	—	—
锰（mg/kg）	70	69	50	—	60	60
锌（mg/kg）	53	48	60	—	82	82
铁（mg/kg）	79	75	—	—	96	96
铜（mg/kg）	4.5	4.5	—	—	—	—
硒（mg/kg）	0.12	0.08	0.20	—	0.15	0.15
碘（mg/kg）	0.42	0.42	—	—	0.48	0.48

五、肉鸭对水分的需要

水是鸭必需的营养成分之一，是鸭生存不可缺少的物质，也是鸭体及鸭产品的主要构成成分，如鸭体内含水量：初生雏约75%，成年后降至48%～55%，鸭蛋含水量约74%。水是一种溶剂，它参与鸭生理活动的全过程，鸭体内营养物质的消化、吸收、运输、利用及废物排出、体温调节等都依赖水的作用。水还有维持鸭体正常形态、润滑组织器官等重要功能。禽类失去全部脂肪和一半的体蛋白仍能生存，如失去10%的水分便会死去。肉鸭与其他家禽相比，有频繁饮水的习惯，采食时也需要借助水来进行吞咽，因此养鸭不能断水。肉鸭如果饮水不足，会导致食欲下降，对饲料的消化率和吸收率降低，肉鸭生长迟缓，严重时可引起死亡。各种饲料中虽然都含有一定的水分(日粮含水量一般为10%),但仍不能满足鸭体的需要,所以必须把水作为营养物质对待,持续不断地供给清洁的饮水,尤其在夏季,但严禁使用被农药或病原污染的水。

鸭的饮水量因年龄、饲料种类、饲养方式、采食量、产蛋率高低、季节的变化及健康状况而异。一般鸭的饮水量为饲料量的5倍左右,夏季会更高。

第三节　饲　　料

肉鸭常用的饲料有:能量饲料、蛋白质饲料、矿物质饲料、维生素饲料及添加剂等。

一、能量饲料

凡干物质中粗纤维含量不足18%,粗蛋白含量低于20%的饲料均属于能量饲料。主要包括谷类子实、糠麸类以及块根、块茎类。这类饲料是肉鸭日粮中用量最多的,是能量的主要来源。

(一)谷实类

谷实类饲料基本上属于禾本科植物成熟的种子。其营养特点是无氮浸出物含量高,一般占干物质的70%～80%,主要是淀粉,占干物质的50%～60%以上,淀粉是这类饲料最有饲用价值的养分;蛋白质含量低(一般为7%～13%),且品质差;粗纤维含量低,平均2%～6%;矿物质及维生素不平衡。常见的谷类饲料有:小麦、大麦、燕麦、高粱、稻谷、小米等。

1.玉米　含能量高,纤维少,仅2%;无氮浸出物高达72%,且主要是淀粉,消化率高,脂肪含量高,达3.5%～

4.5%,其利用能值是谷实类最高的,是鸭的优质饲料。但玉米中蛋白质含量低(7%~9%),品质差,缺乏赖氨酸和色氨酸。目前,已培养出高氨基酸玉米品种。黄色玉米与白色玉米比较,前者胡萝卜素和叶黄素含量丰富,喂黄玉米的鸭其皮肤、喙、脚和蛋黄呈现黄色,其着色效果优于苜蓿粉、蚕豆及胡萝卜素。玉米中矿物质含量较少,含钙极少,铁、铜、锰、锌、硒等微量元素含量也较低;含维生素A、维生素E和维生素B较多,而缺乏维生素D和维生素K,维生素B_2和烟酸也比较少。

玉米的用量占日粮的35%~65%,夏季,玉米的比例应适当减少,否则会使肉鸭过于肥胖,影响鸭肉品质,特别是在动物性蛋白不足时,更易发生。玉米应磨碎或磨成粗粉状饲喂。注意玉米若保存不当,极易发霉,尤其是破碎的玉米,更易变质。变质的玉米适口性下降,严重时产生特异性中毒症状,如鸭腿畸形或死亡。在霉变的玉米中添加维生素E、维生素D和维生素A可缓解其毒性。

2.麦类　蛋白质含量较多(含粗蛋白13%左右),氨基酸比其他谷类完善,B族维生素也丰富,且易消化,能量价值仅次于玉米。缺点是维生素A、维生素D和矿物质含量较少,黏性大。一般用量占日粮的10%~30%。

大麦、燕麦的能量较小麦低,B族维生素含量丰富,粗蛋白含量比玉米高,约为12%。尤其含赖氨酸较多,但皮壳粗硬,粗纤维含量达8%,不易消化,代谢能只有约11.29 MJ/kg。宜磨碎或发芽后饲喂。大麦发芽后,可提高消化率,增加核黄素的含量,适于在配种季节喂饲。一般用量占日粮的10%~20%。

麦秕即未成熟的小麦,子粒不充实,比小麦的蛋白质含量高,价格便宜,用量可占日粮的10%~30%。

3. 高粱　营养价值不及玉米，因含单宁酸而带涩味，且对肠道有收敛作用，易引起便秘，高粱含钙少，饲喂时应与含钙多且有轻泻作用的饲料如麦麸、青绿饲料等搭配，且要粉碎，水浸或发芽。用量可占日粮的10%～15%。

4. 稻谷　粗纤维含量高达9%，粗蛋白含量不及玉米，代谢能约为10.87 MJ/kg，粗蛋白为7.3%～8.3%。稻谷外壳坚硬，适宜磨成粉状喂饲，用量占日粮的20%～30%。

糙米为去壳的稻谷、糙米碾磨成白米及筛出的碎玉米，粗纤维含量减少至1%左右，代谢能提高到约13.96 MJ/kg。糙米、碎米对鸭的营养价值和玉米相近，在盛产稻谷的地区，可用糙米、碎米代替部分玉米，用量可占日粮的30%～50%。

5. 小米　小米易消化，适口性强，富含胡萝卜素，多用于幼雏，用量可占日粮的20%～40%。

6. 土面　土面是面粉厂小麦加工的副产品，里面含一部分尘土，是填鸭最好的饲料之一。用量可占日粮的15%～20%。

(二)糠麸类

1. 麦麸　由小麦外皮，小麦胚及少量的面粉组成，其价格低廉，营养丰富，含能量较低，代谢能一般为7.11～7.94 MJ/kg，粗蛋白含量13.5%～15.5%，且富含B族维生素。因质量轻，单位质量容积大，有轻泻作用，缺乏钙，故喂鸭时用量不宜过多。肉鸭用量应不超过10%～15%，停产鸭和后备鸭可适当增加。

2. 玉米糠　玉米糠是碾米后的副产品，含B族维生素丰富，因其中脂肪含量较多，易变质，不易久存。其粗纤维含量较多，肉鸭日粮中不超过15%～20%，停产鸭和后备鸭可适当增加。

3. 精米糠　是糙米加工成白米时碾磨出来的，其中含胚乳，粗蛋白含量 11.5%～12%，粗脂肪 12%～15%，粗纤维 8%～9%，代谢能 11.70 MJ/kg，不能久存。

糠饼为脱脂米糠，其脂肪含量降低，蛋白质含量提高，可长期储存。

统糠是稻谷加工的副产品，含较多的粗纤维(21.7%)，粗蛋白的含量为 5%～6%，粗灰分 14.3%，难消化，营养价值低。在雏鸭及育肥鸭日粮中不应添加，中鸭及后备鸭日粮中用量宜低于 10%。

(三)块根、块茎和瓜类

1. 马铃薯　含碳水化合物丰富，适口性好，易储藏，可以代替日粮中 30% 的谷实类。但马铃薯的幼芽及未成熟块茎中含有毒性物质——龙葵素，喂前应将青绿部分及芽眼挖去。熟马铃薯毒性小，且营养价值高，冬天喂鸭可以刺激母鸭提前开产。

2. 甘薯粉　由甘薯块根经切片、晒干、粉碎而成，富含淀粉。粗纤维低，粗蛋白含量约 3.8%，代谢能 11.70 MJ/kg。只可作为能量来源的一部分，且需搭配较高的蛋白质补充料。

3. 甜菜　为优良多汁饲料，易消化，一般可占日粮的 20%～30%，喂时切碎，每次切好的要一次喂完，不然很快就会烂掉。

4. 南瓜　含丰富的胡萝卜素，味甜，适口性好，营养价值高，可占日粮的 50%～60%，一般应煮熟后喂给。

5. 胡萝卜　含丰富的淀粉和胡萝卜素，适口性好，红色的比黄色的营养价值高。用量可占日粮的 30%～50%，切碎后喂给。

二、蛋白质饲料

凡干物质中粗蛋白质含量达20%以上的饲料均称为蛋白质饲料。这类饲料粗纤维含量低，有机物易消化，能值高。蛋白质饲料包括动物性蛋白饲料和植物性蛋白饲料两大类。

(一)植物性蛋白质饲料

植物性蛋白质饲料可分为3类，即豆科子实、油料饼粕类和其他制造业的副产品。这类饲料的特点是：蛋白质含量高，品质好，其利用率是谷类的1～3倍；粗脂肪含量变化大，油料子实在30%以上，非油料子实只有1%左右，饼粕类为1%～10%；粗纤维含量较低，矿物质含量与谷类子实近似，钙少磷多，且主要为植酸磷；B族维生素较丰富，而维生素A、维生素D较缺乏。此类饲料大多含一些抗营养因子，经适当加工调制可以提高其饲喂价值。

1. 大豆、豆饼、豆粕　大豆富含丰富的蛋白质，粗纤维少，4%左右，但蛋氨酸含量相对较少。大豆中含有抗胰蛋白酶、大豆凝集素(BSA)、胃肠胀气因子、植酸、脲酶、大豆抗原等抗营养因子，适当的热处理可以破坏这些抗营养因子，提高蛋白质的利用率。热处理后，大豆的用量可占日粮的10%～20%。

豆饼、豆粕均系大豆榨油后的副产品，前者为压榨法或夯榨法的副产物，后者为浸提法或预压浸提法的副产物，其中蛋白质含量在40%以上。大豆类为养鸭最优良的植物性蛋白质饲料，其品质接近于动物性蛋白，含赖氨酸较多，但蛋氨酸、胱氨酸含量不足，添加合成蛋氨酸后，可代替部分鱼粉。其用量可占日粮的10%～20%。

2. 蚕豆、豌豆　这两种豆类的蛋白质含量不如大豆，且粗纤维含量较高,喂前宜蒸煮或炒熟,用量可占日粮的6%～10%。

3. 花生饼(粕)　营养价值与大豆饼基本相同,略有香甜味,适口性极好。因含脂肪高,故易变质,不宜久存。其用量可占日粮的10%～20%。

4. 油菜子饼(粕)　含较高的蛋白质,达34%～38%,氨基酸组成较平衡,含硫氨基酸较丰富,且精氨酸含量低,精氨酸与赖氨酸之间较平衡。但赖氨酸含量低,比国外同类产品低30%左右,比大豆饼粕低40%左右。粗纤维含量高,影响其有效能值。微量元素中含铁较丰富而其他元素含量较少。抗营养因子有硫葡萄糖甙(GS)、芥子碱、植酸、单宁等。经加工调制而成的"双低"菜子饼粕的营养价值较高,可代替豆粕,但目前我国普通的菜子饼,因含多种抗营养因子,适口性差,饲喂价值低于豆粕,用量不宜超过日粮的5%。

5. 棉子饼(粕)　含粗蛋白较高,达34%以上。粗纤维含量较高,达13.0%以上。粗脂肪含量较高,是维生素E和亚油酸的良好来源,但不利于储存。其蛋白质中氨基酸组成:精氨酸的含量高达3.67%～4.14%,但蛋氨酸、赖氨酸含量低,容易产生精氨酸与赖氨酸的拮抗作用,矿物质含量与大豆饼(粕)类似。含有抗营养因子如棉酚等,加入0.5%硫酸亚铁,可减轻棉酚对鸭的毒害作用。棉子饼粕的用量不宜超过日粮的5%。

6. 芝麻饼　粗蛋白质含量达40%以上,蛋氨酸含量最高,可达0.8%以上,色氨酸也较高。但赖氨酸低,仅1.0%左右,精氨酸含量高,为4.0%左右。芝麻饼通常具有苦涩味,适口性差,用量不宜超过日粮的5%,雏鸭应避免使用。将芝麻饼、棉子饼和花生饼合用,按15%比例添加,效果较好。

7.葵花饼、葵花粕　脱壳后的葵花饼粕蛋白质含量高达41%，与豆饼相当，但若脱壳不净，则粗纤维含量较高，有效能值低，属于低档蛋白质饼粕饲料，饲喂价值较低。

(二)动物蛋白饲料

1.鱼粉　是最好的蛋白质饲料之一。优质鱼粉，蛋白质品质好，氨基酸含量高，比例平衡，进口鱼粉赖氨酸含量高达5%，国产鱼粉3.0%～3.5%。含粗脂肪5%～12%，一般为8%，海产鱼粉中含大量高度不饱和脂肪酸，具有特殊的营养生理作用。鱼粉中粗灰分含量高，含钙5%～7%，磷2.5%～3.5%。含盐量少则1%，多则达7%以上，配制日粮时应注意鱼粉的含盐量。鱼粉中粗灰分含量越高，表明鱼骨越多，鱼肉越少。灰分超过20%时，可能是非全鱼鱼粉。微量元素中，铁含量最高，达1 500～2 000 mg/kg，其次是锌(100 mg/kg)、硒(3～5 mg/kg)。海产鱼的碘含量高，B族维生素丰富，尤以维生素B_{12}、维生素B_2含量高。

鱼粉是蛋白质、矿物质、部分微量元素和维生素的良好来源，新鲜鱼粉适口性好，因此其饲用价值比其他蛋白饲料高，且鱼粉中含有未知因子，能促进动物生长。用鱼粉喂鸭，可使鸭增重快、产蛋多。但由于鱼粉价格昂贵，用量受到限制，通常在日粮中含量低于10%。

使用鱼粉时必须克服使用不当带来的问题。鱼粉中含较高的组织胺，尤其在沙丁鱼、青花鱼及南美洲的鱼粉中含量特别高，有时可达1 000 mg/kg以上，在生产过程中，直火干燥或加热过度可使组织胺与赖氨酸结合，形成糜烂素。使用含糜烂素的鱼粉，可致使家禽患肌胃糜烂症：嗉囊肿大、肌胃糜烂、溃疡及穿孔，发生腹膜炎等。

鱼粉中含较高的脂肪，久存易发生氧化酸败，一般添加抗氧化剂来延长储藏期。长期使用含脂肪高的鱼粉可使肉质变差。

2. 肉骨粉、肉粉 以屠宰场副产品中除去可食部分之后的残骨、皮、脂肪、内脏、碎肉等为主要原料，经过熬油后再干燥粉碎而得的混合物。含磷量在4.4%以上的为肉骨粉，在4.4%以下的为肉粉。新鲜时具烤肉香及牛油、猪油味，储藏不良时出现酸败味，肉骨粉的营养成分及品质取决于原料种类及成分、加工方法、脱脂程度及储藏期等。总体上讲其蛋白质品质不佳，生物学效价低，蛋氨酸、色氨酸、酪氨酸含量低，脯氨酸、羟脯氨酸和甘氨酸含量多，赖氨酸含量接近豆饼。氨基酸消化利用率低。但肉骨粉中钙、磷含量高，比例平衡，B族维生素含量高，维生素A、维生素D少。肉骨粉用量不宜超过鸭日粮的6%。

3. 血粉 含粗蛋白80%～90%，赖氨酸7%～8%，比鱼粉高近1倍，色氨酸、组氨酸含量也高。但血粉的蛋白质品质较差，血纤维蛋白不易消化。赖氨酸利用率低，氨基酸不平衡，不同动物的血粉成分不同，混合血粉比单一血粉质量好，血粉味苦，适口性差，用量不宜超过5%，否则可能会引起腹泻。

4. 羽毛粉 含粗蛋白84%以上，粗脂肪2.5%，粗纤维1.5%，粗灰分2.8%。蛋白质品质差，氨基酸利用率低，饲用价值低，在日粮中使用主要用于补充含硫氨基酸，用量不可超过5%。

5. 蚕蛹粉 蛋白质含量高，其中40%为几丁质氮，其余的为优良蛋白质，含赖氨酸约3%，蛋氨酸约1.5%。色氨酸可高达1.2%，比进口鱼粉高出1倍，且富含钙、磷及B族维生素，因此是优质蛋白质。蚕蛹粉脂肪含量高达20%～30%，其中不饱和脂肪含量高，储存不当易变质、氧化、发霉和腐烂。脱去脂肪的蚕蛹饼易储存，且蛋白质含量更高。蚕蛹粉或蚕蛹饼因价格较高，因而用量较低，主要用于补充氨基酸及能量，一般占日粮的5%～10%。

6. 河蚌、螺狮、蚯蚓、小鱼、昆虫等　是肉鸭的优良蛋白质饲料，但喂饲时应蒸煮消毒，防止腐败变质。注意有些软体动物如蚬肉中含有硫胺酶，能破坏维生素 B_1，若种鸭吃大量的蚬，则所产蛋中缺乏维生素 B_1，死胎多，孵化率低，雏鸭易患多发性神经炎，俗称"蚬瘟"。

三、矿物质饲料

矿物质饲料是以提供矿物元素为主的一类饲料，包括食盐，钙、磷补充剂，微量元素补充剂等。

(一)钙、磷补充剂

1. 贝壳粉、石灰粉、蛋壳粉　是供给钙质的饲料。雏鸭用量1%左右，成年鸭用量5%～7%。贝壳粉最好，含钙多，易吸收，石灰石含钙量高，价格便宜，但要注意镁的含量不得过量。蛋壳粉也是廉价的钙质补充料，类似贝壳粉。

2. 骨粉、磷酸钙　为优良的钙、磷补充饲料。骨粉因调剂方法不同，其品质差异很大，一般以蒸制的骨粉质量较好。用时应防止腐败，用量可占日粮的1%～1.5%，磷酸钙或其他磷酸盐类也可用做供给磷的饲料，用量同骨粉。

(二)食盐

食盐，为供给钠和氯的饲料。在以植物性饲料为主的日粮中，尤其需要补充食盐，用量一般占0.3%～0.37%，用鱼粉的日粮，应将其中的含盐量计算在内。

(三)微量元素补充料

能提供微量元素的一些产品，主要是化学产品(一般以饲料级规格出售)。鸭比较容易缺乏的几种微量元素除了钙、磷、钠、氯之外,还有锰、锌和硒。因而鸭的微量元素补充料有锌补充料:硫酸锌;硒补充料:亚硒酸钠或硒酸钠;锰补充料:硫酸锰。

(四)沙砾

无营养作用,但有助于鸭肌胃的研磨力。笼养肉鸭或冬季舍饲肉鸭均需补给沙砾。

四、维生素饲料

养肉鸭如不使用专门的维生素添加剂,则青绿多汁饲料可作为主要的维生素来源。喂青绿饲料时应注意它的质量,并要两三种搭配喂给。青菜,适口性好,用量可达10%~30%,青绿时期收割的牧草,曲麻菜的菜叶等维生素含量也很丰富。用量可占精料的30%~50%。水草也是肉鸭的理想青饲料。喂量可占精料的50%以上,适于喂育成鸭和种鸭。以去根、打浆后的水葫芦喂饲效果较好。水花生、水莲也可作为肉鸭饲料。另外,青贮饲料、干草粉、松针粉、槐叶粉等可作为冬季的维生素补给料。

五、饲料添加剂

饲料添加剂是指配合饲料中加入的各种用以保障肉鸭健康发育,提高饲料利用率和增强抗病力的微量元素。

(一)营养性饲料添加剂

营养性饲料添加剂是指动物营养上必需的那些具有生物活性的微量添加成分,主要有氨基酸添加剂、维生素添加剂和微量元素添加剂等。

1.氨基酸添加剂　目前饲料中主要有赖氨酸、蛋氨酸等限制性氨基酸添加剂，其作用是使肉鸭日粮中的氨基酸达到最佳配比，减少动物蛋白饲料的用量，提高肉鸭对蛋白质饲料的利用率。

2. 维生素添加剂　有单一维生素添加剂，如维生素A、维生素D_2、维生素D_3、维生素E、维生素K_3、维生素B_1等，也有按鸭不同生产用途和生长阶段的营养需要配制的复合维生素添加剂，即多维添加剂。在缺乏青绿饲料的季节，应在日粮中适量加入多维添加剂，使用时应注意脂溶性维生素易氧化失效，其添加量需酌情加减，或按产品说明书添加。

3. 微量元素添加剂　一般用量较少，但却是肉鸭生长发育必不可少的。对肉鸭来讲，通常需要补充的微量元素有：锰、锌、硒和镁。作为微量元素添加剂的各种试剂，最好选用硫酸盐，因为它能促进含硫氨基酸（蛋氨酸等）的合成利用，而蛋氨酸的价格又是较贵的。

（二）非营养性饲料添加剂

此类添加剂种类繁多，如生长促进剂、驱虫保健剂、防霉防腐剂、着色剂、调味剂等。非营养性添加剂不是饲料内固有的营养成分，而是外加到饲料中以提高饲料效率的部分。

生长促进剂的主要作用是刺激肉鸭的生长，增进健康，提高饲料的利用率，降低成本等。常见的有抗生素、抗菌药物、激素、酶制剂、益生素及微生物生长促进剂等。

1. 抗生素添加剂　有防病促进生长的功效，常用的有：土霉素、敌菌净等。土霉素性质稳定，用量可占日粮的0.08%～0.1%。

2. 酶制剂　是一种生长促进剂，作为一种外源性酶，在日粮中添加可以弥补雏鸭内源性消化酶的不足，使消化道较早地获得消化功能,并对内源性酶进行调整,使之适应饲料的要求。在谷物中含有相当数量的非淀粉性多糖,肉鸭不能分泌消化这类多糖酶,若添加相应的酶制剂,可强化非淀粉性的糖的降解,提高饲料利用率,提高幅度可达6%~8%,雏鸭提高幅度更大。添加酶制剂还可减少肉鸭机体内矿物质的排泄量,从而减轻对环境的污染。目前,饲用酶已近20多种,主要有木聚糖酶、β-葡聚糖酶、α-淀粉酶、蛋白酶、纤维素酶、脂肪酶、果胶酶、混合酶和植酸酶。

在以豆粕为主的饲料中添加多聚糖酶类,可明显提高饲料的营养价值,在以玉米和豆粕为主的肉鸭饲料中添加L-半乳糖苷酶,可大大提高产蛋率。

酶制剂的用量以酶的活性而定,不能像其他添加物一样。酶的活性是指在一定条件下,1 min 分解有关物质的活力。不同厂家生产的酶活性不同,所以添加量应以实际情况而定。

3. 抗氧化剂　配合饲料保存时间较长时,需要添加抗氧化剂,常用的有乙氧奎和丁烯烃基苯。

4. 益生素　是一种通过改善小肠微生物平衡而产生有利于宿主动物的微生物饲料添加剂。它能改变肠道微生物区系,排除或控制潜在的病原菌;能产生消化酶,与体内的酶共同起作用,促进饲料消化;还能刺激免疫系统,提高干扰素和巨噬细胞的活性等,另外益生素、微生物在肠道内代谢时,能产生几种 B 族维生素。总之,添加益生素能提高肉鸭的增重和饲料利用率,降低发病率,减少或取代抗生素的使用,减少鸭产品中抗生素的残留,搞高产品质量,降低成本。益生素的使用以产品说明书为指导。

中国饲料成分及营养价值详见表 5-4 至表 5-7,供参考。

表 5-4　中国饲料成分及营养价值表(1995 年修订版)　%

饲料名称	干物质	粗蛋白	粗脂肪	粗纤维	无氮浸出物	粗灰分	钙	磷	植酸磷	有效磷
玉米	86.0	8.7	3.6	1.6	70.7	1.4	0.02	0.27	0.15	0.12
玉米	86.0	8.0	3.3	2.1	71.2	1.4	0.02	0.27	0.15	0.12
高粱	86.0	9.0	3.4	1.4	70.4	1.8	0.13	0.36	0.19	0.17
小麦	87.0	13.9	1.7	1.9	67.6	1.9	0.17	0.41	0.19	0.22
大麦(裸)	87.0	13.0	2.1	2.0	67.7	2.2	0.04	0.39	0.18	0.21
大麦(皮)	87.0	11.0	1.7	4.8	67.1	2.4	0.09	0.33	0.16	0.17
黑麦	88.0	11.0	1.5	2.2	71.5	1.8	0.05	0.30	0.19	0.11
稻谷	86.0	7.8	1.6	8.2	63.8	4.6	0.03	0.36	0.16	0.20
糙米	87.0	8.8	2.0	0.7	74.2	1.3	0.03	0.35	0.20	0.15
碎米	88.0	10.4	2.2	1.1	72.7	1.6	0.06	0.35	0.20	0.15
粟(谷子)	86.5	9.7	2.3	6.8	65.0	2.7	0.12	0.30	0.19	0.11
木薯干	87.0	2.5	0.7	2.5	79.4	1.9	0.27	0.09	—	—
甘薯干	87.0	4.0	0.8	2.8	76.4	3.0	0.19	0.02	—	—
次粉	87.0	13.6	2.1	2.8	66.7	1.8	0.08	0.52	—	—
小麦麸	87.0	15.7	3.9	8.9	53.6	4.9	0.11	0.92	0.68	0.24
米糠	87.0	12.8	16.5	5.7	44.5	7.5	0.07	1.43	1.33	0.10
米糠饼	88.0	14.7	9.0	7.4	48.2	8.7	0.14	1.69	1.47	0.22
米糠粕	87.0	15.1	2.0	7.5	53.6	8.8	0.15	1.82	1.58	0.24

续表 5-4

饲料名称	干物质	粗蛋白	粗脂肪	粗纤维	无氮浸出物	粗灰分	钙	磷	植酸磷	有效磷
大豆	87.0	35.5	17.3	4.3	25.7	4.2	0.27	0.48	0.18	0.30
大豆饼	87.0	40.9	5.7	4.7	30.0	5.7	0.30	0.49	0.25	0.24
大豆粕	87.0	46.8	1.0	3.9	30.5	4.8	0.31	0.61	0.44	0.17
大豆粕	87.0	43.0	1.9	5.1	31.0	6.0	0.32	0.61	0.30	0.31
棉子饼	88.0	40.5	8.0	9.7	24.7	6.1	0.21	0.83	0.55	0.28
棉子粕	88.0	42.5	0.7	10.1	28.2	6.5	0.24	0.97	0.64	0.33
菜子饼	88.0	34.4	9.3	11.6	25.1	7.7	0.62	0.96	0.63	0.33
菜子粕	88.0	38.6	1.4	11.8	28.9	7.3	0.65	1.07	0.65	0.42
花生仁饼	88.0	44.7	7.2	5.9	25.1	5.1	0.25	0.53	0.22	0.31
花生仁粕	88.0	47.8	1.4	6.2	27.2	5.4	0.27	0.56	0.23	0.33
向日葵仁饼	88.0	29.0	2.9	20.4	31.0	4.7	0.24	0.87	0.74	0.13
向日葵仁粕	88.0	36.5	1.0	10.5	34.4	5.6	0.27	1.13	0.96	0.17
向日葵仁粕	88.0	33.6	1.0	14.8	33.3	5.3	0.26	1.03	0.87	0.16
亚麻仁饼	88.0	32.2	7.8	7.8	34.0	6.2	0.39	0.88	0.50	0.38
亚麻仁粕	88.0	35.8	1.8	8.2	36.6	6.6	0.42	0.95	0.53	0.42
玉米蛋白粉	90.1	63.5	5.4	1.0	19.2	1.0	0.07	0.44	0.27	0.17
玉米蛋白粉	91.2	51.3	7.8	2.1	28.0	2.0	0.06	0.42	—	—
玉米蛋白粉	89.96	44.3	6.0	1.6	37.1	0.9	—	—	—	—
玉米蛋白饲料	88.0	19.3	7.5	7.8	48.0	5.4	0.15	0.70	—	—

续表 5-4

饲料名称	干物质	粗蛋白	粗脂肪	粗纤维	无氮浸出物	粗灰分	钙	磷	植酸磷	有效磷
玉米胚芽饼	16.7	9.6	6.3	50.8	6.6	0.04	0.46	—	—	90.0
玉米胚芽粕	90.0	20.8	2.0	6.5	54.8	5.9	0.06	0.55	—	—
粉浆蛋白粉	88.0	66.3	4.7	4.1	10.3	2.6	—	0.59	—	—
麦芽根	89.7	28.3	1.4	12.5	41.4	6.1	0.22	0.73	—	—
鱼粉	88.0	52.5	11.6	0.4	3.1	20.4	53.8	3.12	0.00	3.12
鱼粉	88.0	65.8	9.7	1.0	0.0	14.5	7.74	2.76	0.00	2.76
鱼粉	91.0	61.0	4.0	1.0	1.0	24.0	7.00	3.50	0.00	3.50
血粉	88.0	82.8	0.4	0.0	1.6	3.2	0.29	0.31	0.00	0.31
羽毛粉	88.0	77.9	2.2	0.7	1.4	5.8	0.20	0.68	0.00	0.68
皮革粉	88.0	77.6	0.8	1.7	—	11.3	4.40	0.15	0.00	0.15
甘薯叶粉	87.0	16.7	2.9	12.6	43.3	11.5	1.41	0.28	—	—
苜蓿草粉	87.0	19.1	2.3	22.7	35.3	7.6	1.40	0.51	—	—
苜蓿草粉	87.0	17.2	2.6	25.6	33.3	8.3	1.52	0.22	—	—
芝麻饼	92.0	39.2	10.3	7.2	24.9	10.4	2.24	1.19	—	—
肉骨粉	92.6	50.0	8.5	2.8	—	33.0	9.20	4.70	0.00	4.70
啤酒糟	88.0	24.3	5.3	13.4	40.8	4.2	0.32	0.42	—	—
啤酒酵母	91.7	52.4	0.4	0.6	33.6	4.7	0.16	1.02	—	—
乳清粉	94.0	12.0	0.7	0.0	71.6	9.7	0.87	0.79	0.00	—
DDG(Corm)	94.0	30.6	14.6	11.5	33.7	3.6	0.41	0.66	—	—
DDGS(Corm)	92.2	34.2	11.8	15.2	29.5	1.3	0.32	0.26	—	—

表 5-5 饲料的有效能及矿物质

饲料名称	干物质（%）	鸡代谢能（MJ/kg）	钠（%）	钾（%）	铁（mg/kg）	铜（mg/kg）	锰（mg/kg）	锌（mg/kg）	硒（mg/kg）
玉米	86.0	13.56	0.01	0.29	36	3.4	5.8	21.1	0.02
玉米	86.0	13.47	—	—	37	3.3	6.1	19.2	0.03
高粱	86.0	12.30	0.03	0.34	87	7.6	17.1	20.1	<0.05
小麦	87.0	12.72	0.06	0.50	88	7.9	45.9	29.7	0.05
小麦(裸)	87.0	11.21	—	—	100	7.0	18.0	30.0	0.16
大麦(皮)	87.0	11.30	0.02	0.56	87	5.6	17.5	23.6	0.06
黑麦	88.0	11.26	0.02	0.42	117	7.0	53.0	35.0	0.40
稻谷	86.0	11.00	0.04	0.34	40	3.5	20.0	8.0	0.04
糙米	87.0	14.06	—	—	78	3.3	21.0	10.0	0.07
碎米	88.0	14.23	—	—	62	8.8	47.5	36.4	0.06
粟(谷子)	86.5	11.88	0.04	0.43	270	24.5	22.5	15.9	0.08
木薯干	87.0	12.38	—	—	150	4.2	6.0	14.0	0.04
甘薯干	87.0	9.27	—	—	107	6.1	10.0	9.0	0.07
次粉	87.0	12.51	0.06	0.60	140	11.6	64.2	73.0	0.07
小麦麸	87.0	6.82	0.07	0.88	170	13.8	104.3	96.5	0.07
米糠	87.0	11.21	—	1.35	304	7.1	175.9	50.3	0.09
米糠饼	88.0	10.17	—	—	400	8.7	211.6	56.4	0.09
米糠粕	87.0	8.28	—	—	432	9.4	228.4	60.9	0.10
大豆	87.0	13.55	0.04	1.70	111	18.1	21.5	70.7	0.06

续表 5-5

饲料名称	干物质（%）	鸡代谢能（MJ/kg）	钠（%）	钾（%）	铁（mg/kg）	铜（mg/kg）	锰（mg/kg）	锌（mg/kg）	硒（mg/kg）
大豆饼	87.0	10.54	—	1.77	187	19.8	32.0	43.4	0.04
大豆粕	87.0	9.83	—	—	181	23.5	37.3	45.3	0.10
大豆粕	87.0	9.62	—	1.68	181	23.5	27.4	45.4	0.06
棉子饼	88.0	9.04	0.04	1.20	266	11.6	17.8	44.9	0.11
棉子饼	88.0	7.32	0.04	1.16	263	14.0	18.7	55.5	0.15
菜子饼	88.0	8.16	0.02	1.34	687	7.2	78.1	59.2	0.29
菜子粕	88.0	7.41	0.09	—	653	7.1	82.2	67.5	0.16
花生仁饼	88.0	11.63	—	1.15	347	23.7	36.7	52.5	0.06
花生仁粕	88.0	10.88	0.07	1.23	368	25.1	38.9	55.7	0.09
向日葵仁饼	88.0	6.65	0.02	1.17	614	45.6	41.5	62.1	0.06
向日葵仁粕	88.0	9.71	—	—	226	32.8	34.5	82.7	0.06
向日葵仁粕	88.0	8.49	0.01	1.23	310	35.0	35.0	80.0	0.08
亚麻仁饼	88.0	9.79	0.09	1.25	204	27.0	40.3	36.0	0.18
亚麻仁饼	88.0	7.95	0.14	1.38	219	25.5	43.3	38.7	0.18
玉米蛋白粉	90.1	16.23	0.01	0.30	51	1.9	5.9	19.2	0.02
玉米蛋白粉	91.2	14.26	—	—	434	10.0	78.0	49.0	—
玉米蛋白粉	89.9	13.30	—	—	—	—	—	—	—
玉米蛋白饲料	88.0	8.45	0.12	1.30	282	10.7	77.1	59.2	—
玉米胚芽饼	90.0	7.61	0.01	—	99	12.8	19.0	108.1	—

续表 5-5

饲料名称	干物质（%）	鸡代谢能（MJ/kg）	钠（%）	钾（%）	铁（mg/kg）	铜（mg/kg）	锰（mg/kg）	锌（mg/kg）	硒（mg/kg）
玉米胚芽粕	90.0	6.99	0.1	0.69	214	7.7	23.3	126.6	—
粉浆蛋白粉	88.0	—	0.01	0.06	—	22.0	16.0	—	—
麦芽根	89.7	5.90	—	—	198	5.3	67.8	42.4	—
鱼粉	88.0	11.46	0.91	1.24	670	17.9	27.0	123.0	1.77
鱼粉	88.0	11.67	0.88	0.90	219	8.9	9.0	96.7	1.93
鱼粉	91.0	10.75	0.97	1.10	80	8.0	9.7	80.0	1.50
血粉	88.0	10.29	0.31	0.90	2 800	8.0	2.3	14.0	0.70
羽毛粉	88.0	11.42	0.70	0.30	1 230	6.8	8.8	53.8	0.80
皮革粉	88.0	6.19	—	—	131	11.1	25.2	89.8	—
甘薯叶粉	87.0	4.23	—	—	35	9.8	89.6	26.8	0.20
苜蓿草粉	87.0	4.05	—	—	372	9.1	30.7	17.1	0.46
苜蓿草粉	87.0	3.64	—	—	361	9.7	30.7	21.0	0.46
芝麻饼	92.0	8.95	0.04	1.39	—	50.4	32.0	2.4	—
肉骨粉	92.6	8.20	0.73	1.40	500	1.5	12.3	—	0.25
啤酒糟	88.0	9.92	0.25	0.08	274	20.1	35.6	—	0.60
啤酒酵母	91.7	10.54	—	—	902	61.0	22.3	86.7	—
乳清粉	94.0	11.43	2.50	1.20	160	—	4.6	—	0.06
DDG(Corn)	94.0	5.36	0.90	0.16	200	44.7	22.6	—	0.35
DDGS(Corn)	92.2	10.42	0.90	1.00	200	44.7	30	85.0	0.38

表 5-6　饲料的氨基酸　%

饲料名称	干物质	粗蛋白	赖氨酸	蛋氨酸	胱氨酸	苏氨酸	异亮氨酸	亮氨酸	精氨酸	缬氨酸	组氨酸	酪氨酸	苯丙氨酸	色氨酸
玉米	86.0	8.7	0.24	0.18	0.20	0.30	0.25	0.93	0.39	0.38	0.21	0.33	0.41	0.07
玉米	86.0	8.0	0.24	0.16	0.18	0.30	0.25	0.95	0.38	0.36	0.21	0.32	0.39	0.06
高粱	86.0	9.0	0.18	0.17	0.12	0.26	0.35	1.08	0.33	0.44	0.18	0.32	0.45	0.08
小麦	87.0	13.9	0.30	0.25	0.24	0.33	0.44	0.80	0.58	0.56	0.27	0.37	0.58	0.015
小麦(裸)	87.0	13.0	0.44	0.14	0.25	0.43	0.43	0.87	0.64	0.63	0.16	0.40	0.68	0.16
大麦(皮)	87.0	11.0	0.42	0.18	0.18	0.41	0.52	0.91	0.65	0.64	0.24	0.35	0.59	0.12
黑麦	88.0	11.0	0.37	0.16	0.25	0.34	0.40	0.64	0.50	0.52	0.25	0.26	0.49	0.12
稻谷	86.0	7.8	0.29	0.19	0.16	0.25	0.32	0.58	0.57	0.47	0.15	0.37	0.40	0.10
糙米	87.0	8.8	0.32	0.20	0.14	0.28	0.30	0.61	0.65	0.49	0.17	0.31	0.35	0.12
碎米	88.0	10.4	0.42	0.22	0.17	0.38	0.39	0.74	0.78	0.57	0.27	0.39	0.49	0.12
粟(谷子)	86.5	9.7	0.15	0.25	0.20	0.35	0.36	1.15	0.30	0.42	0.20	0.26	0.49	0.17
木薯干	87.0	2.5	0.13	0.05	0.04	0.10	0.11	0.15	0.40	0.13	0.05	0.04	0.10	0.03
甘薯干	87.0	4.0	0.16	0.06	0.08	0.18	0.17	0.26	0.16	0.27	0.08	0.13	0.19	0.05
次粉	87.0	13.6	0.52	0.16	0.33	0.50	0.48	0.98	0.85	0.68	0.33	0.45	0.63	0.18
小麦麸	87.0	15.7	0.58	0.13	0.26	0.43	0.46	0.81	0.97	0.63	0.39	0.28	0.58	0.20
米糠	87.0	12.8	0.74	0.25	0.19	0.48	0.63	1.00	1.06	0.81	0.39	0.50	0.63	0.14
米糠饼	88.0	14.7	0.66	0.26	0.30	0.53	0.72	1.06	1.19	0.99	0.43	0.51	0.76	0.15
米糠粕	87.0	15.1	0.72	0.28	0.32	0.57	0.78	1.30	1.28	1.07	0.46	0.55	0.83	0.17

续表 5-6

饲料名称	干物质	粗蛋白	赖氨酸	蛋氨酸	胱氨酸	苏氨酸	异亮氨酸	亮氨酸	精氨酸	缬氨酸	组氨酸	酪氨酸	苯丙氨酸	色氨酸
大豆	87.0	35.5	2.22	0.48	0.55	1.38	1.44	2.53	2.59	1.67	0.87	1.11	1.76	0.56
大豆饼	87.0	40.9	2.38	0.59	0.61	1.41	1.53	2.69	2.47	1.66	1.08	1.50	1.76	0.63
大豆粕	87.0	46.8	2.81	0.56	0.60	1.89	2.00	3.66	3.59	2.100	1.33	1.65	2.46	—
大豆粕	87.0	43.0	2.45	0.64	0.66	1.88	1.76	3.20	3.12	1.95	1.07	1.53	2.18	0.38
棉子饼	88.0	40.5	1.56	0.46	0.78	1.27	1.29	2.31	4.40	1.69	1.00	1.06	2.10	0.43
棉子粕	88.0	42.5	1.59	0.45	0.82	1.31	1.30	2.35	4.30	1.74	1.06	1.19	2.18	0.44
菜子饼	88.0	34.3	1.28	0.58	0.79	1.35	1.19	2.17	1.75	1.56	0.80	0.88	1.30	0.40
菜子粕	88.0	38.6	1.30	0.63	0.87	1.49	1.29	2.34	1.83	1.74	0.86	0.97	1.45	0.43
花生仁饼	88.0	44.7	1.32	0.39	0.38	1.05	1.18	2.36	4.60	1.28	0.83	1.31	1.81	0.42
花生仁粕	88.0	47.8	1.40	0.41	0.40	1.11	1.25	2.50	4.88	1.36	0.88	1.39	1.92	0.45
向日葵仁饼	88.0	29.0	0.96	0.59	0.43	0.98	1.19	1.76	2.44	1.35	0.62	0.77	1.21	0.28
向日葵仁粕	88.0	36.5	1.22	0.72	0.62	1.25	1.51	2.25	3.17	1.72	0.81	0.99	1.56	0.47
向日葵仁粕	88.0	33.6	1.13	0.69	0.50	1.14	1.39	2.07	2.89	1.58	0.74	0.91	1.43	0.37
亚麻仁饼	88.0	32.2	0.73	0.46	0.48	1.00	1.15	1.62	2.35	1.44	0.51	0.50	1.32	0.48
亚麻仁粕	88.0	34.8	1.16	0.55	0.55	1.10	1.33	1.85	3.59	1.51	0.64	0.93	1.51	0.70
玉米蛋白粉	90.1	63.5	0.97	1.42	0.96	2.08	2.85	11.59	1.90	2.98	1.18	3.19	4.10	0.36
玉米蛋白粉	91.2	51.3	0.92	1.14	0.76	1.59	1.75	7.87	1.48	2.05	0.89	2.25	2.83	0.31
玉米蛋白粉	89.9	44.3	0.71	1.04	0.65	1.38	1.63	7.08	1.31	1.84	0.78	2.03	2.61	—
玉米蛋白饲料	88.0	19.3	0.63	0.29	0.33	0.68	0.62	1.82	0.77	0.93	0.56	0.50	0.70	0.14

续表 5-6

饲料名称	干物质	粗蛋白	赖氨酸	蛋氨酸	胱氨酸	苏氨酸	异亮氨酸	亮氨酸	精氨酸	缬氨酸	组氨酸	酪氨酸	苯丙氨酸	色氨酸
玉米胚芽饼	90.0	16.7	0.70	0.31	0.47	0.64	0.53	1.25	1.16	0.91	0.45	0.54	0.64	0.16
玉米胚芽粕	90.0	20.8	0.75	0.21	0.28	0.68	0.77	1.54	1.51	1.66	0.62	—	0.93	0.18
粉浆蛋白粉	88.8	66.3	4.44	0.60	0.57	2.31	2.90	5.88	5.96	3.20	1.66	2.21	3.43	—
麦芽根	89.7	28.3	1.30	0.37	0.26	0.96	1.08	1.58	1.22	1.44	0.54	0.67	0.85	0.42
鱼粉	88.0	52.5	3.41	0.62	0.38	2.13	2.11	3.67	3.12	2.59	0.91	1.32	1.99	0.67
鱼粉	88.0	62.8	4.90	1.84	0.58	2.61	2.90	4.84	3.27	3.29	1.45	2.22	2.31	0.73
鱼粉	91.0	61.0	4.30	1.65	0.75	2.60	3.10	4.50	4.20	3.25	1.93	—	2.80	2.60
血粉	88.0	82.8	6.67	0.74	0.98	2.86	0.75	8.38	2.99	6.08	4.40	2.55	5.23	1.11
羽毛粉	88.0	77.9	1.65	0.59	2.93	3.51	4.21	6.78	5.30	6.05	0.58	1.79	3.57	0.40
皮革粉	88.0	77.6	2.27	0.80	0.16	0.71	1.06	2.64	1.64	1.99	0.42	0.66	1.63	0.50
甘薯叶粉	87.0	16.7	0.61	0.17	0.29	0.67	0.53	0.97	0.76	0.75	0.30	0.30	0.65	0.21
苜蓿草粉	87.0	19.1	0.82	0.21	0.22	0.74	0.68	1.20	0.78	0.91	0.39	0.58	0.82	0.43
苜蓿草粉	87.0	17.2	0.81	0.20	0.16	0.69	0.66	1.10	0.74	0.85	0.32	0.54	0.81	0.37
芝麻饼	92.0	39.2	0.82	0.82	—	1.29	1.42	2.52	2.38	1.84	0.81	1.02	1.68	—
肉骨粉	92.6	50.0	2.60	0.67	0.33	1.63	1.70	3.20	3.35	2.25	0.96	—	1.70	0.36
啤酒糟	88.0	24.3	0.72	0.52	0.35	0.81	1.18	1.08	0.98	1.66	0.51	1.17	2.35	—
啤酒酵母	91.7	52.4	3.38	0.83	0.850	2.33	2.85	4.76	2.67	3.40	1.11	0.12	4.07	2.08
乳清粉	94.0	12.0	1.10	0.20	0.30	0.80	0.90	1.20	0.40	0.70	0.20	—	0.40	0.20
DDG(Corm)	94.0	30.6	0.51	0.80	0.48	1.17	1.31	4.44	0.96	1.66	0.72	1.30	1.76	—
DDGS(Corm)	92.2	34.2	0.70	0.62	0.51	1.28	1.37	5.15	1.03	1.77	0.82	1.40	1.98	—

表 5-7　常用无机盐饲料中的各种元素的百分含量

饲料名称	钙	磷	镁	钾	钠	氯	硫	铁	铜	锌	锰
牡砺壳	38.10	0.07	0.30	0.10	0.21	0.01	—	0.29	—	—	—
骨粉	36.40	16.40	0.33	0.19	5.69	0.01	2.51	2.67	—	—	—
磷酸氢钙	24.32	18.97	—	—	—	—	—	—	—	—	—
磷酸钙	32.07	18.25	0.22	0.09	5.45	—	—	0.92	—	—	—
碳酸钙	36.74	0.04	0.50	—	0.02	0.04	0.09	—	—	—	—
硫酸亚铁	—	—	—	—	—	—	—	20.1	—	—	—
硫酸铜	—	—	—	—	—	—	—	—	25.5	—	—
硫酸锰	—	—	—	—	—	—	—	—	—	—	22.8
硫酸锌	—	—	—	—	—	—	—	—	—	22.7	—
食盐	0.03	—	0.13	—	39.20	60.61	—	—	—	—	—

5. 微生物生长促进剂　是添加到饲料中的活的微生物培养物或酶系，其主要作用在于提高饲料转化率和生长速度，降低腹泻的发生，与益生素的作用类似，两类产品不易区分。使用时以产品说明书为指导。

6. 酸制剂　菌业上使用柠檬酸、乳酸、胡羧酸及其他有机酸作饲料酸化剂已有 10 年的历史。使用有机酸能提高肉鸭，尤其是雏鸭的生产力。能预防饮水被细菌污染。柠檬酸、苹果酸、琥珀酸等有机酸可作为能量，柠檬酸可促进雏鸭生长，减少脂肪肝，增加血磷含量，提高产蛋率，但不可超过限饲量；否则，会引起尿酸沉积和生长减慢。

第四节　饲养标准及日粮配方

一、饲养标准

为了使肉鸭健康发育，充分发挥其生产潜力，得到最好的生产性能，同时减少饲料的浪费，降低饲养成本，必须根据鸭的经济性状、年龄、生产目的与生产水平，结合代谢试验和饲养试验结果及实践经验，对日粮中的能量、蛋白质、维生素和矿物质等各种营养物质科学地规定一个标准，即饲养标准参考表 5-8 和表 5-9。

表 5-8　生长鸭配合饲料国家标准(GB8962-88)

种类等级	代谢能(参考值)≥		粗蛋白	粗纤维	粗灰分	钙	磷	食盐
	(MJ/kg)	(MJ/kg)	(%)	(%)	(%)	(%)	(%)	(%)
0~3 周龄	11.5	48.1	≥18	≤6	≤8	0.8~1.2	0.6~0.9	0.2~0.4
4~8 周龄	11.5	48.1	≥16	≤6	≤9	0.8~1.2	0.6~0.9	0.2~0.4
9 周龄至开产	10.9	45.2	≥14	≤7	≤10	0.8~1.2	0.6~0.9	0.2~0.4

表 5-9　肉用仔鸭配合饲料国家标准(GB8963-88)

种类等级	代谢能(参考值)≥		粗蛋白	粗纤维	粗灰分	钙	磷	食盐
	(MJ/kg)	(MJ/kg)	(%)	(%)	(%)	(%)	(%)	(%)
0~3周龄	11.7	49.0	≥19	≤19	≤8	0.8~1.2	0.6~0.9	0.2~0.4
4周龄以后	12.1	50.6	≥17	≤17	≤6	0.8~1.2	0.6~0.9	0.2~0.4

由于肉鸭的现代集约化养殖的程度较低,因此在肉鸭的营养需要方面所做的研究较少,大多参考鸡的饲养标准。其实,肉鸭对饲料的能量或氨基酸的利用率比鸡高,例如,肉鸭对菜子粕的总氨基酸消化率为77.7%,而鸡为69%(无氮日粮法)。因而鸭的饲料标准与鸡的饲养标准是应该有区别的。美国NRC(1994)第9版规定的北京白鸭的饲养标准见表5-10;狄高鸭的饲养标准见表5-11;樱桃谷鸭的饲养标准见表5-12;番鸭的饲养标准见表5-13。

表 5-10　美国 NRC(1994)建议的北京白鸭日粮中营养物质需要量(*DM*＝90%)

营养物质	0~2周龄	2~7周龄	种鸭
代谢能(MJ/kg)	12.14	12.56	12.74
蛋白质及氨基酸			
粗蛋白质(%)	22	16	15
精氨酸(%)	1.1	1.0	—
异亮氨酸(%)	0.63	0.46	0.38
亮氨酸(%)	1.26	0.91	0.76
赖氨酸(%)	0.90	0.65	0.60
蛋氨酸(%)	0.40	0.30	0.27
蛋氨酸＋胱氨酸(%)	0.70	0.55	0.50
色氨酸(%)	0.23	0.17	0.14
缬氨酸(%)	0.78	0.56	0.47

续表 5-10

营养物质	0～2 周龄	2～7 周龄	种鸭
常量元素			
钙(%)	0.65	0.60	2.75
氯(%)	0.12	0.12	0.12
镁(mg/kg)	500	500	500
非植物磷(%)	0.40	0.30	
钠(%)	0.15	0.15	0.15
微量元素			
锰(mg/kg)	50	?	?
硒(mg/kg)	0.20	?	?
锌(mg/kg)	60	?	?
脂溶性维生素			
A(IU/kg)	2 500	2 500	4 000
D_3(IU/kg)	400	400	900
E(IU/kg)	10	10	10
K(IU/kg)	0.5	0.5	0.5
水溶性维生素			
尼克酸(mg/kg)	55	55	55
泛酸(mg/kg)	11.0	11.0	11.0
吡哆醇(mg/kg)	2.5	2.5	3.0
核黄素(mg/kg)	4.0	4.0	4.0

表 5-11 狄高鸭饲养标准 %

项目	肉鸭		种鸭	
	雏鸭(0～3 周龄)	生长鸭(3 周龄至屠宰)	育成鸭(5～24 周龄)	种鸭(24 周龄至屠宰)
代谢能(MJ/kg)	12.33	12.33	10.87	10.87
粗蛋白	21～22	16.5～17.5	14.50	15.50
赖氨酸	1.10	0.83	0.53	0.68
蛋氨酸	0.40	0.30	0.20	0.24

续表 5-11

项目	肉鸭		种鸭	
	雏鸭(0～3周龄)	生长鸭(3周龄至屠宰)	育成鸭(5～24周龄)	种鸭(24周龄至屠宰)
蛋氨酸+胱氨酸	0.70	0.53	0.46	0.54
色氨酸	0.24	0.18	0.16	0.17
精氨酸	1.21	0.91	—	—
苏氨酸	0.70	0.53	—	—
亮氨酸	1.40	1.05	—	—
异亮氨酸	0.70	0.53	—	—
脂肪	—	—	最低 3.0	最低 4.0
钙	0.8～1.0	0.7～0.9	0.8～0.9	2.75～3.0
可利用磷	0.4～0.6	0.4～0.6	0.4～0.5	0.45～0.6
盐	0.35	0.35	0.35	0.35

表 5-12　樱桃谷鸭的饲养标准　%

项目	肉鸭		种鸭	
	雏鸭(0～3周龄)	生长鸭(3周龄至屠宰)	育成鸭(5～24周龄)	种鸭(24周龄至屠宰)
代谢能(MJ/kg)	13.00	13.00	12.67	12.00
粗蛋白	22	16	16	18
钙	0.8～1.0	0.65～1.0	0.6～1.0	2.75～3.0
可利用磷	0.55	0.52	0.35	0.46
蛋氨酸	0.50	0.36	0.34	0.39
蛋氨酸+胱氨酸	0.82	0.63	0.57	0.66
赖氨酸	1.23	0.89	0.73	0.96
色氨酸	0.28	0.22	0.18	0.22
苏氨酸	0.92	0.74	0.64	0.75
亮氨酸	1.96	1.68	1.54	1.66
异亮氨酸	1.11	0.87	0.73	0.86
缬氨酸	1.17	0.95	0.83	0.95
苯丙氨酸	1.12	0.91	0.79	0.09
精氨酸	1.53	1.20	1.03	1.20
甘氨酸+丝氨酸	2.46	1.90	1.68	2.00

表 5-13(1) 番鸭的饲养标准(法国)

项 目	起始期	发育期	生长期	产蛋期
	0～3 周龄	4～10 周龄	11～27 周龄	27 周龄以后
代谢能(MJ/kg)	12.1～12.3	11.7～11.9	10.9～11.1	11.5～11.7
粗蛋白(%)	19.5～22	17～19	15.5～17	16.5～18
代谢能/粗蛋白(%)	143.0	152	168	163
粗脂肪(%)	0～5	0～4	0.35	0～4
粗纤维(%)	0～4	0～4	0～6	0～4
蛋氨酸(%)	0.5	0.45	0.33	0.35
蛋氨酸+胱氨酸(%)	0.85	0.75	0.63	0.65
赖氨酸(%)	1.0	0.8	0.65	0.75
钙(%)	1.0～1.2	0.9～1.0	1.3～1.5	3～3.2
总磷(%)	0.75	0.70	0.70	0.72
有效磷(%)	0.45	0.45～0.50	0.45～0.5	0.45～0.5
维生素 A(IU/kg)	15 000	15 000	15 000	15 000
维生素 D(IU/kg)	3 000	3 000	3 000	3 000
维生素 E(mg/kg)	20	20	20	20

表 5-13(2) 番鸭的饲养标准

项 目	起始期	发育期	生长期	产蛋期
	0～3 周龄	4～10 周龄	11～25 周龄	26 周龄以后
代谢能(MJ/kg)	12.00	11.83	11.00	11.45
粗蛋白(%)	20.0	18.6	15.6	16.8
代谢能/粗蛋白(%)	143.0	152	168	162
粗脂肪(%)	3.4	3.6	3.1	3.1
粗纤维(%)	3.3	3.0	5.4	3.4
蛋氨酸(%)	0.52	0.45	0.33	0.42
蛋氨酸+胱氨酸(%)	0.86	0.80	0.61	0.71
赖氨酸(%)	1.15	0.90	0.70	0.78
钙(%)	1.00	1.20	1.40	3.01
总磷(%)	0.75	0.70	0.70	0.72
有效磷(%)	0.48	0.50	0.44	0.48
维生素 A(IU/kg)	15 000	15 000	15 000	15 000
维生素 D(IU/kg)	3 000	3 000	3 000	3 000
维生素 E(mg/kg)	20	20	20	23

维生素及矿物质等的推荐用量大多数可借用鸡的标准，主要指标如表 5-14 所示(每千克日粮中含量)。

表 5-14　维生素及矿物质等的推荐用量

项　目	0～4 周龄	4～9 周龄	9 周龄至初产	产蛋期	种母鸭
维生素 A(IU)	8 000	7 000	7 000	12 000	10 000
维生素 D_3(IU)	1 200	1 000	1 000	2 000	1 500
维生素 E(IU)	12.5	10	10	20	(20)
维生素 K_3(mg)	3.0	2.0	2.0	4.0	4.0
维生素 B_1(mg)	3.9	3.9	3.9	2.6	(　)
维生素 B_2(mg)	7.0	4.0	4.0	8.0	6.0
维生素 B_6(mg)	2.9	2.9	2.9	2.9	(　)
维生素 B_{12}(mg)	0.01	0.006	0.006	0.01	(　)
泛酸(mg)	16	14.5	12	16	10
烟酸(mg)	50	45	45	60	40
生物素(mg)	0.10	0.08	0.08	0.10	(　)
叶酸(mg)	1.3	1.3	1.3	0.65	(　)
胆酸(mg)	1 200	1 000	800	1 400	(1 400)

注：台湾《畜牧要览——家禽篇》及《畜牧要览——饲料篇》；( )数字空缺，(20)中的数字编者建议值。

二、肉鸭的饲料配方设计

(一)饲料配方设计的原则

配方的设计涉及到千百种制约因素，作为一种为满足某些约束条件下的资源分配方案，配方设计应基本遵循以下几大原则。

1. 科学性与先进性　饲料配方涵盖了动物营养、饲养、原料特性与分析、质量控制等先进的科学知识。各种营养指标必须建立在科学的标准基础之上，能满足肉鸭在不同阶段对各种养分的需要,并使其相互间具备合理的比例关系(表 5-15)。使配方中营养物质既完善,又平衡,具备较高的营养价值和利用率。

表 5-15　北京鸭体重和耗料　kg

周龄	体重		每周耗料量		累计耗料量	
	公	母	公	母	公	母
0	0.06	0.06	0.00	0.00	0.00	0.00
1	0.27	0.27	0.22	0.22	0.22	0.22
2	0.78	0.74	0.77	0.73	0.99	0.95
3	1.38	1.28	1.12	1.11	2.11	2.05
4	1.96	1.82	1.28	1.28	3.40	3.33
5	2.49	2.30	1.48	1.43	4.87	4.76
6	2.96	2.73	1.63	1.59	6.50	6.35
7	3.34	3.06	1.68	1.63	8.18	7.98
8	3.61	3.29	1.68	1.63	9.86	9.61

2. 经济性　在追求高质量的同时考虑经济效益与社会效益,既要求符合营养要求,又需要以尽可能低的成本来实现,追求大收益,并应综合考虑产品对环境的影响,尽量减少动物废弃物中氮、磷、药物等对人类生态环境的不利影响。

3. 可操作性　即生产上的可行性原则。配方在选用原材料的种类,质量稳定程度,价格及数量上都应与具体条件相匹配,符合养殖需求。日粮主要原料应因地制宜,来源丰富,并尽可能发挥当地资源优势。

此外,还应注意日粮的品质和适口性,粗纤维含量不宜过高,在饲喂过程中要求尽量保持日粮的相对稳定性,必须改变日粮时,最好要有 1 周左右的过渡期。

（二）肉鸭的日粮配方设计

拟定饲料配方的方法很多，如方形发法、联立方程法、试差法、线性规划法等。在一般养殖场常用试差法进行设计，其基本过程是：首先，根据鸭的种类、年龄和生产性能、气候条件等，从饲养标准中找出各种营养物质的需要量，再结合当地的饲料资源，确定采用饲料的种类及大致比例，表5-16列出了鸭日粮中常用的各种饲料的大致比例。其次，再查对饲料的营养成分和营养价值表，分别计算出配方中所包括的各种饲料原料的实际用量及其饲料中各种养分的最终含量，并与饲养标准进行比较，如不相符合，则应进行调整，最终使配合日粮与饲养标准基本吻合。

表5-16　肉鸭日粮中各类饲料的大致比例　%

饲料种类	比例
谷类饲料（玉米的比例可高些，大麦、稻谷的比例可低些）	40～60
植物性蛋白质饲料（豆饼、菜子饼等，菜子饼比例应控制在8%以下）	15～25
动物性蛋白质饲料（鱼粉、肉骨粉、蚕蛹干粉等）	3～10
糠麸类饲料	5～15
无机盐饲料（食盐、石粉、骨粉等）	2～6
微量元素、维生素添加剂（按说明书添加）	0.1～0.5
干草粉	2～5

例如，要求拟订出一个0～3周龄肉鸭的饲料配方。营养指标是：能量水平12.13 MJ/kg，粗蛋白质20%，钙0.9%，总磷0.64%，蛋氨酸＋胱氨酸0.65%，赖氨酸0.9%，粗纤维不超过6%。现有的饲料原料有如下种类：黄玉米、豆粕、秘鲁鱼粉、稻谷粉、麦麸、三七糠、磷酸

氢钙、石粉以及常用的氨基酸、维生素、微量元素等添加剂。

计算步骤：

第一步，先确定某些限制饲料的比例，如限制鱼粉用量为3%，预混剂为1%（预混剂由食盐、氨基酸、微量元素、维生素、促生长剂等加载体混合而成）。

第二步，选用饲料原料并初步确定各种饲料的大致比例。如果没有实践经验，可参考前人已有的配方（选用的饲料要求多样化，价格合理，上述的几种饲料原料都是肉鸭常用饲料，可考虑选用）。在饲料成分及营养价值表5-17中查找这些原料的营养成分（有条件的最好自己实测或送质量检测部门、饲料厂化验室代测），计算其代谢能，粗蛋白质、磷、钙、粗纤维含量（氨基酸部分可留待最后平衡日粮氨基酸含量时再计算）。

表5-17　各类原料的营养成分

营养成分	玉米	豆粕	秘鲁鱼粉	稻谷粉	麦麸	三七糠	磷酸氢钙	石粉
代谢能(MJ/kg)	14.06	10.29	12.13	10.67	7.95	3.39	—	—
粗蛋白质(%)	8.6	45.0	62.0	8.30	14.20	5.30	—	—
磷(%)	0.21	0.62	2.90	0.28	0.85	0.02	16.5	—
钙(%)	0.04	0.32	3.91	0.07	0.12	0.025	23.0	38.0
粗纤维(%)	2.00	5.40	—	8.50	7.30	29.00	—	—
蛋氨酸+胱氨酸(%)	0.31	1.16	2.21	0.22	0.57	0.20	—	—
赖氨酸(%)	0.27	2.54	4.35	0.31	0.54	0.11	—	—

通过表5-18试算，能量基本符合指标要求，但粗蛋白质、钙、磷与指标相差较远，需要调整。首先，要调低配方中的蛋白质水平，即但同时又不能降低能量水平。肉鸭0～3

周龄属幼雏阶段，日粮中需要有一定量的动物性蛋白质，因而鱼粉用量不再降低。余下的豆粕、稻谷粉、麦麸和三七糠都可考虑在调整之列。豆粕含蛋白质远比稻谷和麦麸高，能量比稻谷稍低；麦麸含蛋白质比稻谷高而能量较低，因此可通过调低豆粕用量，提高稻谷和麦麸用量来达到降低配方中蛋白质水平、维持能量水平基本不变的目的。其次，要考虑调高配方中的钙、磷水平，因磷酸氢钙既含磷又含钙，计算时根据指标中磷的需要量，先确定磷酸氢钙的用量后，再用石粉补足钙的不足部分。由于三七糠能量水平很低，蛋白质水平也不高，因此降低三七糠在配方中的比例来增加磷酸氢钙和石粉的用量，对配方中的营养水平影响不大。经调整后日粮中养分含量见表5-19。

经调整后，能量完全符合指标要求，但是蛋白质水平与指标相比偏高，钙、磷与指标相比也稍偏高。需要再次降低蛋白质水平，即适当降低磷酸氢钙和石粉用量，稍增加玉米用量，就可以解决问题，于是最后调整的结果见表5-20。

经第2次调整后，再加蛋氨酸5.72 g/kg，才能达到指标规定的蛋氨酸+胱氨酸0.65%的水平，其他各项指标均已基本达到要求，这样就完成了一个0～3周龄肉鸭的日粮配方的设计。

（三）肉鸭日粮配方实例

目前，肉鸭日粮配方在许多数据上仍借用鸡的数据。肉鸭日粮配方实例及其营养成分计算列于表5-21。台湾省设计的肉用鸭饲料配方列于表5-22；骡鸭的饲料配方列于表5-23；番鸭的饲料配方列于表5-24；狄高鸭不同发育阶段维生素、矿物质及其他添加剂的用量列于表5-25。

表 5-18　0～3 周龄肉鸭的日粮配方试算

原　料	比例(%)	代谢能(MJ/kg)	粗蛋白质(%)	磷(%)	钙(%)	粗纤维(%)
黄玉米	60	0.6×14.06=8.436	0.6×8.6=5.16	0.6×0.21=0.126	0.6×0.04=0.024	0.6×0.2=1.20
豆粕	30	0.30×10.29=3.087	0.30×45=13.50	0.30×0.62=0.186	0.30×0.32=0.096	0.30×5.4=1.620
秘鲁鱼粉	3	0.03×13.12=0.394	0.03×6.2=1.86	0.02×2.9=0.087	0.03×3.91=0.117 3	
稻谷粉	1	0.01×10.67=0.107	0.01×8.3=0.083	0.01×0.28=0.002 8	0.01×0.07=0.000 7	0.01×8.5=0.085
麦麸	1.5	0.015×7.95=0.119 3	0.015×14.2=0.213	0.015×0.85=0.012 8	0.015×0.12=0.001 8	0.015×7.3=0.109 5
三七糠	1.5	0.015×3.39=0.051	0.015×5.3=0.079 5	0.015×0.02=0.000 3	0.015×0.025=0.000 38	0.015×29=0.435
磷酸氢钙	1			0.01×16.5=0.165	0.01×23=0.23	
石粉	1				0.01×38=0.38	
预混料	1					
合计	100	12.19	20.895 5	0.579 9	0.850 2	3.449 5
与指标比较		+0.06	+0.895 5	−0.060 1	−0.049 8	—

表 5-19　0～3 周龄肉鸭的日粮配方试算

原料	比例(%)	代谢能(MJ/kg)	粗蛋白质(%)	磷(%)	钙(%)	粗纤维(%)
黄玉米	60	0.6×14.06=8.436	0.6×8.6=5.16	0.6×0.21=0.126	0.6×0.04=0.024	0.6×2.0=1.2
豆粕	28	0.28×10.29=2.881	0.28×45=12.60	0.28×0.62=0.173 6	0.28×0.32=0.089 6	0.28×5.4=1.512
秘鲁鱼粉	3.0	0.03×13.12=0.394	0.03×62=1.86	0.03×2.9=0.087	0.03×3.91=0.117 3	
稻谷粉	2.3	0.023×10.67=0.245	0.023×8.3=0.190 9	0.023×0.28= 0.006 44	0.023×0.07= 0.001 61	0.023×8.5= 0.195 5
麦麸	2.9	0.029×7.95=0.230	0.029×14.2=0.411 8	0.029×0.85= 0.024 65	0.029×0.12= 0.003 48	0.029×7.3= 0.211 7
三七糠	1.0	0.01×3.39=0.039	0.01×5.3=0.053	0.01×0.02=0.002	0.01×0.025=0.000 25	0.01×29=0.29
磷酸氢钙	1.4			0.014×16.5=0.231	0.014×23=0.322	
石粉	1.0				0.01×38=0.38	
预混料	1.0					
合计	100	12.13	20.275 7	0.650 69	0.938 22	3.409 2
与指标比较		0.000	+0.275 7	+0.010 7	0.038 22	

表 5-20　0～3 周龄肉鸭的日粮配方试算

原　料	比例（%）	代谢能（MJ/kg）	粗蛋白质（%）	磷（%）	钙（%）	粗纤维（%）	蛋氨酸加胱氨酸（%）	赖氨酸（%）
黄玉米	60.1	0.601×14.06 =8.450	0.601×8.6 =5.168 6	0.601×0.21 =0.126 21	0.601×0.04 =0.024 0	0.601×2.0 =1.202	0.601×0.31 =0.186 3	0.601×0.27 =0.162 3
豆粕	27.3	0.273×10.29 =2.809	0.273×45 =12.285	0.273×0.62 =0.169 3	0.273×0.32 =0.087 4	0.273×5.4 =1.474 2	0.273×1.16 =0.316 7	0.273×2.54 =0.693 4
秘鲁鱼粉	3.0	0.03×13.12 =0.394	0.03×62 =1.86	0.03×2.9 =0.087	0.03×3.91 =0.117 3	0.03×2.21 =0.066 3	0.03×4.35 =0.130 5	
稻谷粉	2.25	0.022 5×10.67 =0.240	0.022 5×8.3 =0.186 75	0.022 5×0.28 =0.006 3	0.022 5×0.07 =0.001 58	0.022 5×8.5 =0.191 25	0.022 5×0.22 =0.004 95	0.022 5×0.31 =0.006 98
麦麸	2.9	0.029×7.95 =0.230	0.029×14.2 =0.411 8	0.029×0.85 =0.024 65	0.029×0.12 =0.003 48	0.029×7.3 =0.211 7	0.029×0.57 =0.016 53	0.029×0.54 =0.015 66
三七糠	1.0	0.01×3.39 =0.039	0.01×5.3 =0.053	0.01×0.02 =0.002	0.01×0.025 =0.000 25	0.01×29 =0.29	0.01×0.2 =0.002	0.01×0.11 =0.001 1
磷酸氢钙	1.37			0.013 7×16.5 =0.226 05	0.013 7×23 =0.315 1			
石粉	0.93				0.009 3×38 =0.353 4			
预混料	1.0							
合计	100	12.157	19.965 5	0.641 5	0.902 5	3.369	0.590 8	1.009 9
与指标比较		+0.027	−0.035	+0.001 5	0.002 5	<6	−0.057 2	0.109 9

表 5-21 肉鸭日粮配方实例(参考) %

项目	0～3 周龄			4～8 周龄			育成期			种鸭		
	1	2	3	4	5	6	7	8	9	10	11	12
黄玉米	43	21.1	—	52.1	27.8	—	31.7	59.6	44.6	51.7	27.4	535
小麦	—	22.2	46.3	—	27.4	58.3	31.4	—	—	—	27.0	—
大麦	10	10	10	10	10	10	10	10	11.4	10	10	10
四号面粉	5	5	5	5	5	5	5	5	20	5	5	5
麸皮	5	5	5	5	5	5	5	5	12	5	5	5
干草粉	2	2	2	—	—	—	—	—	2	2	2	2
肉粉(含粗蛋白 50%)	2	—	—	—	—	—	—	—	—	—	—	2
鱼粉(含粗蛋白 60%)	2	—	—	—	—	—	—	—	—	—	—	2
豆饼(含粗蛋白 48%)	28.5	31	28	24	21	17.8	13.3	16.8	6	19.5	16.8	15.0
石灰石粉	0.6	1.1	1.1	1.25	1.2	1.25	1.25	1.25	1.75	4.45	4.45	3.95
磷酸氢钙	0.55	1.25	1.25	1.3	1.25	1.3	1.0	1.0	0.8	1.0	1.0	0.2
碘化食盐	0.35	0.35	0.35	0.35	0.35	0.35	0.35	0.35	0.35	0.35	0.35	0.35
维生素、无机盐预混料	1	—	1	1	1	1	1	1	1	—	1	1

续表 5-21

项　目	0～3 周龄			4～8 周龄			育成期			种　鸭		
	1	2	3	4	5	6	7	8	9	10	11	12
DL-蛋氨酸	0.06	0.05	0.05	0.025	0.03	0.04	0.04	0.03	0.04	0.025	0.03	0.025
氯化胆碱	0.006	—	—	0.025	—	—	0.015	0.03	—	0.025	—	0.025
营养成分计算值												
代谢能(MJ/kg)	2 813	2 749	2 730	2 868	2 846	2 814	2 906	2 933	2 544	2 772	2 762	2 815
粗蛋白(%)	22.9	22.8	22.7	18.9	18.9	19.0	16.1	16.1	13.7	17.0	17.2	17.2
粗纤维(%)	3.8	3.9	4.0	3.0	3.4	3.6	3.4	3.3	5.3	3.7	3.8	3.7
钙(%)	0.78	0.80	0.80	0.82	0.80	0.83	0.79	0.74	0.92	3.0	2.01	1.97
可利用磷(%)	0.41	0.40	0.41	0.39	0.38	0.40	0.33	0.32	0.42	0.40	0.42	0.40
蛋氨酸	0.46	0.46	0.46	0.36	0.36	0.36	0.33	0.33	0.31	0.34	0.34	0.36
蛋氨酸＋胱氨酸(%)	0.81	0.82	0.82	0.64	0.64	0.66	0.59	0.56	0.50	0.60	0.60	0.62
赖氨酸(%)	1.32	1.29	1.27	0.98	0.97	0.95	0.75	0.76	0.54	0.87	0.87	0.91

表 5-22　肉用鸭饲料配方(台湾省)　%

饲料种类	料号			
	1号	2号	3号	4号
玉米	66	65	64	63
米糠	7.7	6.7	5.7	4.7
大豆油粕	7.3	8.3	9.3	10.3
麸子(皮)	7.0	7.0	7.0	7.0
鱼粉	6.0	6.0	6.0	6.0
骨粉	2.0	2.0	2.0	2.0
叶粉	3.0	3.0	3.0	3.0
动物性油脂	—	1.0	2.0	3.0
牡砺壳粉	1.0	1.0	1.0	1.0
硫酸锰(g/100 kg)	45	45	45	45
维生素 A、D、B(g/100 kg)	3	3	3	3
烟酸(g/100 kg)	6	6	6	6
泛酸(g/100 kg)	1	1	1	1

表 5-23　骡鸭(半番鸭)饲料配方(台湾省)　%

饲料种类	0～3周龄	4周龄至出售
玉米	60.0	71.4
豆饼(44%)*	15.0	10.0
鱼粉(65%)*	2.0	—
肉骨粉(50%)*	5.0	5.0
大或小麦	—	—
麸皮	10.0	10.0
酵母粉	4.7	—
糖蜜	2.0	2.0
石灰石粉	0.1	0.3
二磷酸钙	0.4	0.5
盐	0.3	0.3
预混剂**	0.5	0.5
合 计	100	100
粗蛋白(%)	17	15
代谢能(MJ/kg)	11.495	12.122
钙(%)	0.75	0.75
有效磷(%)	0.42	0.40

*粗蛋白含量；

**预混剂中含维生素、微量元素及蛋氨酸、赖氨酸各0.1%。

表 5-24　番鸭饲料配方　　　　　　　　%

饲料种类	肉用			种用	
	0～3 周龄	4～7 周龄	8～12 周龄	3～26 周龄	26 周龄以后
玉米	45	55	55	30	40
次粉	17	13	20	20	18
麸皮	5	—	—	10	—
细糠	—	5	6	25	10
豆饼	22	18	11	9	16
进口鱼粉	8	6	—	—	—
国产鱼粉	—	—	6	4	8
骨粉	1	0.27	—	—	—
贝壳粉	0.7	0.5	1	1	7
食盐	0.3	0.3	—	—	—
预混剂	1	1	1	1	1
石膏	—	0.5	—	—	—

表 5-25　狄高鸭维生素、矿物质及其他添加剂用量(每吨饲料用量)

饲料类型	雏鸭料	生长鸭料（肉鸭料）	育成鸭料	种鸭料
维生素 A(10^6IU)	8	8	7.5	12.5
维生素 D(10^6IU)	2	2	1.8	2.5
维生素 E(IU)	9 000	9 000	5 000	18 000
维生素 B_2(mg)	12.5	12.5	12.5	18
维生素 K(g)	1	1	1.25	2.5
氧化锰(g)	85	85	90	118
硫胺素(g)	1	1	1	2
氧化素(g)	50	50	50	75
核黄素(g)	5	5	4.5	18
泛酸(g)	5	5	6	22.5
烟酸(g)	15	15	12	45

续表 5-25

饲料类型	雏鸭料	生长鸭料（肉鸭料）	育成鸭料	种鸭料
叶酸(g)	1	1	1	2
氯化胆碱(g)	200	200	200	200
吡哆醇(g)	3	3	2.5	4
生物素(mg)	25	25	25	75
硫酸铜(g)	16	16	—	16
钼酸钠(g)	—	—	—	3
硫酸亚铁(g)	—	—	—	15
碘化钾(g)	12	1	—	1
乙氧喹啉(66%)(g)	187	187	187	187
蛋氨酸(g)	8 900	800	—	800
赖氨酸盐酸盐(g)	500	500	—	—

第六章　肉鸭场建设

肉鸭场的建设，属于农业生物环境工程的范畴。肉鸭场的环境工程，是为肉鸭群的生长、发育、繁殖创造适宜环境的工程，是现代化科学养鸭的重要组成部分。

肉鸭场的建设包括场址的选择，肉鸭场的布局，肉鸭舍的建筑和养鸭常用工具、设施的配备等。

第一节　场址的选择

选择好肉鸭场的场址，不但关系到经济效益的高低，而且是成败的关键之一。如果选择失误，勉强投入生产，会给将来的生产带来不应有的经济损失和诸多不便。因此，在养肉鸭之前应认真做好周密的计划，选择最合适的地点建造鸭场。

场址的选择要根据鸭场的性质、自然条件和社会条件等因素进行综合分析后决定，需注意以下5个方面。

一、水　　源

肉鸭是水禽，日常生活离不开水，如洗澡需要水，交尾配种更离不开水，每日还要有大量饮水。所以，水源的选择对肉鸭来说十分重要。肉鸭场一般建在河湖之滨，水面尽量宽阔，水深1～2 m，水波浪小，但不是主航道，以免干扰鸭群，引起应激。肉鸭饮用水源的水要充足。一般鸭场需水量的计算应以夏季最大耗水量为标准。耗水量最大的是填鸭,每只填鸭每日最高饮水量是日粮的 4 倍,每只填鸭最高填食量为 0.5 kg,最高饮水量可达 2 kg。洗浴用水按洗浴鸭的最高存栏计算,每只鸭平均每日用水8 kg 左右。选择的水源必须能达到每日每只鸭 10 kg 水的标准。

此外,水源位置要适当,不宜离鸭场太远;水中无臭味或异味,水质澄清;水岸不应过于陡峭,坡度过大时鸭上岸、下水都有困难;水源附近应没有屠宰场和排放污水的工厂,离居民点也要远一些,尽可能将场址选在水源的上游(工厂、城镇的上游),以保持水质干净,不受污染。当每 100 mL水中的大肠杆菌数超过 5 000 个,溶于水中的固体总量超过 290 mg/L 时,都被认为是污染水。溶于水中的硝酸盐或亚硝酸盐的含量如超过 50 mg/L,对肉鸭有害,应另找水源。

二、地　势

建造肉鸭舍的场地要稍高一点,以免积水,最好略向水面倾斜,有 5°～10°的小坡,利于排水。如果在山区建场,不宜选在昼夜温差过大的山顶,或通风不良和潮湿的山谷深洼地带,应选择在半山腰处建场。山腰坡度不要太陡,也不能崎岖不平。鸭场的土质黏性不宜太重,最好是雨后容易干燥的沙质土壤。必须注意,排水不良、易遭水淹的低洼地绝对不能建造鸭场。

三、交　通

肉鸭场距离主要物资集散地要近些,应有公路、水路或铁路相通,便于运送产品和饲料,以降低运输费用。但不能在车站、码头或交通要道(铁路或公路)的旁边建场,否则不利于防疫卫生，而且环境杂乱，易引起鸭的应激反应，影响生长和产蛋。

四、方　向

肉鸭场朝向以坐北朝南最理想。鸭舍要建在水源北面，把鸭滩和水上运动场放在鸭舍南面，使鸭舍的大门正对水上运动场，向南开放。这种朝向的鸭舍冬季采光吸热好，夏季通风，但又晒不到太阳，具有冬暖夏凉的特点，有利于肉鸭的生长。

如果找不到朝南的地址，朝东南或朝东也可以，但绝对不能在朝西或朝北的地段建鸭舍。朝西朝北的鸭舍，夏季迎西晒太阳，舍内气温高，像蒸笼一样闷热，不但影响生长，还会造成肉鸭中暑死亡；冬季正迎着西北风，鸭舍保温困难，鸭子耗料多，生长慢。所以，朝西朝北的鸭舍，与朝南的鸭舍相比，用同样方法养鸭，产蛋率要下降 10% 左右，且死亡率明显升高，饲料消耗多，经济效益差，生产者千万要注意这一点。

五、其他条件

肉鸭场的主要任务都是为城镇居民提供新鲜的商品肉鸭，因此既要考虑服务方便，又要注意城镇卫生，还要考虑场内鸭群的卫生防疫。因此，场址应选在城近郊，一般以距离城镇 10～20 km 为宜，种鸭场可更远一些。

排水问题是鸭场的一个重要问题，应对当地排水系统有所了解，如排水方式、纳污能力、污水能否处理等。一般鸭场多建在旷野之中，周围多为农林田野，可利用鸭场污水灌溉林地和农田，这样既能排污，又能灌溉肥田，当鸭场周围农田面积狭小时，要充分考虑土地的纳污能力。还可以利用鸭场污水养鱼,有控制地将污水排向养鱼坑、塘,做到既可纳污,又能肥塘。

此外,还要考虑气候问题、供电问题等。沿海地区要考虑台风的影响,易遭受台风袭击的地方不宜建造鸭舍;夏季通风不良,气温过高,或冬季风大,易遭受寒流侵袭的地方也不宜建造鸭舍。鸭场晚上必须照明,电机孵化不能断电,因此在选择场址时,一定要了解该地是否通电,周围电源的位置和到鸭场的距离,最大供电允许量,是否经常停电或电压不稳以及其停电规律,在经常停电的地区要自备发电机。电力安装容量以每只种鸭 5～6 W,商品鸭 1.5～2 W 计算。这些问题在建造鸭场前都要通盘考虑,做好周密计划。

第二节　鸭场的布局

一、鸭场各区间划分

(一)大型鸭场各区间划分

一个完整的、规模较大的养鸭场,应包括职工生活区、行政区、生产管理区、病鸭的饲养区和粪污处理区等部分。

1. 职工生活区　建有职工宿舍、食堂及其他生活服务设施和场所等。

2. 行政区　包括办公室、资料室、会议室、供电室、锅炉房、水塔、车库等。

3. 生产区　洗澡、消毒、更衣室、饲养员休息室、鸭舍(育雏室、育成舍、蛋鸭或肉鸭舍、种鸭舍)、蛋库、饲料库、产品库、水泵房、机修室等。

4.粪污处理区　兽医室、病鸭舍、厕所、粪污处理池等。

(二)小型鸭场区划布置

小型鸭场各区划与大型鸭场基本一致,只是在布局时,一般将饲养员宿舍、仓库、灶间放在最外侧的一端,将鸭舍放在最里端,以避免外来人员随便出入,也便于饲料、产品等的运输和装卸。

二、区间布局的原则

区间布局在设计时,①要便于管理,有利于提高工作效率,照顾各区间的相互联系;②要便于搞好防疫卫生工作,规划时要充分考虑风向和河道上下游的关系;③生产区应按作业的流程顺序安排;④要节约基建投资费用。

根据以上原则,具体规划时,要将养鸭场各种房舍分区规划,就地势高低和主导风向,将各种房舍依防疫需要的先后次序,进行合理安排(图6-1)。如果地势与风向不一致,

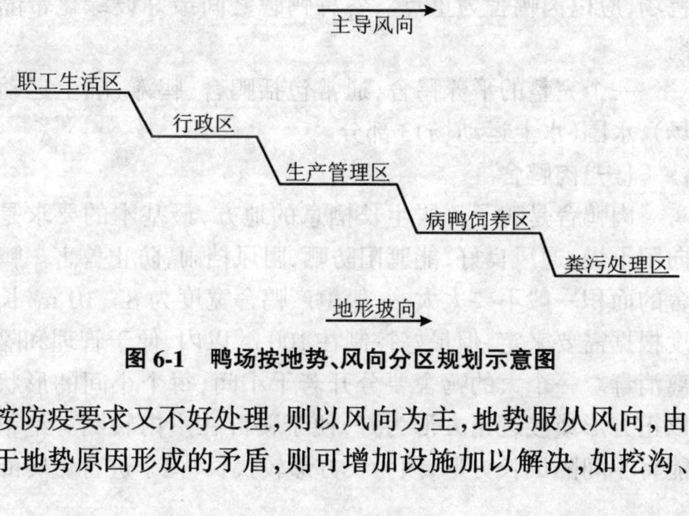

图6-1　鸭场按地势、风向分区规划示意图

按防疫要求又不好处理,则以风向为主,地势服从风向,由于地势原因形成的矛盾,则可增加设施加以解决,如挖沟、

设障等。按主导风向考虑，行政区应设在生产区风向平行的一侧，生活区设在行政区之后，按河道的上下游考虑，育雏舍、育成舍应在上游，蛋鸭舍在其后，种鸭舍与上述鸭舍应有 300 m 以上的距离。行政区与生活区应离开放鸭的河道，保证生活污水不排入河道中。为便于作业考虑，饲料仓库应位于生产区和行政区之间，并尽可能接近耗料最多的鸭舍；以防疫角度考虑，场内道路应分清洁道和非清洁道，两者互不交叉，清洁道用于运输活鸭、饲料、产品，非清洁道用于运输粪便、死鸭等污物。各个区之间应有围墙隔开，并在中间种草种花，设置绿化地带。尤其生产区，一定要有围墙，加强卫生防疫工作，进入生产区内必须换衣、换鞋、消毒。生活区与生产区之间应保持一定距离。

三、生产区的布局设计

生产区是肉鸭场总体布局中的主体，设计时应根据鸭场的性质有所偏重。如育种场，应以种鸭舍为重点，商品肉鸭场，应以肉鸭舍为重点。各种鸭舍之间最好设绿化带隔离。

一个完整的平养鸭舍，通常包括鸭舍、鸭滩(陆上运动场)、水围(水上运动场)3 部分。

(一)肉鸭舍

肉鸭舍是鸭子群居生长栖息的地方，最基本的要求是向阳干燥，通风良好，能遮阳防晒，阻风挡雨，防止兽害。鸭舍的面积一般不要太大，一般生产鸭舍宽度为 8～10 m，长度根据需要来定，但最好控制在 100 m 以内，便于管理和隔离消毒。一个大的鸭舍要分开若干小间，每个小间的形状以正方形或接近正方形为好，便于鸭群在室内转圈。绝不能将小间隔成长方形，因为长方形较狭长，鸭子进舍做转圈运动时，容易拥挤践踏致伤。

(二)肉鸭滩

肉鸭滩是水面与鸭舍之间的陆地部分，通常把它叫做鸭子的“陆上运动场”。鸭子在此吃食、梳理羽毛和昼间小憩。它的面积应为鸭舍面积的1/2以上。其地面要平整，略向水面倾斜，不允许坑坑洼洼，以免蓄积污水。鸭滩的大部分地方是泥土地面，只在连接水面的倾斜处，要用水泥沙石，做成倾斜的缓坡，坡度25°～30°。斜坡要深入水中，要低于枯水期的最低水位。鸭滩斜坡与水面连接处，必须用砖石砌好。不能图一时省钱用泥土底脚，否则，经水浪多次冲击后，泥土塌陷，造成坍坡，再要修理，既费时又费钱，还影响产蛋。由于这个斜坡是鸭子每日上岸、下水的必经之路，使用率极高，而且上有风吹雨打，下有浊浪拍击，非常容易损坏，必须在养鸭之前修的坚固、平整。有条件和资金充足的养鸭场，最好将鸭滩和斜坡用沙石铺底后，抹上水泥。这样的路既坚固，又方便清洁，在鱼鸭混养的鸭场还方便向鱼池中冲洗鸭粪。

肉鸭滩如果出现坑坑洼洼，要及时修复，不要拖拉。由于肉鸭脚短，身体笨重，不平的地面常使其跌倒碰伤，不利于鸭群活动。

沙石地面的鸭滩可用喂鸭后剩下的河蚌壳、螺蛳壳铺在鸭滩上，这样即使在大雨以后，鸭滩仍可以保持干燥清洁。

(三)水围

肉鸭是水禽，必须有一定的水上运动场，即水围。鸭子在水围内玩耍嬉戏、繁殖交尾、捕食鱼虾等。水围的面积不应小于鸭滩。一般每100只鸭需要的水围面积为10～40 m^2，随鸭的年龄增长而增加。考虑到供水季节水面要缩小，故有条件的地方要尽可能围大一些。

在鸭舍、鸭滩、水围3部分的连接处，均需用围栏把它们围成一体，根据鸭舍的分间和鸭子分群情况，每群分隔成一个部分。陆上运动场的围栏高度为50～60 cm，水上运动场的围栏应超过最高水位50 cm，深入水下1 m以上。如果用于育种或饲养试验的肉鸭舍，必须进行严格分群，围栏应深入水底，以免串群。有的地方将围栏做成活动的，围栏高1.5～2 m，绑在固定的桩上，视水位高低而灵活升降，经常保持水上50 cm，水下100～150 cm。

第三节 肉鸭舍建筑

一、肉鸭舍建筑的要求

（一）防寒保暖

肉鸭舍内保温性能要好，北墙要厚实，以防西北风渗透。屋顶除瓦片或油毛毡外，还需要有一个隔热保温层。冬季，有条件的地方要用暖气加温，没有暖气的地方，可用火炉加温。用火炉加温，要注意通风，以免一氧化碳中毒。

（二）通风良好

通风效果的好坏，取决于鸭舍与主导风向的夹角。如果鸭舍朝向与主导风向夹角呈零度，从窗口而入的气流则以最短路线到达对面窗口而流出，形成"穿堂风"，无窗的墙与对侧墙之间则相对形成无风带或称做滞流区；当鸭舍朝向与主导风向夹角呈90°时，即鸭舍主轴方向与风向平行，两侧窗的风压相等，此时通风效果最差，几乎等于零；当朝向与主导风向呈45°时，滞流区最小，通风效果最佳（图6-2）。从防止冷风的渗透和加强排污效果等因素综合考虑，肉鸭舍朝向应取与主导风向呈30°～45°为宜。

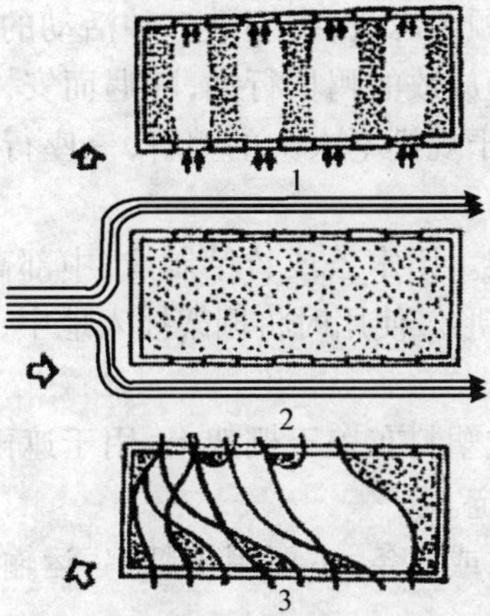

图 6-2　风向角与鸭舍内自然通风效果示意图

1. 风向角为零度时形成穿堂风，滞流区大；
2. 风向角为 90°时台内通风量最小；
3. 风向角为 45°时通风效果最好；

注：图中箭头所指代表风向；点状部分为"滞流区"

（三）防止兽害

主要包括鼠、犬、狼、蛇等的侵害，尤其是鼠和黄鼬的侵袭不但能伤害雏鸭和成年鸭，还能传播疾病，造成疫情。

（四）要便于清洗消毒，排水设施良好

（五）要保持安静，减少应激

（六）要降低造价，节约投资

二、肉鸭舍的类型

肉鸭舍分简易鸭舍和固定鸭舍两大类，一般农村小规模养殖常采用简易鸭舍，而现代化规模养殖常采用固定鸭舍。

（一）简易鸭舍

简易鸭舍分行棚和草舍两种。

1. 行棚　顾名思义,行棚是一种活动的鸭舍。它没有固定的场址,随放牧的鸭群行动,随遇而安,是最简陋的一种鸭舍。适用于规模不太大的鸭群,一座行棚的主要设备有下列5种:

(1)行棚架。用木条或竹竿制成,中部高2 m,下方底宽2 m,弯成弓形。使用时将棚架插入地中,连接起来像一只有篷的小船。

(2)箔帘或塑料布盖于棚架上,用于遮雨挡风,数量依据行棚面积而定。

(3)小船2或3条,主要用于赶鸭、运输材料和临时住人等。

(4)生活用具。床、被、蚊帐、锅、炉、灶等生活用具一套。

(5)饲养用具。饲槽、水盆、水桶、竹竿、马灯或电筒等养鸭用具若干。

2. 草舍　农户可采用草舍养鸭。这是一种较固定的简易鸭舍。首先,按建场的要求选好场址,其次,根据饲养量的多少确定鸭舍的面积。一般长度为8～10 m,宽度7～8 m(两间并做一个单元),一个单元可养产蛋鸭500只左右(图6-3和图6-4)。

草舍一般用木、竹做鸭舍骨架,柱脚、横梁、人字架都用毛竹。用稻草或茅草编成草帘,依次盖在竹制的屋顶上,四周围也可用编织的草帘作墙壁。如要经久耐用,最好在草帘上面再覆盖一层油毛毡。

这种草舍取材方便,投资省,建造快,经济实惠,通风良好,光线充足,操作方便,而且保温和隔热性能好,尤其用草做屋顶,冬暖夏凉。此外,草帘墙壁也很灵活,夏天可卸下,通风凉爽,冬天可排得厚些密些,甚至可以再加一层塑料布以便保温,在北方寒冷地区,也可以在草帘上抹泥起到保温作用。所以,我国东南各省的养鸭专业户大多采用草舍养鸭,效果甚佳。

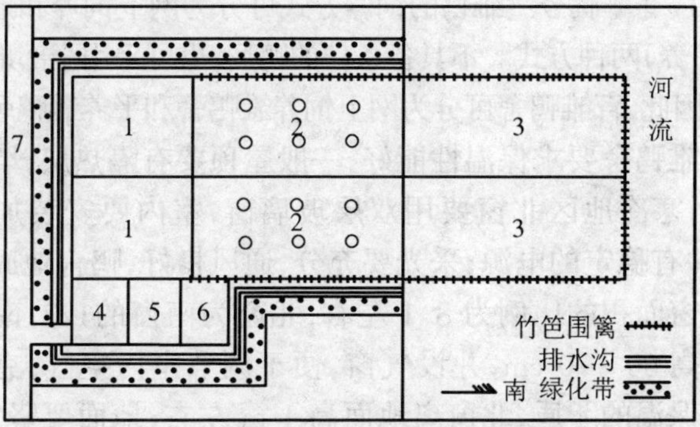

图 6-3　简易蛋鸭舍的布局示意图

1. 鸭舍;2. 鸭滩;3. 水围;4. 宿舍;5. 仓库,6. 饲料调制室;7. 道路

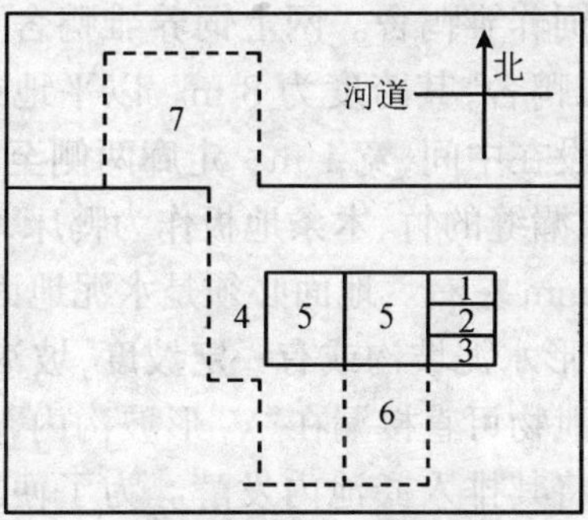

图 6-4　河道在北面时简易鸭舍的布局

1. 宿舍;2. 仓库;3. 饲料调制室;
4. 鸭下水通道;5. 鸭舍;6. 鸭滩;7. 水围

鸭舍的地面大多是泥土地,可铺厚垫草,但需在四周的墙脚用沙土、三合土夯实,以防老鼠打洞。

(二)固定鸭舍

固定鸭舍按用途分为育雏鸭舍、育成鸭舍、填鸭舍和种鸭舍;按建筑式样分为单列式、双列式、密闭式、开放式、半开放式、平养鸭舍、网上饲养舍、半网上饲养鸭舍等。

1. 育雏鸭舍　雏鸭的饲养方式可分为网上饲养和地面散养(平养)两种方式。不具备条件的鸭场,也可采用全部地面散养。因此,育雏鸭舍可分为网上饲养雏鸭舍和平养雏鸭舍。

雏鸭舍要求保温性能好,一般屋顶要有隔热层,墙壁要厚实,寒冷地区北窗要用双层玻璃窗,室内要安装加温设备,并有稳定的电源;采光要充分,通风良好,鸭舍地面面积与南窗面积的比例为8∶1左右,北窗为南窗的1/2,南窗离地面高60～70 cm,并设气窗,便于调节室内空气,克服通风和保温的矛盾,北窗离地面高1 m左右;地面要坚实、干燥,既防鼠害,又利排水,地面要铺水泥或三合土,还要向一边或中间倾斜,以利排水,窗上要装铁丝网,以防鼠害。

(1)网上饲养雏鸭舍。网上饲养雏鸭舍可采用有窗式双列单走廊雏鸭舍,其跨度为8 m。以平地或凹坑的房舍为基础,走廊设在中间,宽1 m。走廊两侧至南北墙各设架空的金属网或漏缝的竹、木条地板作为鸭床,网眼或板条缝隙的宽度13 mm左右。地面必须是水泥地面,网架下的地面建一条"V"形水泥坡沟或有一定坡度,坡沟坡面呈30°倾斜,雏鸭的排泄物可直接漏在"V"形坡沟内,用水稍冲刷即可清理,然后将其排入粪池内发酵。为了便于雏鸭舍内保暖,南北墙各设一排窗。雏鸭水槽用"V"形水槽,安在靠走廊近侧的网围栏上,有条件的地方使用饮水器更方便。每群鸭用一个方盘形铁制料盘。由于雏鸭全程都在网上饲养,舍外不必修建运动场,也不必建造水浴池。网养雏鸭舍比平养雏鸭舍卫生条件好,干燥,节约垫草和能源,保温性能、防鼠害能力、通风、光照条件都不错,但投资费用较大。

网养雏鸭舍可分高床和低床两种。高床的网底离地

1.8 m(图 6-5 和图 6-6),低床网底离地 0.7 m 左右。

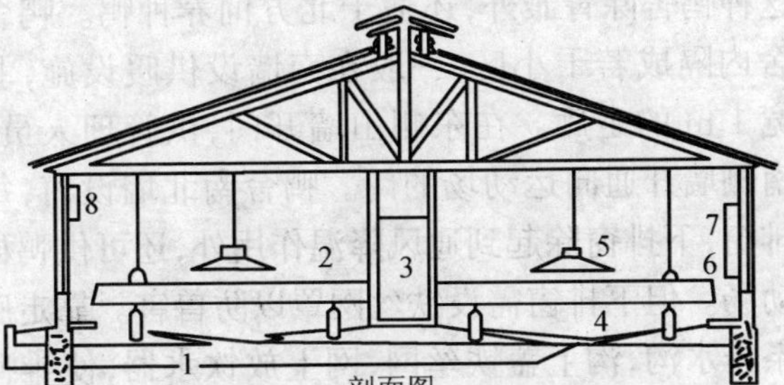

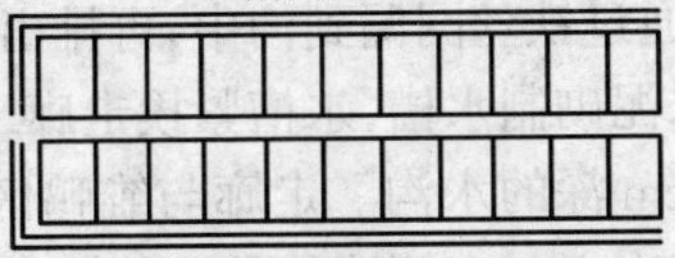

图 6-5　有窗式双列单走廊网养鸭舍

1. 排水沟;2. 铁丝网;3. 门;4. 集粪池;

5. 保温灯;6. 饮水器;7. 南窗;8. 北窗

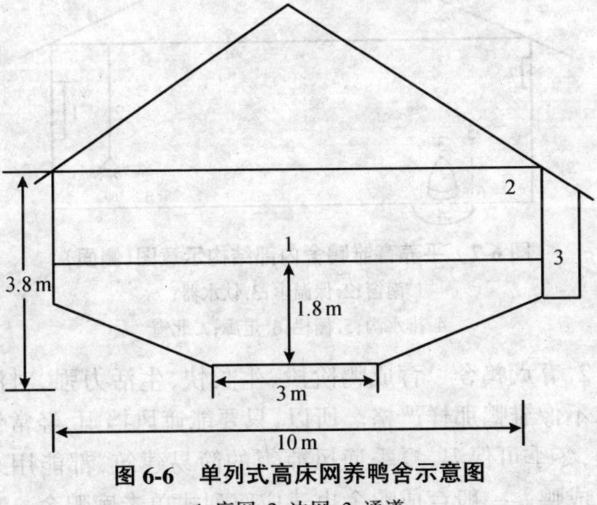

图 6-6　单列式高床网养鸭舍示意图

1. 底网;2. 边网;3. 通道

(2)平养育雏舍。一般采用有窗式单列带走廊的育雏舍。这种鸭舍除育雏外,还适于北方饲养种鸭。鸭舍跨度8 m,舍内隔成若干小区,一般在南墙设供暖设施,北墙边设置宽1 m的走廊。在东侧山墙开门,供管理人员进出。鸭舍南侧墙开通向运动场的门。鸭舍南北墙设窗,每侧上下两排窗,下排窗除起到通风降温作用外,还可供鸭群出入于运动场。但下排窗需设铁丝网罩以防兽害。靠走廊一侧建一条排水沟,沟上盖铁丝网,网上放饮水器,使雏鸭饮水时溅出的水,通过铁丝网漏到沟中,再排出舍外。也可以在走廊一侧用水泥砌制水槽,水槽紧挨走廊,水槽南侧设一个30 cm、宽20 cm深的水沟。走廊与雏鸭区用围栏隔开,食槽设在围栏的中心。南侧墙外是运动场和水浴池。运动场上要搭设遮阴凉棚(图6-7)。

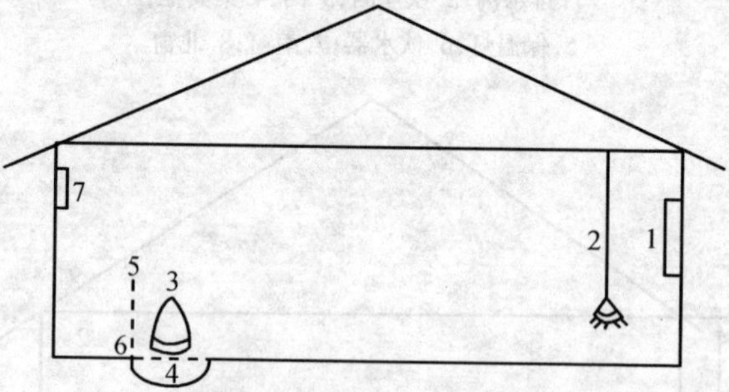

图6-7 平养育雏鸭舍内部结构示意图(侧面)

1.南窗;2.保温伞;3.饮水器;
4.排水沟;5.栅栏;6.走廊;7.北窗

2.育成鸭舍 育成鸭阶段,生长快,生活力强,对温度要求不像雏鸭那样严格。所以,只要能遮风挡雨,经常保持干燥,冬季可保温,夏季通风凉爽的简易建筑,都能用来饲养育成鸭。一般育成鸭舍也建成双列式单走廊鸭舍。鸭舍地面不用浇水泥,但要有一定倾斜,在较低的一边挖一道排水沟,沟上覆盖铁丝网,网上设置饮水器。这样屋内渗出的水分和鸭子饮水时溅出的水都能流入沟内,排出室外,以保持室内干燥。舍内的走廊设在中间,走廊与鸭群之间用围栏隔离开来。食槽设在围栏中心位置(图 6-8)。

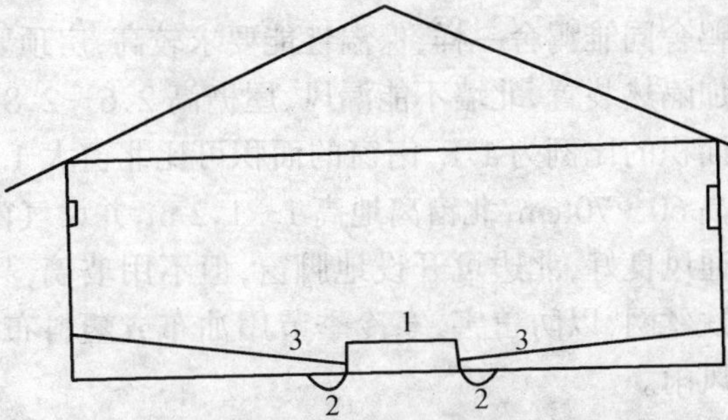

图 6-8　双列式育成鸭舍结构示意图

1. 走廊;2. 排水沟;3. 鸭床(地面)

3. 填鸭舍(育肥鸭舍)　育肥鸭舍的建筑要求与育成鸭舍相差不大,建筑设计也比较简单。地面大多用夯实的泥土,不必用水泥抹平,也要有一定倾斜,靠走廊一侧或倾斜坡低处,设置饮水装置。饮水装置可用水槽或饮水器,要使水槽和饮水器溢出的水能直接流入斜坡底部的排水沟。这些都与育成鸭舍相同,所不同的是育肥鸭舍要分隔成若干小圈,每圈面积为 12 m^2 左右,可容纳约 50 只育肥鸭,每圈设一扇小门,通向走廊。较长的鸭舍,把填饲间放在中间,把两端各舍的鸭子按次序赶到中间填饲。较短的鸭舍,可将填饲间放在任何一端(图 6-9)。

4. 种鸭舍　目前,我国各地饲养种鸭大多采用平地散养方式,很少采用机械化、自动化作业。鸭舍分有窗式双列单走廊和有窗式单列单走廊两种。双列式鸭舍必须两边都有水浴。

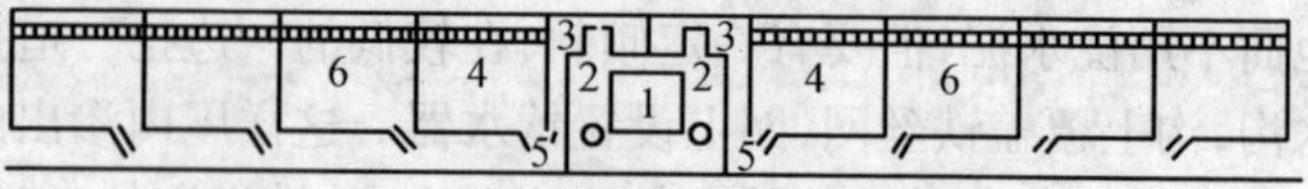

图 6-9　填鸭舍的平面布局示意图

1.贮料池;2.填料机;3.候填小栏;

4.鸭圈;5.填鸭走道;6.排水沟

种鸭舍同雏鸭舍一样,保温性能要求较高,房顶要有天花板或加隔热装置,北墙不能漏风,屋檐高 2.6～2.8 m,窗与地面面积的比例为 1∶8,南窗的面积可比北窗大 1 倍,南窗离地高 60～70 cm,北窗离地高 1～1.2 m,并设气窗。为使夏季通风良好,北边可开设地脚窗,但不用玻璃,只安装铁条或铁丝网,以防兽害,寒冷季节用油布或塑料布封住,以防漏风雨。

舍内布置也同雏鸭舍基本相同。单列式鸭舍,走廊位于北墙边,排水沟紧靠走廊旁,上盖铁丝网或木条,饮水器置于铁丝网上,也可在铁丝网上方建水槽。南边靠墙一侧,地势略高,用来放置种鸭晚间产蛋用的产蛋箱(图 6-10)。

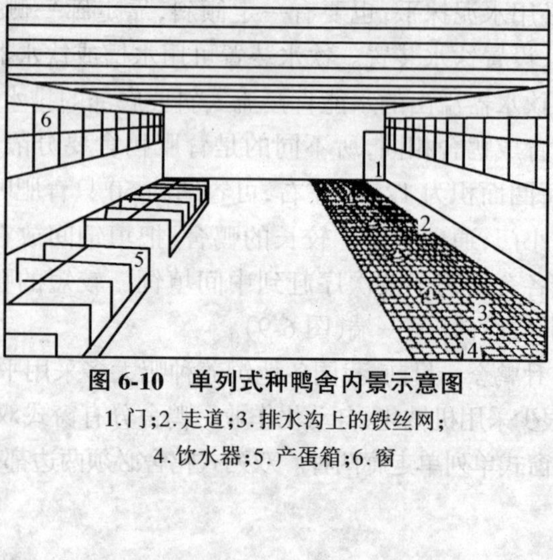

图 6-10　单列式种鸭舍内景示意图

1.门;2.走道;3.排水沟上的铁丝网;

4.饮水器;5.产蛋箱;6.窗

产蛋箱长 40 cm,宽 30 cm,用木板钉成,无底,前面较低(高 12~15 cm),供鸭子进出,其他三面高 35 cm。箱底垫木屑或切干净的垫草。每只箱子可供 3 只蛋用型种鸭或 4 只肉用型种鸭使用。我国东南沿海各省饲养蛋鸭,都不用产蛋箱,直接在鸭舍内靠墙壁的各侧,把干草垫高垫宽(40~50 cm),可供种鸭夜间产蛋之用。这种垫草必须保持干净,而且要高于舍内的地面。双列式种鸭舍,走廊设在种鸭舍中间,排水沟紧靠走廊两侧设置,在排水沟对面靠墙的一侧,地势要略高,放置产蛋箱或厚厚的一层干草,供种鸭夜间产蛋之用。

种鸭舍必须具备足够面积的鸭滩和水围,以供种鸭活动、洗澡、交配之用(图 6-11)。

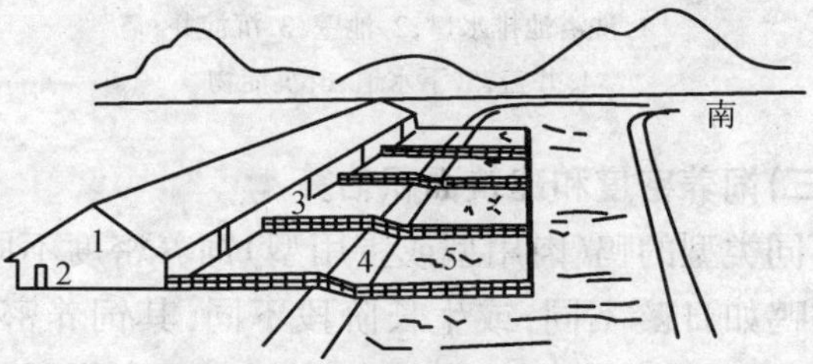

图 6-11　单列种鸭舍外景示意图

1. 鸭舍;2. 走廊的门;3. 通向运动场的门;
4. 鸭滩;5. 水围

如果不具备水面条件,尤其是双列式种鸭舍,常常一边有河道(或湖泊、池塘),另一边是旱地,在这种条件下,需要挖一条人工的洗浴池,洗浴池的大小和深度根据种鸭的数量而定。洗浴池形状如图 6-12 所示。一般洗浴池宽 2.5~3 m,深 0.5~0.8 m,用石块砌壁,水泥挂面,不能漏水。洗浴池挖在运动场的最低处,利于排水。洗浴池和下水道连接处，要修一个沉淀井，在排水时，可将泥沙、粪便等沉淀下来，免得堵塞排水道。种鸭的运动场，如尚未种植遮阳的树木，应搭建凉棚，凉棚的面积与阳台面积相似，把在舍外饲喂的料槽放在凉棚下，以防饲料被雨水淋湿。

图 6-12　洗浴池排水系统的结构（纵剖面）

1. 洗浴池排水口；2. 池壁，3. 沉淀井；
4. 井盖；5. 下水道；6. 沉淀物

（三）饲养密度和建筑面积估算

不同类型的鸭（肉用型或蛋用型）饲养密度不同；同一类型的鸭如日龄不同，或生长阶段不同，其饲养密度也不同；同一类型的鸭，虽然日龄也相同，但由于饲养季节不同、鸭舍大小不一样，其每平方米鸭舍的养鸭数量也有差异。因此，在建造鸭舍计算建筑面积时，要留有余地，适当放宽计划；但在使用鸭舍时，要周密计划，充分利用鸭舍面积，提高鸭舍的利用率。

一般原则是，单位面积内，冬天可适当多养些（提高密度），夏天少养些；大面积的鸭舍，饲养密度适当大些，小面积的鸭舍，要适当少养；运动场大的鸭舍，饲养密度可适当大些，运动场小的鸭舍，饲养密度要适当小些。这里提供肉鸭的放养密度见表 6-1，供参考。

表 6-1　肉用型鸭不同周龄时的饲养密度　只/m^2

时　期	地面平养	网上饲养
1 周龄	30～20	50～30
2 周龄	15～10	25～15
3 周龄	10～7	15～10
育成期	6～5	8～6
种鸭	3～2	5～4

第四节　养鸭工具

养鸭的用具比较简单，尚未形成系列化、规格化的产品。现将常用工具介绍如下：

一、饲养用具

（一）鸭篮（鸭篓）

鸭篮用毛竹篾编制而成，圆形。直径 70～80 cm，边高 25～30 cm（图 6-13，1），可用于装运雏鸭，也可用于饲养小鸭。育雏时供小鸭睡眠之用和点水之用（将小鸭关在鸭篮内，一起浸在水中，供其活动片刻，南方的鸭农称这种方法为"点水"）。1 000 只肉用雏鸭需要 45～55 只鸭篮。

（二）横条（围条）

围条长方形，长 15～20 m，高 0.6～0.7 m，用毛竹篾编织而成，用做围鸭用（图 6-13，2）。鸭子大多群养，抓鸭时群体过大，极易造成应激，一般用围条围成若干小群。1 000只雏鸭需要围条 4 或 5 张。

（三）喂料工具（饲槽、喂料器材）

喂鸭的工具式样很多，最简单的如塑料布，用于饲喂雏鸭，也可以用竹席、草席代替，1 000 只雏鸭需备 6 或 7 张席子。较大的青年鸭和种鸭可用无毒的塑料盆作为食盆，这种食盆便于清洗、消毒和搬动，1 000 只成年鸭需 15～20 只食盆。

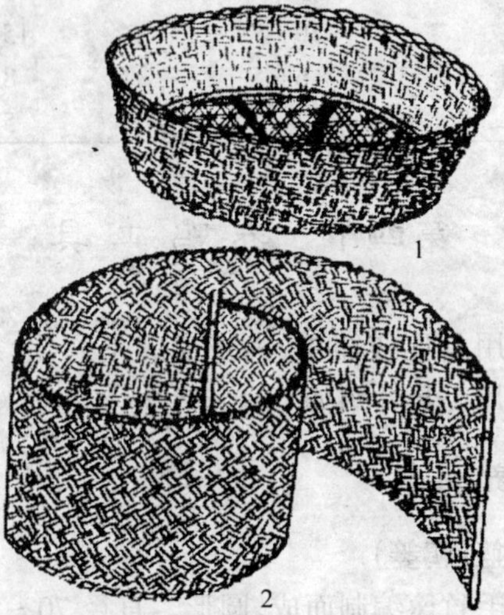

图 6-13　鸭篮和栈条

用于饲养育成鸭的喂料器，用铝皮制成，分料盘和贮料桶两部分(图 6-14)。一般贮料桶高 40 cm，直径 30 cm；料盘底部直径 40 cm，边高 3 cm。这种喂料器能存放较多饲料，并且可以一边采食一边自动下料。每 50 只鸭子需 1 个喂料器。

用于饲养种鸭的喂料箱，用木板制成，长度 1.5～2 m，像一间小屋，上有盖，下有槽，四周有壁(图 6-15)。这种喂料箱可常备饲料，节省人工，鸭子采食均匀，尤其适合于喂用颗粒饲料。如喂用粉料，必须十分干燥，也不能粉碎过细，以免受潮后结块，降低品质，影响下料。

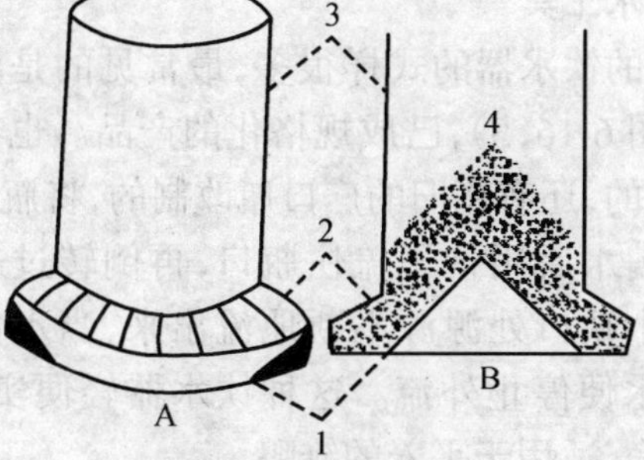

图 6-14　喂料器

A. 立体图；B. 剖面图

1. 料盘；2. 采食栅；3. 贮料桶；4. 饲料

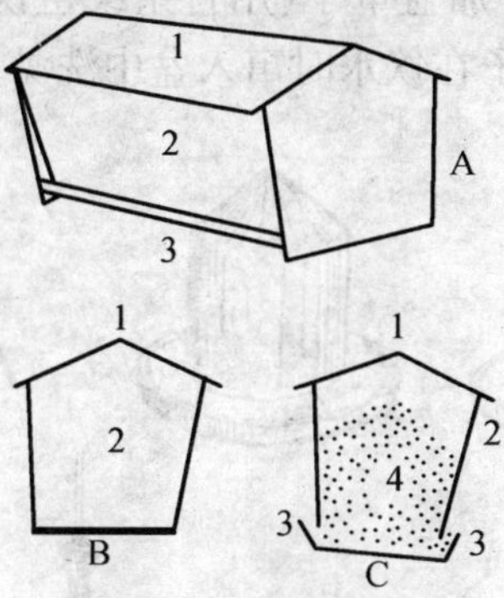

图 6-15　喂料箱

A. 立体图；B. 侧面图；C. 剖面图

1. 箱盖(可以取下，便于加料)；

2. 箱体；3. 采食槽；4. 饲料

竹匾呈圆形，直径 1 m 左右，外缘边高 5 cm，用毛竹篾编制而成。竹匾主要用做衬垫，把它垫在食盆下面，承接鸭子在采食时甩出来的料，尤其是喂粉料时甩出的料更多，浪费更大，必须加垫竹匾(或塑料布)，可节约 5%～10% 的饲料。竹匾也可以直接用来喂料。

(四)饮水工具

养鸭用的饮水器的式样很多,最常见的是塑料塔式真空饮水器(图6-16,5),已成规格化的产品。也有用铁皮或铝合金制作的,还有用旧的广口瓶改制的,将瓶口敲几个小的缺口,装满水后用盆子盖住瓶口,再倒转过来覆于盆子上,水就从小缺口处源源不断地流出来,当水位淹没瓶口时,瓶内的水便停止外流。这种饮水器轻便实用,容易清洗,比较干净,适用于平养的雏鸭。

成年鸭的饮水器,可以用无毒的塑料盆或陶钵,也可以用小水缸(斜放)。但必须注意,用口径较大的盆式饮水器时,必须在盆上方加盖罩子(用竹条或粗铁丝制成,详见图5-16,3),以防鸭子在饮水时窜入盆中洗澡,污染饮用水。

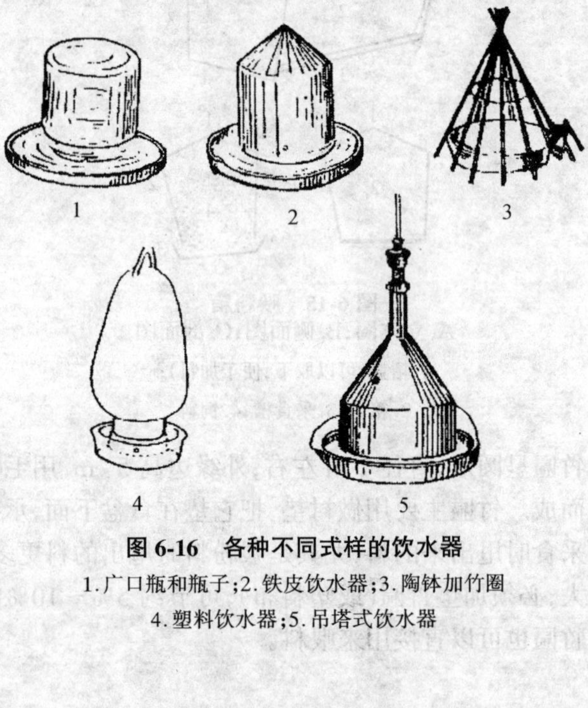

图6-16　各种不同式样的饮水器

1.广口瓶和瓶子;2.铁皮饮水器;3.陶钵加竹圈
4.塑料饮水器;5.吊塔式饮水器

二、填 饲 机 具

肉鸭饲养以往都有填饲阶段，以加速增重，促进脂肪积累；目前生产的鸭肥肝，也需强制填饲 2～3 周。鸭的填饲都用机器填饲，这种机具分手动填鸭机和电动填鸭机两类。

(一)手动填鸭机

手动填鸭机(图 6-17)结构简单，操作方便，适用于小型鸭场和缺电的地区使用。这种填鸭机规格不一，主要由料箱和唧筒两部分组成。填饲嘴套上橡胶软管，其内径 1.5～2 cm，管长 10～13 cm。

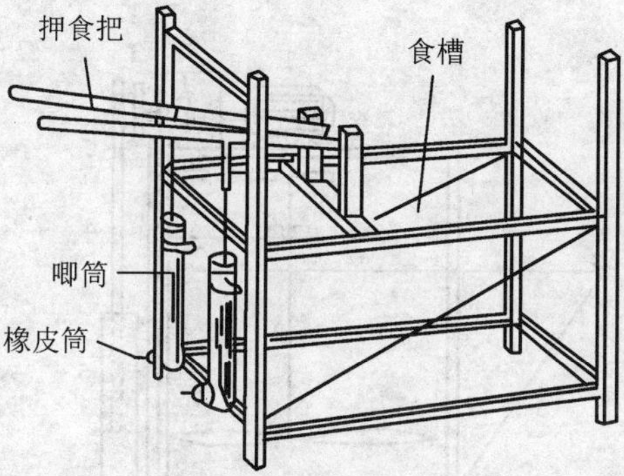

图 6-17 手动填鸭机

(二)电动填鸭机

电动填鸭机根据所用饲料的不同，又可分为两类。生产鸭肥肝时，多用整颗的玉米粒填饲，一般采用螺旋推进式填饲机，将饲料置于料斗内，以电动机带动螺旋杆运转，螺旋推进器为一条螺旋形的弹簧，转动时将玉米以填饲管推出后进入鸭的食道内(图 6-18)，填饲烤鸭用的填鸭机，因用粉状饲料加水调成糊状，多采用压力泵式的填饲机，利用唧筒的压力，把饲料从填饲管口压出进入鸭的食道内(图 6-19)。

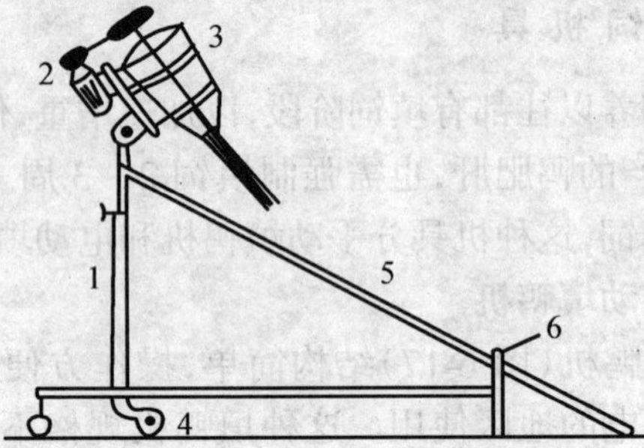

图 6-18　电动填饲机(填饲颗粒玉米)

1.机架;2.电动机;3 饲料斗;

4. 电动开关;5.滑道;6.坐凳

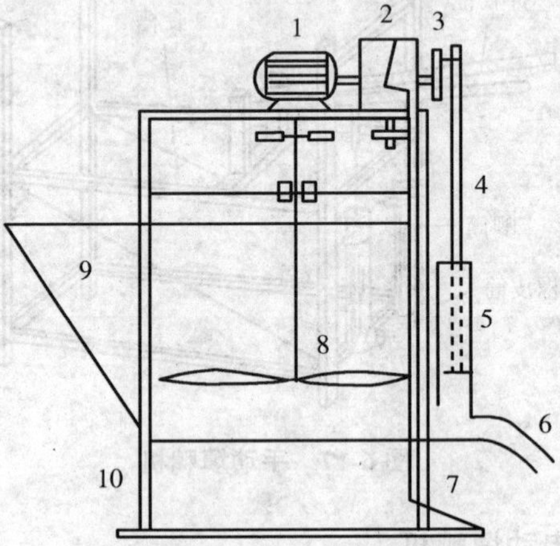

图 6-19　电动填鸭机(填饲糊状饲料)

1.电动机;2.减速器;3 偏心轮;4.活塞杆;

5.唧筒;6.填饲管;7 离合器;8.搅拌器;

9.贮料箱;10.支架

三、加 温 设 备

养鸭场在育雏过程中,需要有较高而稳定的室温环境,因此必须配备加温设备。通常采用的加温方法有火炕(火墙、烟道)加温、红外线灯泡加温、煤炉加温和电热育雏伞加温。

(一)火炕(火墙、烟道)加温

火炕加温是家庭养禽常用的加温方法。火炕的结构与北方农村中人睡的土炕一样,把炕直接建在育雏室内。炉灶的火口设在育雏室北端的墙外,一个炕设一个烧火口。火炕的大小一般是6～8 m^2(4.5 m×1.5 m),可饲养初生雏200～250只。根据育雏室大小,可以每间建一炕,也可以一间屋建两炕(走道在中间),烟囱建在另一端的墙上,烟囱要高出屋顶,使出烟畅通,火炕构造见图6-20。火

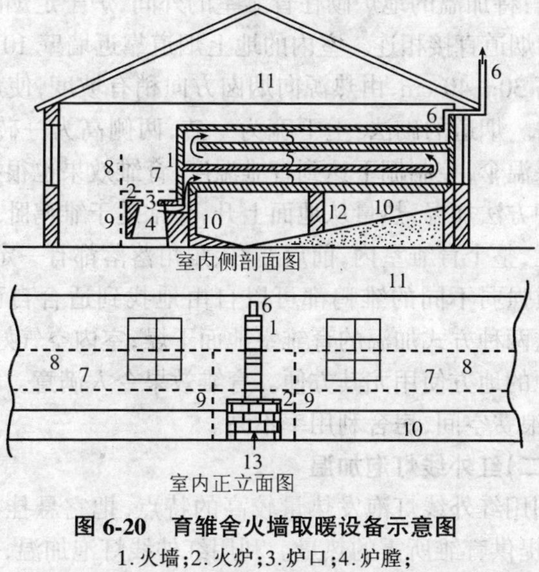

图6-20　育雏舍火墙取暖设备示意图

1.火墙;2.火炉;3.炉口;4.炉膛;
5.火墙内的烟道(箭头表示烟的走向);6.自火墙向舍外排烟的烟筒;
7.育雏网床(虚线表示);8.网床围栏;9.网床架;10.网下坡形地面;11.顶棚或天花板;12.火墙下支墩;
13.火炉进气出渣口

炕一般用干燥的土坯砌成，利于吸热和保温。火炕在靠近烧火口的一端设置保温棚，棚高 40～50 cm，用竹竿或木杆做架，上盖麻袋或帆布，棚下温度较高，可供初生雏休息，待雏鸭稍大后，根据需要，选择合适的温度，自由进出。保温棚下挂一两盏 15 W 的电灯照明，并在离炕面 5 cm 处挂 1 支温度计，随时观察温度情况。一般火炕加温在早晚各烧火 1 次；其次，通过保温棚覆盖与否作辅助调节温度。进雏以前，要提早 1 天烧炕，使室内预热，达到需要的温度。

烟道育雏与火炕育雏原理差不多。沈阳地区大多数养鸡单位多采用此法加温育雏，养鸭育雏也可采用此法。具体砌法：将加温的地炉砌在育雏室的外间，炉子走烟的火口与室内烟道直接相连。室内的地上烟道靠近墙壁 10 cm，距地面高 30～40 cm，由热源向烟囱方向稍有坡度，使烟道向上倾斜。烟道的砌法：上下宽为一砖，两侧高为一砖，上面覆盖保温伞，控制棚下达到育雏温度，育雏效果也很好。用这两种方法加温，热量从地面上升，非常适于雏鸭卧地休息的习性，整个育雏室内，前后左右、角角落落都有一定温差，使体质强弱不同的雏鸭都可以自由地找到适合自己的温区。这两种方式加温的育雏室地面干燥，室内空气好，在没有电源的地方使用尤其方便。育雏效果令人满意。它的缺点是，浪费空间，房舍利用率不高。

（二）红外线灯泡加温

利用红外线灯泡发热量较高的特点，把它悬挂在育雏室内，提供育雏所需的热量。利用红外线灯泡加温，保温稳定，室内干净，垫草干燥，管理方便，节省人工，但耗电量大，灯泡使用率高、易损坏，成本较火炕加温、煤炉加温要高，也不能在未通电和经常停电的地区采用。

利用红外线灯泡加温时，第 1 周灯泡离地面 35～45 cm。从第 2 周起，随雏鸭日龄的增大，逐渐提升灯泡高度。一般每周将灯提高 7～8 cm，直到离地面 60 cm 高为止。常用的红外线灯泡是 250 W，使用时可以等距离排列，也可以两盏连成一组。5 日龄以内的雏鸭，因感觉不灵敏，应在灯泡周围用围篱围住，以免雏鸭远离热源(图 6-21 和图 6-22)。在外界气温较低的情况下育雏，第 1 周时室内还要有升温设备，而且还要将初生雏围在灯下 1.2～1.4 m 直径的范围内。料槽和水槽不要放在灯下，以免污染。

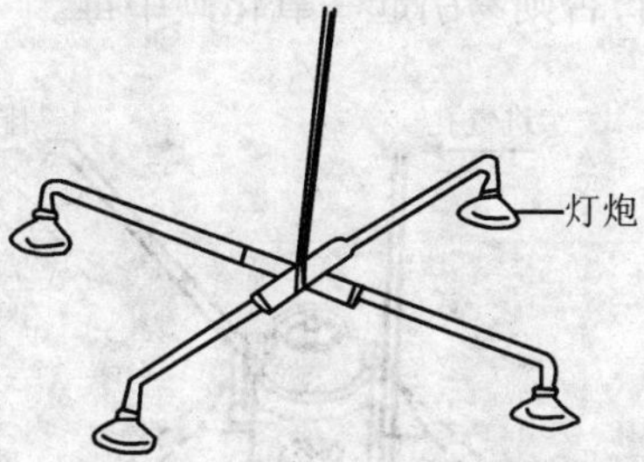

图 6-21　红外线保温图

图 6-22　红外线围篱育雏图

(三)煤炉加温

这是农村最常用、最经济的加温方法之一。采用类似火炉的进风装置,将进气口设在底层,把煤炉原有的进风口堵死,另外装一个进气管,在管的顶部加一块小玻璃,通过玻璃的开启来调节火势大小。炉的上侧装一排气、烟管,向室外排气、排烟(图 6-23)。为使炉温保持在一定范围内,不扩散,通常在炉子外围加一个木制保温伞。保温伞四边长度均为 1.2～1.3 m,高 1 m,向下倾斜。这种保温伞一个可育初生雏 200～300 只,使用煤炉加温要注意室内通风,经常开启门窗,否则易引起一氧化碳中毒。

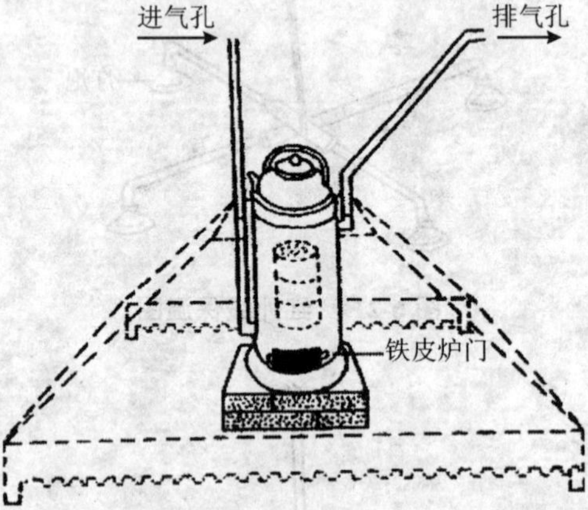

图 6-23　煤炉加温及其保温伞

(四)电热育雏伞加温

育雏伞呈圆锥塔或方锥塔形,上窄下宽,直径分别为 30 cm 和 120 cm,高 70 cm,采用木板或纤维板或金属铝薄板制成伞罩,夹层填充玻璃纤维等隔热材料,用于保温。伞中央下部装一圈红外加热器,并与自动控温装置相连,可人为调节和自动控制调节温度。伞的最下边缘留 10 cm 空隙，钉上三角形的厚布条，便于雏鸭自由出入（图 6-24 和图 6-25）。利用电热育雏伞加温节省劳力，管理方便，空气好，育雏舍清洁无污染，育雏效果好。缺点是，耗电较多，无电或经常停电的地方使用受限制，而且没有剩余热量升高室温。因此，冬季使用时还需要炉子辅助保温。

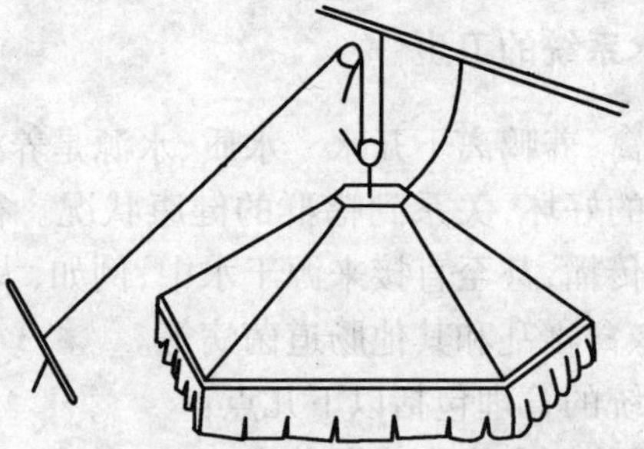

图 6-24　电热保温伞平面图

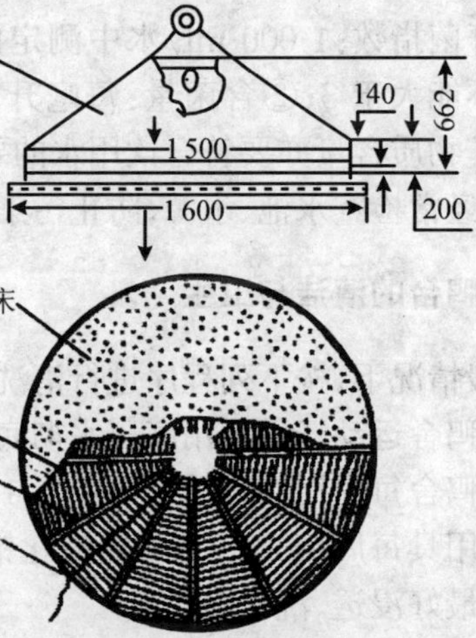

图 6-25　9YD-2 育雏电热保温伞示意图（单位：mm）

第五节 鸭舍环境卫生的控制

控制鸭舍环境卫生的措施主要包括饮水系统卫生、清洁消毒、垫料管理、灭虫灭鼠以及鸭舍内空气微生物监测等。只有综合全面执行这些措施,才能发挥其效益。

一、饮水系统的卫生

鸭是水禽,养鸭离不开水。水质、水源是养好鸭的关键环节。水质的好坏,关系到鸭群的健康状况。很多疾病就是通过饮水传播,甚至直接来源于水中,例如,大肠杆菌病、葡萄球菌病、禽霍乱和其他肠道菌病等。

饮水系统的管理包括以下几点:

(1)尽量使用自来水或深井水。

(2)每月监测水质 1 次,测定大肠杆菌指数和含菌量。①大肠杆菌指数:1 000 mL 水中测定的大肠杆菌数,按卫生规定不能大于 3;②含菌量:每毫升水不能超过 100 个;③水的矿物质含量亦要符合饮用水的要求。

(3)经常检查水池、水源,防止污染。

二、鸭台的清洁与卫生

一般情况下,按下列程序进行清洗和消毒。

(1)鸭舍运动场每日用高压水彻底冲洗。

(2)鸭舍每周用百毒杀喷雾消毒 1 次。

(3)用具每周用 2%～3%氢氧化钠溶液或者其他消毒药喷洒,最好浸透、洗干净。

(4)种鸭完成一个生产周期,淘汰种鸭后,即对鸭舍进行全面彻底的消毒,清除粪便和垫料,运送到远离鸭舍的地方堆放，注意防止沿途的污染。消除垫料，可先喷洒消毒药，以防止尘埃飞扬。

(5)空置1个月后再进鸭苗。

三、垫料的管理

垫料的管理要点：

(1)材料要求：干燥，无霉变，无污染，不含硬质杂物，鸭用垫草、干稻草，不应有一点霉变；刨花不含硬质杂物。

(2)垫料量根据具体情况不断增加。

(3)垫料使用前，先经彻底暴晒，利用阳光中的紫外线杀灭其中的微生物。

(4)随时注意产蛋箱内的垫料，保证量足质好，尽量减少种蛋污染。

四、鼠、蚊蝇、鸟类的控制

消灭蚊蝇及其他昆虫。可使用敌敌畏、敌百虫等药物喷洒鸭舍周围蚊蝇滋生地，要注意这些药物对鸭有毒害作用，因此不要让鸭群接触药物，以防万一。经常堵塞老鼠进出口，及时清除鸭舍内饲料槽旁的饲料，以免招来老鼠，注意使用杀鼠药。

五、鸭舍内空气微生物的监测

有条件的地方，可对肉鸭网上饲养鸭舍（特别是冬季和初春）空气微生物进行监测。通过微生物的监测，可评定鸭舍环境卫生的质量。

监测方法：首先制备普通琼脂平皿或血琼脂平皿培养基，然后取数个，分别放在鸭舍的不同地方（周围、中央），打开盖放置5 min后盖好，经37 ℃温箱培养24～48 h，取出，测出每个平皿的菌落数，算出平均值。若微生物数越来越小，说明卫生状况越佳。

综上所述，搞好鸭舍环境卫生是一项综合性防疫工程，内容很多，其好坏直接影响鸭群的健康。在实际工作中，我们要因地制宜，从实际出发，将鸭场的环境卫生控制好。只有确保鸭群的健康，方能获得较理想的经济效益。

第七章 肉鸭的饲养管理

肉鸭的代表品种是北京鸭,对北京鸭的饲养管理已达到相当高的水平。目前,各地的肉鸭生产发展比较快,为了减少投资,降低成本,提高经济效益,现将肉鸭的饲养管理技术以及几种主要肉鸭(番鸭、骡鸭、樱桃谷鸭、绿头野鸭)科学饲养管理作一系统介绍。

第一节 生态习性

肉鸭是水禽,具有许多与其他家禽不同的生态习性。了解和掌握这些生态习性对搞好肉鸭的饲养管理具有重要的意义。

一、性 好 水

喜欢在水中觅食、嬉戏和求偶交配,也需要在陆地干燥场所憩息和产蛋。鸭的腿、脚结构致密而坚厚,利于游泳和行走。在水中每分钟能游 50～60 m,在陆地每分钟能走 45～50 m。

二、耐寒怕热

由于鸭具浓密的绒羽及发达的尾脂腺。能有效地防水御寒,所以在严冬腊月仍能在水中洗浴、啜呷。可见鸭耐寒力较强,但其耐热性能较差,尤其是个体大脂肪厚的个体,耐热能力很弱，因而炎热的夏季一定要提供凉爽的水域环境。

三、耐粗饲且觅食力强

肉鸭喜食多种水生动、植物及浮游生物，能采食各种精、粗饲料和青绿饲料及鱼、虾、昆虫、蚯蚓、螺类等，但最喜食鱼、虾、螺类等动物性饲料，采食后，能明显提高产肉量。鸭的嗅觉、味觉不发达，对饲料的适口性要求不高，凡是无酸败异味的饲料都会狼吞虎咽。鸭适宜放牧饲养，能觅食大量天然饵料，因而饲养成本较低，饲料报酬较高。

四、性情温易驯服

肉鸭喜合群，较少单独行动。少争斗，适应大群放牧饲养或圈养，易管理。肉鸭的反应灵敏，易调教。但胆小怕惊，一遇到响声即刻相互拥挤于一角。这种类似神经质的惊恐行为在 1 月龄左右即开始出现。雏鸭对人、畜及偶然出现的色彩、声物、强光等刺激均有害怕的感觉，因而养鸭及育雏环境宜安静稳定。

五、性 成 熟 早

肉用种鸭每年也可提供 80～160 只雏鸭。母鸭一般均无就巢性(番鸭除外)，这就增加了产蛋时间，但孵化和育雏则需人工进行。

六、生　长　快

肉鸭的新陈代谢十分旺盛，正常体温一般为 41.5～43 ℃。心跳快，每分钟达 160～210 次；呼吸频率每分钟 16～26 次，需氧量大。鸭的运动性强，消化迅速，不耐饥渴,因而需要频繁地饮水和采食大量的饲料。

鸭的生长发育快,耐填饲,肉鸭增重快。如北京鸭初生重 50 g,7 周龄即可达 3.45 kg,相当于初生重的 60 多倍,其生长速度不亚于肉用仔鸡。

七、具有补偿生长功能

肉鸭生长的前期因各种原因致使生长发育稍有不良,而在后期能够补偿过来,从而达到标准体重。这是一个很有经济价值的特点,特别是在节省蛋白质等饲料资源方面有重要作用。

八、感觉器官灵敏性不一致

肉鸭的视觉最灵,对空中的鸟和昆虫、禾草绿叶上的虫类观察很敏锐;听觉也较灵,对于各种声音和饲养员的吆喝反应快;但味觉和嗅觉已经退化,触觉不灵敏,特别是睡觉时,对老鼠等敌害的侵袭反应迟钝。

九、无 就 巢 性

肉鸭经过长期的驯化和选育,基本上已经失去就巢抱窝的本能。因此,鸭的产蛋期长,产蛋量高,但需驯化其在产蛋箱中产蛋,利用人工孵化技术和人工育雏技术进行鸭的繁殖生产。

十、屠 宰 率 高

肉鸭的半净膛屠宰率一般为 85%~90%,全净膛率为 75%~80%。其可食部分占屠体的 65%以上,经过育肥后,鸭体内和皮下都含有丰富的脂肪。鸭肝很大,增重也较快,例如,7 月龄建昌鸭填肥 14 天后,平均肝重达 229.24 g,

最大者达 455 g,肝料比为 1∶23.81。

第二节 雏鸭的饲养管理

一、特 性

雏鸭具有水禽共有的生长和生理特点,也具有雏禽的一些共性;但同雏鸡相比又有很大的不同,在育雏的很多方面和雏鸡有所不同。

(一)生长发育快

鸭的日龄越小,生长强度越大,生长发育越快,雏鸭阶段是鸭一生中相对生长最快的时期,所需营养水平高。所以育雏期日粮营养应比其他阶段日粮丰富而全面,饲料量要足够,但也无需太高,因为后期鸭具有补偿生长能力,即使在雏鸭阶段生长稍微不良,到大鸭营养足够时仍能得到补偿。

(二)饲料报酬高

雏鸭阶段是饲料利用率最高的阶段,料肉比约为2∶1,以后随日龄的增长,饲料报酬越来越低。因此,搞好雏鸭的饲养管理,可在一定程度上节省饲料。

(三)有卵黄囊

刚孵出的雏鸭体内腹部有一个卵黄囊,重约 10 g,其生理作用是供给雏鸭 3 日龄内的主要营养物质。卵黄囊的大小与孵化时的温、湿度有关。如果温度偏高、湿度偏低,则雏鸭出壳会偏早,卵黄囊较小,雏鸭体小、脚干;如果温度偏低、湿度偏高,雏鸭会延迟出壳;卵黄囊较大,甚至有部分雏鸭到出壳时仍没有将卵黄囊收缩进腹腔,雏鸭肚大,突脐,此两种雏属弱雏。若孵化期温度、湿度合适,雏鸭出壳准时、集中,卵黄囊大小适中,肚脐收缩良好,此为健壮雏。健壮雏卵黄囊吸收快,生长发育快。而早开饮、开食和适当供温,可促进卵黄囊的吸收。弱雏卵黄囊吸收慢,生长发育迟缓,长大后多为残次鸭,无饲养价值,应予以淘汰。

(四)调节温度的机能不完善

刚孵出的雏鸭体温比成年鸭低2~3 ℃,自身调节机能尚不完善,对外界温度变化的适应能力差,同时绒毛薄而疏松,皮下脂肪层尚未形成,保温性能差,因此育雏时须注意及时调节好温度。

(五)胃的容积小,采食量小

雏鸭生长发育快,所需营养较多,消化代谢旺盛,而雏鸭没有明显的嗉囊,胃的容积又很小,每次采食量少,所以雏鸭日粮宜精不宜粗,而且饲喂次数要多,在最初几天应晚上开灯让雏鸭自由采食,自由饮水,到雏鸭逐渐长大后,才慢慢改为自然光照下采食和饮水。

二、育雏的基本条件

对于肉鸭来说,雏鸭的饲养管理是一项重要又细致的工作,必须抓好每一个环节、每一项措施。

肉用雏鸭与蛋用型雏鸭育雏的基本要素差不多,主要区别在于:①育雏温度比蛋用雏鸭高;②饲料的营养水平要求比蛋鸭高。

(一)温度

控制温度是肉鸭育雏的关键技术措施之一。虽然雏鸭对温度的要求不如雏鸡那么严格,保温工作可粗放一些,但在寒冷天气下,温度仍是育雏的首要条件,它直接影响到幼雏的体温调节、运动、采食、饮水、饲料的消化吸收以及抗病能力等,在大规模的集约化育雏时更应做好保温工作。雏鸭的体温比成年鸭低2～3 ℃，皮下脂肪层尚未形成，绒羽薄而疏松，防寒能力差，体温调节机能尚未完善，虽然代谢旺盛，但胃的容积很小，采食量有限，产生的热能不足以维持生理热的需要，不能较好地适应外界温度和气候的变化，因而须做好育雏阶段的保温工作。在最初几天，当天气寒冷或多变时，还须适当供给外源性热量。育雏温度的标准应根据雏鸭的日龄、品种、健康状况、具体表现及昼夜气候等因素而定，如第1日龄温度最高（可保持在33～35 ℃），以后逐渐降低；弱雏的保育温度比强健雏要高些等。若温度过高，雏鸭远离热源呆立，精神不振，张口喘气，大量饮水，食欲减迟，正常代谢受影响，体质较弱，发育缓慢，容易感冒、脱水、虚脱和感染各种疾病；温度太低时，雏鸭挤在一块取暖，或靠近热源处相互挤压，有时爬作多层，堆叠起来，造成下面的鸭被压闷而死伤，上面的鸭因长时间过热或过冷，容易失水和感染各种疾病。温度适宜时雏鸭采食，饮水正常，分布均匀，舒适安静，活泼好动。一般开始时保持较高的育雏温度，以后随着雏鸭的长大，羽毛和皮下脂肪逐渐丰满，体温调节机能不断加强，温度可逐步降低，每日可降低1 ℃，直至和环境温度一致。

应经常仔细观察雏鸭群的动态。它们的行为是对温度要求的最好反应；据此做出相应的调整和决定是最佳的。例如，有的专业户根据经验，在天气暖和时不再启用热源，约1周龄后就搬出舍外圈养，而育雏效果很好。

一般来说，采用较低温度育成的雏鸭比较健壮，但温度太低时雏鸭在热源处密集挤压，影响采食和运动，饲料报酬低，且易发生消化不良等各种疾病，弱雏数目增加，应十分注意。常用的育雏保温方法有3种。

1. 局部保温伞育雏器　在一张木制或铁制的伞下装一

个热源(红外线灯泡等);在最初几天,保温伞和围篱结合使用,开始时围篱区域小;以后慢慢扩大,通常每个保温伞可育雏鸭400~1 000只。此法在太寒冷时单位保温鸭数将大大减少,否则效果不好,所以多应用于不太寒冷的地区和较好的天气状况下。有时热源只用红外线灯泡和电热板;因为它们供热保温性能好,可以不用保温伞,这样工作比较方便。

2.温室或全舍保温　即采用供热量大的煤炉、电热器材、热烟道或蒸汽管道等热源来提高整个育雏舍的温度,使其达到育雏要求。在最初几天,应根据雏鸭群的大小,将育雏舍分隔成一定区域,用保温性能好的编织袋、麻布或棉胎封闭好,防止热量散失,雏鸭育于其中,这样保温效果好,但不可封闭得太严,应适当通风透气。若采用煤炭燃烧供热时,须十分注意防火、防煤气中毒等,应定期将舍内有害气体排除出去。

3.自温育雏　即利用雏鸭群自身产生的热能进行保温。方法是将雏鸭放入低矮的小容器内,例如,垫有垫料的木箱、竹筐、纸箱或塑料筐等,上面和四周适当覆盖厚布或棉毯,雏鸭在里面采食饮水。此时要注意提供光照和适当通风换气,并根据天气情况加减覆盖物和变更鸭群大小来调节温度。随着月龄的增加,逐渐将部分鸭移出另养。此法多用于炎热、温暖天气下,在停电多和供热设施无法使用时。育雏数量有限。

不论采取何种保温方法,都应注意温度的逐渐降低过程和供热成本问题,温度不能大幅度下降或忽冷忽热。测量温度以雏鸭背高水平线为准。

(二)通风

只有保持育雏室中空气的新鲜,才能保证雏鸭的正常代谢和健康生长。雏鸭饮水溅水多,粪多,所以雏鸭舍很潮湿,而潮湿的粪和垫料会分解发酵,产生大量的氨和硫化氢等有害气体,煤炉保温时还会产生大量的一氧化碳和其他废气,雏鸭呼吸产生的二氧化碳也多,因此舍内空气很污浊。若不注意通风,这些越来越严重的污浊空气将严重影响雏鸭的正常生长发育和健康,有时有害气体会使雏鸭中毒和感染疾病而引起不同程度的死伤。良好的通风对雏鸭群非常重要,能排除舍内污浊的空气,给雏鸭提供新鲜空气,调节舍内温度和湿度,使雏鸭感到舒适。但通风时应注意以下3个问题:

1. 通风时注意保温　在育雏最初几天的保温阶段,当外界温度较低时,通风会使舍内温度不好控制,若把门窗紧闭,或在育雏区域周围挂一层塑料布密封,而长时间没能通风换气,则空气中氧气不足,二氧化碳和各种有害气体含量超过限度,以至危害雏鸭健康,使机体抵抗力和各种机能减弱,代谢受阻,长此以往,雏鸭会生长缓慢,饲料报酬低,体弱多病,特别是呼吸道疾病无法控制。因此,在保温育雏时要像重视保温一样,重视通风,并且须注意通风方法,例如,设一个预热通道让风经过,或将新鲜的空气适当预热后送进舍内等,也可采用动力通风及缩短通风时间等。最简单的办法是:在中午天气较暖和的时候打开部分高处的窗户,利用舍内外温度差进行适当通风。必须注意,不可使舍内温度有明显变北,不能让贼风直接吹到鸭身上。育雏头2天完全可以不通风,空气很适宜。

2. 适宜通风　通风是否适宜,除通过专用仪器测定舍内二氧化碳和氨等气体的含量来判定外,主要是靠人自身进入育雏舍内的感觉如何,如感觉空气良好清新,不刺眼鼻,不觉闷气,则较好;假如雏鸭表现精神不安,行为迟缓,羽毛污秽零乱，食欲不振，发育不良，夹杂有罗音或咳喘等时，说明污浊的环境已严重危害鸭群健康，要赶快改善通风和其他环境条件。

3. 防贼风入内　目前绝大多数开放式鸭舍是以调节舍内的温度和湿度为主要目标来进行通风换气的，靠开闭门窗的多少和开闭时间的长短来控制通风。窗户应设在高处，即使风吹不到鸭身，也利于排除较热较轻的废气；也有的安装一定的通风设备，采用动力通风，这样可同时控制好温度和通风。不管怎样，必须提供一个无贼风的通风环境，防止从水沟、缝隙中来的冷贼风，因为贼风和温度波动过大容易引起雏鸭感冒和生长不良。

（三）密度

密度是指单位面积所饲养的鸭只数。密度大小关系到雏鸭的生长发育和健康。适宜的密度是提高育雏效果的措施之一。密度小，群体小，相互干扰小，舍内环境好，育雏效果最好，雏鸭生长快，但鸭舍设备利用率相对较低。密度太大时，群体内相互拥挤，极易造成大的应激反应和伤残，以及采食、生长不均等问题，因而雏鸭生长缓慢，发育不整齐，易感染疾病，死亡率升高。饲养密度应根据育雏舍构造、饲养设备、通风情况、管理水平以及当时的气候等条件来决定。如笼养和网养的密度应比地面平养大些，保温和通风等条件好的密度可大些，饲料营养水平特别是维生素类水平高时密度可大些。通常雏鸭群以 400～1 000 只为宜，地面平养时，第 1 周龄每平方米 20 只左右，第 2 周龄 14 左右，第 3 周龄以后不应多于 10 只；网面平养和池网结合饲养密度可大些，最多可多养 1/3。但是不管群体大小和密度如何，都要适时进行雏鸭强弱分群，弱雏单独饲养，精心护理，以减少残次成鸭数量。

(四)湿度

湿度指相对湿度,即空气中水汽的相对含量。一般认为:育雏时的相对湿度标准是1~3日龄为80%,3~7日龄为60%~80%,2周龄以后保持在50%~60%。3日龄80%的相对湿度和雏鸭出孵时机器内湿度接近,可避免雏鸭因呼吸干燥空气而散发体内大量水分,影响机体正常功能。如湿度过低,鸭易出现饮水过多,食欲减弱,羽毛生长不良,脚胫干瘪,群体生长发育不均,下痢,卵黄吸收不良,不眠,灰尘刺激诱发呼吸道疾病等。如湿度过大,为细菌病毒和寄生虫的滋生繁殖创造了条件,容易导致球虫病、呼吸道病、腹泻和消化不良等疾病流行。虽然常温下各地湿度基本上都在50%~70%范围内,但当保温热源开启后,空气被加热,空气中水分就会减少,温度随之降低,空气变得干燥,这对鸭群是不利的。因此,在刚孵出的最初几天应注意加湿,增加湿度可通过增加饮水器和水盆的数量或适当调整其位置来进行。育雏2~3天后,雏鸭饮水量大大增加,排粪多而湿,呼吸也大大加快,呼出水分增多,因此不需要再考虑给湿的问题,反而要十分注意防止湿度过大,保持舍内干燥,给雏鸭创造一个干净、清洁的生活环境。此时须勤清除粪便,勤换勤添垫料,保持良好的通风,饮水器和水盆上面最好盖有铁丝网,只让雏鸭头颈能通过而不让其他部位进入。饮水器和水盆应放置在离地网上,下面设有排水良好的沟承接溢出的水,或饮水器和水盆周围设有排水良好的、不妨碍雏鸭行走的浅水沟或漏缝水沟。若无此等设备,可将饮水器和水盆放置在鸭舍的一边,而将饲料桶放在另一边,这样放置饮水的一边潮湿脏污,但其他地方较清洁干燥,不会影响鸭舍的正常湿度,不影响鸭群的生长和休息。夏天适宜的湿度还可防止雏鸭中暑,因为温度越高,湿度越大，会觉得更热，而不善散热的鸭在脂肪层长出后是最怕热的。

(五)光照

雏鸭开食后，采食量小；采食速度慢，为了保证雏鸭有足够的采食和饮水时间，晚上增加人工光照，以后每日光照23 h，8 天后每日减少 1 h，直至采用自然光照。一般在最初 3 天采用全天 24 h 光照。光线强度以雏鸭能看见饲料和饮水为宜(每平方米 1～2 W)。有时故意熄灯 0.5 h，以利于雏鸭适应突然停电的影响。若用红外线灯泡保温时，可不另加照明灯，这需要视光亮具体情况而定。3 日龄后通常不再增加人工光照，只利用自然光照；阳光对雏鸭的生长有很大的作用。可促进雏鸭采食和机体新陈代谢，促使维生素 D 和色素等的形成，维持骨骼的迅速生长，提高生产力。因此，可在雏鸭 3 日龄后，在天气晴朗时将门窗适当打开，或将雏鸭逐渐放出室外进行运动，接受阳光照射，增强体质。

(六)卫生和环境

大群密度饲养时，鸭所处环境易脏污，应激大，抗病力低，很容易影响鸭群生长，使疾病暴发流行，所以应严格执行卫生防疫制度。鸭粪多而潮湿，易腐臭和滋生蚊蝇、微生物，须常清扫，最好冲洗地面，清除积水，勤换地上垫料，减少粉尘和垃圾污染；饮水器和水盆放在适当位置，保持舍内干爽清洁；垫料厚薄均匀，保持地面平整；经常检查饲料和饮水卫生，饮水器和水盆易受粪便污染，鸭喜欢溅水理毛，所以每日需多次清洗，更换清洁饮水；所有饲养工具应酌情清洗，保持清洁卫生；人进入鸭舍要更换鞋靴和工作服，经适当消毒，不同饲养场的人员不要随便串门，外来的车辆和人员须严格消毒，不能随意走动；执行严格的免疫接种计划;在疫病发生时应带鸭消毒。减少有害微生物的数量。此外,还须进行经常性的灭鼠、灭蚊等工作。

因雏鸭对外界动静反应灵敏,易受刺激,所以须保持舍内环境安静,不随便更换饲养人员,不突然改变饲料品种,饲养人员工作动作要轻巧,不大声喧哗,不让噪声音和其他动物干扰鸭群。

(七)免疫接种

免疫接种的程序和种类在各地区是不同的,这取决于当地传染性疾病的发生状况。最好由禽病专家进行调查,制定好免疫接种计划并严格执行。疫苗和菌苗等必须在适当的条件下处理和保存,并按说明书使用,有时疫苗生产部门也可提供技术帮助。

(八)适时淘汰

应当适时淘汰健康状况差、生长不良的鸭,因为它们永远不能达到上市要求的体重和品质,只能作为残次鸭出售。而对生长稍微不良的弱雏,应选出分开饲养,精细护理,使其追上生长良好的鸭。通常整个饲养期的淘汰数不应超过0.5%。若观察到大量的鸭不符合强健鸭的要求,应当仔细检查饲养管理方法,找出原因,采取补救措施。当然也不排除鸭苗的质量问题,应该从种鸭优良、质量可靠的孵化场采购鸭苗。鸭群生长不整齐的问题大都与育雏期的管理和鸭苗质量有关,特别是育雏温度太高或太低都极易使雏鸭生长不均,参差不齐。淘汰残次鸭时要小心轻捉,不要惊扰整个鸭群,不要造成应激反应。残次鸭和病鸭应坚持淘汰处理,因为饲养它们会浪费饲料和药物,增加疾病的威胁性。

鸭群的健康成活率不得低于97.5%。

(九)建立健全管理规程

在饲养过程中应当建立健全养鸭管理规程,严格按照管理规程进行饲养管理工作，如饲喂、换水、铺垫料、清洁卫生等。有一个固定的规程，将会减少工作遗漏和鸭群的应激，使鸭群按生活规律在舒适的环境中生活。大多数管理工作应选择在凉爽的傍晚或清早进行，特别是在炎热季节更应如此。

对于管理良好的鸭场和养鸭专业户来说，按照管理规程记录好鸭舍的温度、湿度、饲料消耗、药物应用、群鸭数量、生长增重、疾病发生、死亡淘汰数等很有必要，做好详细的记录可据以了解鸭群的生产性能，改善饲养管理。可通过抽检部分鸭，称量其样本重来测定鸭的生长情况，评价在现有饲养管理水平下鸭的生产性能。

三、季节对育雏的影响

肉用商品鸭一般是全年都可育雏，特别是采取舍饲和集约化饲养时更是如此；而种用雏鸭则通常在3—5月份育雏，到秋季开始产蛋，直至第2年5—6月份才停产。但由于各地气候条件、鸭的品种、各自的育雏及饲养设施、地方消费习惯、风俗民情及市场价格波动规律等的不同，育雏的季节须仔细考虑，尤其是种用雏，应选择最佳的育雏季节，以取得最好的经济效益。

(一)春季育雏

指3—5月份进行育雏。春季气候逐渐回暖，阳光充足，对雏鸭生长有利，成活率和强健率高，到中鸭阶段，由于气温适宜，舍外活动时间长，体质好，生长增重快。春雏作种鸭的成熟期早，到第2年夏天才换羽停产，产蛋时间长，经济价值高。因此，种雏鸭常选用春雏。不过早春育雏须注意做好保温工作，而且春季少雨干燥，疾病容易发生，所以管理须仔细认真，把各方面的工作都做得充分和完善。

(二)夏季育雏

指6—8月份进行育雏。此时高温高湿,雏鸭食欲差,生长发育受影响,成鸭的生产力降低,且防暑降温工作量大。不过,夏雏一般不需供热保温,做肉用商品鸭时只要适当做好防暑工作,饲养成本一般较低。处于炎热夏季的育成期要做好防暑遮阳等工作。

(三)秋季育雏

指9—10月份进行育雏。由于秋季天气较干燥,日照逐渐缩短,鸭的体质较春雏弱,而到育成后期自然光照逐渐延长,因而母鸭成熟早,开产早,停产早,产蛋量低,蛋重小,产蛋持续性差,所以秋雏不做种用,多做商品肉用,此时气候暖和鸭增长快,育肥容易。

(四)冬季育雏

指11—12月份进行育雏。由于此时天气寒冷,保温费用高,鸭的体质好,生长快,而种用时育成期处于自然光照逐渐延长的阶段,种母鸭性成熟迟,开产迟,生产力较低,产蛋量少,常不做种用。做商品肉用鸭时只要育雏时保温良好,即能生长发育快,增重快,肉用价值高。

虽然育肉用商品鸭一年四季均可进行,但不可忽视保温问题和肉鸭上市价格问题,既要照顾到雏鸭的保温、饲料的利用率和生长增重,又要充分考虑当地的风俗民情和消费习惯,预测好上市肉鸭的价格,以选择适当的育雏季节。

四、育 雏 方 式

肉鸭育雏可采取多种方式。年轻种鸭的育雏舍结构应比肉用商品鸭的好,而且两者须隔离,具体方式有以下7种。

(一)地面育雏

这是使用最多最普遍的一种方式,即直接在鸭舍地面上铺厚垫料，如刨花、粗木屑、干禾草、干沙等，在其上育雏，定期清理更换垫料，使之保持清洁干燥。此法简单易行，成本不高，但清洁卫生工作量大，对雏鸭造成应激大，且不易控制疾病，特别是通过粪便污染传播的疾病，育雏效果一般。

（二）网上育雏

即在离地面 50 cm 处用铁丝网、塑料网或竹木条板等铺设成平面，再往网上铺麻袋、编织袋等，雏鸭育于垫料上。这种方法一次性投资大，成本高，但易于清洁管理，雏鸭受应激和疾病影响小，育雏效果好。

（三）半地半网育雏

即鸭舍 1/3 地面铺设离地网面，另外地面不铺网，只铺垫料。饮水全部放置在网上，这样舍内地面保持干燥。注意斜面坡度须小于 25°。此法成本适中，且利于清洁工作，效果较理想，所以比较常用。

（四）层叠笼式育雏

将鸭舍分隔为若干层或若干层叠的笼，雏鸭育于其中。此法投资大，清洁管理工作繁杂又不方便，不过空间利用率高，保温性能好。

（五）纸箱育雏

利用普通大一点的硬纸箱，将雏鸭养于其中。此法在暖和天气时不用热源供温。可自温育雏，大大降低保温费用，且简单易行、投资小，但须注意保持干燥、卫生和通风，常在纸壁凿孔以通气，需适时分群转移，随着雏鸭逐渐长大，逐步将部分鸭移出至其他纸箱或育雏舍，使其饲养密度适中并逐渐脱温。因此法受天气影响较大，工作繁杂，育雏数量有限，所以集约化饲养时较少采用。

（六）塑料大棚育雏

它是结合应用塑料大棚饲养肉鸭而采取的育雏方式，

其具体方法是在大棚内用塑料薄膜帘子隔出一部分空间用来育雏，优点是容易保温，不需专门设置育雏室，投资少，成本低，易于管理，成活率高。

（七）保温离地小空间育雏

将每层的长×宽×高分别为 5 m×1.8 m×0.5 m 四层的育雏笼（网孔 1 cm×1 cm）放在一个比笼稍大的小房间内，四周用透气的塑料薄膜围成一个小空间，以便保温，前 4 天每层每 1.5 m^2 吊一个 60 W 灯泡，温度可达 33 ℃，以后逐渐减少灯泡，直到 8 日龄。保持内环境 1～3 日龄温度达到 30～35 ℃，4～6 日龄时为 28～30 ℃，7～10 日龄时为 25～28 ℃，11～15 日龄时为 20～25 ℃，16 日龄后逐渐脱温。密度保持，1～7 日龄为 16～20 只/m^2，8～14 日龄时为 10～15 只/m^2。湿度在育雏期间保持无水珠凝集。

保温离地小空间育雏的优点为：

(1)供温保温相结合的离地小空间节能育雏方法，能减少雏鸭与粪直接接触的机会，增强鸭抗病力，降低用药成本，提高成活率，有利于肉鸭的后期生长。笼中育雏，网上育雏 8 日龄时成活率达 99%以上。

(2)供温保温相结合的离地小空间育雏。提供一个保温性能较好的小空间，便于保温，可达到既提供适宜的育雏温度，又省能源的目的。

(3)保持适宜的育雏温度、湿度和密度，可提高产饲料利用率。

因为鸭粪多水、潮湿，所以无论采取何种育雏方式，都必须注意给雏鸭提供一个清洁干爽的环境休息。因此，地面垫料需及时清理更换，网面育雏在 3～7 日龄可将麻袋等垫层逐渐移走。这些工作安排须视天气和鸭舍具体情况而定。鸭群饲养区域也必须有一个由小到大的逐渐扩大过程，以达到既保温，又有合理的密度。

若条件许可，雏鸭可在鸭舍中培育到上市或开产期而不设育雏室。即先将鸭舍适用的一部分圈起来，用塑料布或竹篱等材料隔开，雏鸭育于其中，以后随着雏鸭的生长而逐渐将此范围扩大，直到整个鸭舍都利用起来。也可设育雏舍，雏鸭在育雏舍饲养至21日龄后，搬至肥育舍、育成舍或户外圈养。育雏要遵循“全进全出”制，并且雏鸭不能同中鸭、大鸭混养，种雏鸭不能同商品雏鸭混养，必须设有隔离带，以免疾病传播，影响育雏效果。

五、育雏前的准备工作

育雏前，要对鸭舍进行检修、消毒、垫料等一系列的工作。

首先检修鸭舍，使育雏舍保温良好，干燥，光亮适度，便于通风换气等，并对所有育雏器具，喂料、喂水设施进行检修。其次，进行灭蚊、灭鼠等工作。

对育雏舍应彻底进行清洁消毒。先将舍内使用过的垫料全部清除出舍外，在远处集中严格处理(如深埋消毒等)，清扫舍内，地面和网上的积粪要刮干净，其后用水冲洗，最好用高压水龙抽水冲洗干净。舍外杂草、瓦砾和垃圾应清理干净，疏通水沟，排除污水。然后彻底消毒，舍内舍外面面俱到，不可遗漏。消毒方法有喷洒法、熏蒸法、灼烧法等，实际生产中视具体情况而定。要使用高效广谱、未过期的消毒药水，且不腐蚀舍内设施。消毒后让育雏舍空置1周以上，以便晾干和消除异味。

将所有设备、用具洗净、消毒。小件的可浸于消毒水中(3%克辽林或1%苛性钠等)，大件的可用喷洒法。稀释消毒药最好使用温热水，因为在常温下水温每提高10 ℃，消毒效果会增加 2 倍。育雏舍利用熏蒸法消毒时，可将所有洗净的设备、用具放入舍内，关闭门窗，每立方米空间用甲醛溶液 15 mL 和高锰酸钾 7.5 g，加少许水混合后，人迅速离开，密闭 1 天以上。消毒后空置几天，以便全部彻底地杀灭细菌和病毒，加强消毒效果。

雏鸭进舍前 2 天，应在舍内地面和网上铺设好干净的垫料和垫层，垫层切忌霉烂、结块和颗粒细小，要求干燥，清洁，柔软，吸水性好，粉尘少，无尖硬杂物。常用的垫料有刨花、粗木屑等，有时也用干禾草、麦秸、干沙、谷壳等。同时要将其他育雏设备准备好，特别是保温设施，须反复检查试用，以确保工作正常。

雏鸭到达前，应在育雏舍内安放好充足的饮水器和浅水盆，并开启热源使室内空气和饮水的温度达到要求。饮水器须在育雏区域内均匀分布，勿太靠近热源，且高度与鸭背平，正好适合鸭群饮用。要保证雏鸭有足够的饮水点，一般最初几天每 100 只雏鸭需有一个 5 L 大的饮水器，每群中再加放 1 个浅水盆，水深以 1 cm 为好。饮水中最好放有水溶性的多种维生素、葡萄糖、抗生素等，经长途运输的雏鸭还应补加补液盐，以满足雏鸭的生理、生长需要，维持其正常食欲，帮助卵黄吸收和饲料消化，防止虚脱。

六、雏鸭的运输

雏鸭出雏后 24 h 之内应运到目的地，如果时间过长，因雏鸭开饮、开食过迟会影响正常的生长发育，特别是对卵黄吸收不利。运输时最好选用特制的纸箱装运，如用竹筐、塑料箱装运时，底部须垫好柔软的垫料，如干禾草、布或纸等，天气冷时还要用厚布或毯子等盖好顶部和周围，但要注意适当通风换气，以防雏鸭呼吸困难，甚至闷死。装运时要注意密度，密度太大时雏鸭互相挤压，应激多，死伤多；密度太小时箱内温度低，运输车摇晃时雏鸭到处跌撞滚动，应激大，受伤多。天热时密度可小些，天冷时密度可大些。运输途中要注意防寒、防晒、防热、防淋、防颠簸摇摆，以及保持适当的通风换气等。雏鸭运到后，应立即搬进育雏舍，减少外界环境的影响。

七、雏鸭强弱分群

刚孵出的雏鸭，毛干后应立即从出雏机中捉出，进行去劣选优，将残次鸭苗淘汰。雏鸭 0～3 周龄不作雌雄鉴别，因为肉用商品鸭在 50 日龄左右时雌雄的生长、增重和肉的品质不会有明显的差别，而分开饲养对种用公鸭很不利，会出现同性求偶的倾向，到成熟时无法补救。

雏鸭品质的好坏直接关系到雏鸭的生长发育、饲料报酬和以后的生产性能，影响其成活率和经济效益。不同健康程度的雏鸭饲养管理措施应有不同，因此应将雏鸭进行强弱分群，将弱雏放在室内温度较高的地方养育，进行高水平的饲养管理。强健雏鸭的标准是：

第一，在正常孵化条件下，28 天出壳，并在 24 h 之内出壳完毕，脱壳迅速。

第二，富有活力，活泼好动，对周围环境反应敏感，眼大有神，绒羽整洁光亮，柔软致密，腿结实，站立行走姿势正直有力，脚胫油亮，富有光泽，肛门周围没有粪便等玷污。

第三，卵黄囊收缩良好，脐部正常，无出血痕迹和突出现象，腹部柔软，大小适中。

第四，叫声清脆响亮，手握时挣扎有力。

第五，体重基本一致，且符合品种标准。而弱雏的表现与上面相差较大，具体表现在出壳延迟至 28 天以后，活力低,嗜睡,脚干瘪无力,眼无神,脚胫发暗无光,绒羽稀薄蓬松,有粪便等玷污,畏寒,食欲差或不采食,脐部收缩不良,脐口封闭,卵黄囊吸收差,腹部膨胀,或硬或松软波动,手握时无力挣扎,叫声微弱,体重不均,大小不一等;对严重弱雏,如畸形、过小、腹太大太硬、扭头、盲眼或歪腿的,应予淘汰。雏鸭强弱分群应在运到后休息片刻再进行,然后分为400～1 000只雏为一群进行饲育,群体越小越好,特别是种雏更应如此,须视鸭品种、栏舍设备等具体情况而定。

八、肉雏鸭的饲喂技术

饮水和喂料是肉雏鸭饲养的重要技术。

1.饮水　雏鸭阶段是鸭一生中相对生长最快的阶段,是整个生长期中的重要阶段,因此饮水和饲喂应特别引起注意,也是关键工作之一。但由于雏鸭具有补偿生长功能,雏鸭时期稍有生长不足,只要没有严重影响发育,到以后可慢慢追补回来,并达到标准体重,所以雏鸭的营养和饲喂工作,不必像对待雏鸡那样精细和高要求,营养水平可低些。

运来或购来的雏鸭,应马上搬入育雏舍,让其稍安静片刻,然后放入保温区域内,设法让其尽快学会饮水。一般做法是:将雏鸭放入1 cm深的浅水盆中几分钟,让雏鸭湿脚和饮水,即通常所说的“点水”。“点水”有利于雏鸭排除胎粪,增强食欲,刺激尾脂腺的分泌等。雏鸭在出壳后24 h内一定要饮到水,以防出现虚脱和脱水现象。水质必须新鲜、清洁,水温接近室温,而且饮水器数量要足够,分布要均匀,且高度要适中,这些都需随雏鸭日龄的增加而加以调整。高度应同鸭背持平,若水位过低,鸭在饮水时会反吐饲料,而且用水来洗身、理毛。饮水器数量不够或摆放位置不均匀时,弱雏和部分雏鸭难以饮到水,对生长不利,对不会饮水、呆立的雏鸭,应采取多次“点水”或人工摄取的训练方法,让其学会饮水。随着日龄的增加,雏鸭的饮水量加大,而且嬉水性充分表现出来,这时须逐渐增加饮水器数量,或改用大饮水器和大水盆,水深以从鸭鼻孔到喙端距离为准,并经常清洗饮水用具和换掉脏的饮水,装入新鲜的水。水质要求酸碱适度,细菌含量符合要求,含盐量低。若鸭舍装有自动饮水器,需待1周龄后才逐渐换用,并视鸭的适应情况采取相应措施。如果饮水量突然下降,往往预示着雏鸭群开始发生异常,可能有疾病感染或饲料饮水有问题,须马上调查,找出原因,加以补救。

2.喂料　待全部雏鸭饮到水后,马上将饲料放入育雏区域内,让雏鸭采食。合理的开食可满足雏鸭生长发育的需要。要保证供应完善的营养,尤其是蛋白质、维生素和无机盐等。开食时间主要取决于雏鸭胃肠的发育情况,若开食过早,雏鸭胃肠较软弱,不利于消化器官的健康发育;开食过晚,会大量消耗雏鸭体力,影响其生长发育和成活率。在雏鸭出壳后24～28 h让其开食,最迟也不能超过36 h。为便于雏鸭学会采食,最初几天可采用浅平的饲料盆,饲料放于其中,或直接将饲料撒在干净的编织袋或深颜色塑料布上,也有将饲料拌湿喂几天的,等雏鸭都会采食后,才逐渐换用5 L装饲料桶饲喂。饲料桶下面一定要放有干净的塑料布或稍大于饲料桶的面盆,用来承接雏鸭采食时撒出的饲料,然后定期将撒出的饲料再放回给雏鸭采食,并适时清洗更换此塑料布或面盆,以减少饲料浪费。对于不知道吃食的雏鸭,应对其进行训练,采取人工强饲的方法,反复调教,直至学会吃食为止。雏鸭开食后的最初几天.应采用“少喂多餐”制,即每日喂7或8次不等,每次喂量很少,但须保证雏鸭吃饱,其中晚间应喂2或3次,这时须实行全天光照，只在晚上熄灯0.5 h左右，让鸭能适应突然停电熄灯的应激。以后让雏鸭自由采食，自由饮水，晚上一般不设人工光照，雏鸭饲料宜用新鲜、清洁、营养全面、颗粒大小适中、适口性好、易于消化的碎粒饲料，一般采用全价的配合雏鸭料。也可自行配制，利用当地已有资源或剩饭等制成混合饲料，但必须符合雏鸭饲料要求。饲料应放置在干燥处，均匀分布，料位高度应同鸭背平，这样鸭采食时既方便又不至浪费。

九、冬季育雏

现代化肉鸡生产一年四季均可进行，但冬季育雏比较麻烦，特别是要做到既保温又通风，满足育雏的适宜环境，使育雏达到良好效果，必须从以下5方面着手：

（一）选雏

挑选绒毛光亮、腹部柔软有弹性、肛门清洁、腿粗、嘴大、眼睛有神、活泼有力的雏鸭；剔除歪头、瞎眼、跛脚、血脐的雏鸭。

（二）保温和通气

雏鸭出壳后7天内室温保持在27～30 ℃；7天后，每日可降温1 ℃，15天后保持在15 ℃左右；20天后即按常温饲养。育雏前期若气温低，可在箩筐内厚垫切短的干稻草，做成平底窝。每箩放雏10～20只，上盖旧衣、棉絮，使雏鸭互相依偎保温，特别要注意透气。

（三）开食

雏鸭出壳20～24 h即可开食。开食时先饮水后喂料。可将水盛入中央加盖的浅口水盘中，只露出有水的盘边，让雏鸭围盘学饮。饮水后及时用煮得半生半熟、不软不硬的米饭，经清水浸泡，除去黏性，沥水后拌入1.5%～2%的白糖,撒在垫有塑料布的摊盘或漏筛内,让雏鸭学啄吃,边吃边撒。开食的当天,每隔1.5～2 h饮水、喂食1次,每次只喂八九成饱,防止胀食。

(四)饮水和喂料

自开食第2～4天,每日饮水、喂食各5或6次,第5～15天为4或5次,15天后为3或4次。饲料仍用半生半熟、不软不硬的米饭,但从第4天起不加白糖,改加配合饲料,数量由少到多,至第10天时全喂配合饲料。参考配方(%):玉米45,碎米10,小麦5,麦麸5,炒黄豆17,菜子饼7,蚕蛹7,贝壳粉2.7,骨粉1,食盐0.3。同时,雏鸭还要加喂青饲料,第4～10天,青饲料可占日粮的20%左右,10天后占日粮的30%～40%,单喂、混喂均可。

(五)浸水

雏鸭出壳2～5天后即可用漏筛装雏浸入水中5～7 min,光湿脚,再徐徐下沉,洗绒,以后便可每日定时浸水。7天后,即可每次喂料后放入8～10 cm深的浅水围中;15天后,围内水深增至15～20 cm,让其游泳。

第三节 肉用仔鸭中雏的饲养管理

肉用商品鸭4～5周龄为中雏鸭阶段。此时鸭体各组织和器官迅速生长发育,胃肠容积增大,消化能力大大增强,代谢加快,绒羽慢慢更换为正羽,骨骼结构基本发育完全,肌肉迅速生长,皮下脂肪日益积累,机体各种功能加强,适应性和抗病力增强。饲养管理上可以粗放一些,应从育雏舍搬出移至肉鸭舍,减少饲养密度,改喂营养水平较低、粒度较大的中鸭料,随时注意观察鸭群动态,特别是清早,依照鸭的行为采取相应的有效措施。

一、过渡期的饲养

1. 饲料　从雏鸭舍转入中雏舍的前 3～5 天，将雏鸭料逐渐调换成中雏料，使鸭逐渐适应新的饲料。

2. 温度　除冬季和早春气温低时，采用升温育雏饲养，其余时期中雏的饲养均采用自温饲养方法。但若自然温度与育雏末期的室温相差太大（一般不超过 3～5 ℃），会引起感冒或其他疾病，这时就应在开始几天适当增温。

3. 空腹转舍　转群前必须空腹方可运出。

4. 逐步扩大饲养面积　若采用网上育雏，雏鸭刚下地时，地上面积较小，待中雏鸭经过 2～3 天的锻炼，腿部肌肉逐步增强后，再逐渐增大地面活动范围。一般中雏舍的地面面积比网上面积大，雏鸭从网上到地上，活动量突然增大，一时不能适应，容易导致鸭子气喘、拐腿，重者甚至引起瘫痪。

二、中雏鸭的饲养方式

中雏鸭的饲养方式与雏鸭略有不同，因为中雏鸭不再需要保温，饲养密度也小得多。中雏鸭可采用地面平养、离地网面平养、平面地网结合及笼养等方式。同时，中雏鸭也可以户外圈养和放养，或者舍内与运动场结合饲养，陆地与水面结合饲养，这样可大大节省鸭棚建筑费用。户外场地若无天然树木、竹木遮阳，则一定要搭人工遮阳棚，而且树木、竹丛应有铁网围护，以防鸭群啄食损坏。地面须排水良好，最好是水泥或沙石地等硬表面，地面要平整，倾斜度不得大于 25°，陆地跟水面接头处需渐渐倾斜，绝对不允许有陡坡突然高出水面。陆地跟水面应保持清洁，防止蚊、蝇、寄生虫和致病微生物滋生。

中雏鸭的整个饲养过程中，要注意搞好清洁卫生，彻底消毒，检修遮阳棚和休息所，铺设垫料，及时供饮水和饲料等。搬移鸭时宜抓颈部，不宜抓脚，轻拿轻放。如需装箱转运异地饲养，盛放鸭的箱笼等物底部要垫软垫料，装运密度要适中，途中要防晒，防颠簸，防剧烈摇晃，行车速度要均匀，并要选择气候凉爽的傍晚或清晨搬动，尽量减少应激。

三、中雏期的饲喂

（一）中雏期的饲料

中雏期鸭生长发育迅速，对营养物质要求高，要求饲料中各种营养物质不仅全面，而且配比合理。科学实践证明，该期使用全价配合饲料能使肉鸭生长快，缩短饲养周期，提高饲料报酬，减少饲料浪费，降低饲养成本，提高经济效益。

这个时期要逐步加大粗料和青料的用量，适当加入精饲料和动物性饲料，并且满足其对无机盐饲料和维生素的要求。

应供给颗粒较粗和营养水平稍低的中雏鸭料，以方便采食，减少饲料损耗和营养浪费。饲料摆放的高度应同鸭背持平。变换饲料时须有 3 天的过渡时间，第 1 天用 2/3 的雏鸭料和 1/3 的中雏鸭料混匀后饲喂，第 2 天各用 1/2 混匀饲喂，第 3 天则用 1/3 的雏鸭料和 2/3 的中雏鸭料混匀饲喂，第 4 天全部用中鸭料。这样减少因饲料突然变换而引起的应激，避免饲料原料配比和营养水平突然变化而造成的消化不良、腹泻，甚至拒食。转料时前后两种料需由相对稳定的同样原料配合而成，最好为同一生产厂家所生产。中鸭胃肠容积大，采食量大，中雏鸭料颗粒较粗，便于中雏鸭吞咽，采食容易而不挑食。颗粒太细或用粉料饲喂时，中雏鸭采食少，难吞入，常需洗口、洗鼻孔，浪费多。注意在鸭将食入的饲料消化完而又不过分饥饿时供料，这样既可减少饲料的浪费而又不至于抢食、暴食、饮水过多，造成应激。

(二)中雏鸭的采食方式

中雏阶段采取自由采食和自由饮水制，即全天 24 h 保持供应饲料和饮水，并经常保持饲料和饮水的清洁卫生，但晚上不一定增加人工光照，自然光照时间已经足够了。

中雏鸭采食和饮水时，应有适当的间隔距离，以防抢食和生长不均匀。建议标准如下：采食间隔距离每只不少于 10 cm，饮水间隔每只不少于 1.5 cm。饲料桶和饮水器应均匀分布。

(三)中雏鸭的饮水

中雏鸭饮水多，而且喜欢戏水、溅水理毛，所以需水量大，而且水易弄脏，因此须适当增加饮水器数量，水要常换，保持新鲜清洁。饮水器和水盆上最好覆盖有铁丝网，阻止鸭进入水中而又不妨碍其饮水和溅水洗理身体。水位高度应同鸭背持平，既方便鸭饮水，又不使饲料随鸭口中流出。采用自动饮水器的，要经常注意检查供水情况，适时修理和更换损坏的饮水器，同时鸭舍应适当放几个水盆，水深以从鼻孔到喙端的距离即可，有利于鸭用来溅水洗鼻理毛，不至于浪费太多的饮用水和弄湿地面。要清除地面的积水，以防鸭饮用，水池水也要保持干净。

(四)中雏鸭的日常管理

1.及时调整密度　中雏鸭生长发育快，需注意其饲养密度的调整。使其适合用肉用中雏鸭的生长需要。如果密度过大，中雏鸭互相挤压，甚至相互啄毛，影响其正常生长发育，所以须及时扩大饲养面积，减少密度。通常舍外饲养每平方米 3～4 只，舍内地养每平方米 4～6 只，网养为6～8

只。中雏鸭性情好动，爱抢食，在大群饲养时，往往强者采食多，生长快，弱者采食少，生长慢，差异逐渐增大，应及时将弱雏挑出另养，否则其采食饮水不能满足需要，易被挤压、践踏，到肉鸭上市时残次鸭数量增多，影响经济效益。鸭群不可太大，以500～1 000只为宜。

2. 适时通风　舍内饲养时要注意通风，保持舍内空气新鲜，氧气充足。若舍内通风不良，空气污浊，氧气不足，则鸭体新陈代谢障碍，生长发育受到影响；而且污浊的空气刺激鸭的眼、鼻、肺等部位，严重危害健康，甚至给疫病传染创造了条件，所以舍内通风是非常重要的。户外饲养的鸭不需要担心通风的问题，但要避免暴晒、严寒、贼风、冷雨的侵害。虽然中雏肉鸭的抗寒能力较强，但贼风对鸭体的强刺激会使鸭呼吸急促，生长不良，能量消耗加大。

3. 注意防暑降温　肉中鸭羽毛较为厚密，皮下脂肪日益增厚，而皮肤又没有汗腺，因此散热能力差而抗寒能力强。在炎热的天气下，应多设置水盆，让鸭多溅水洗身；装设风扇，用动力加强通风散热；直接向鸭身喷水和在舍顶、舍外多设遮阳棚等。这些措施会有效地防止鸭中暑，其中风扇通风结合水雾喷洒的方法作用很大。而水面对鸭也有很大帮助，鸭并非一定要游泳才健康，但游泳对鸭的防暑散热作用很大。

4. 防止啄羽　如果鸭群密度太大，地面垫料潮湿；通风不好，或者饲料营养不全面，特别是含硫氨基酸缺乏，都会引起鸭互相啄羽。这在集约化饲养时尤须注意。啄羽使鸭的羽毛被动脱落，严重时容易使鸭受伤出血，影响屠体的外观，甚至胃肠内脏被啄出而致死。鸭是不断喙的，所以必须在饲养管理中应予以特别注意，使其密度适中，地面和垫料保持干燥，舍内通风良好，饲料营养全面等。

5. 保持环境卫生　中雏鸭采食多，饮水多，粪多且潮湿，易腐臭和滋生蚊蝇，若不经常清扫冲洗，保持干净卫生，会使鸭群应激大，生长发育不良，甚至暴发疾病。因此，鸭粪须常清除。地面常扫，垫料常换，饲养工具也要常洗，保持清洁干净。执行严格的卫生防疫制度和预防接种制度，做好经常性的灭蚊、灭鼠和防兽害等工作，保持环境优良、安静。

6. 适时洗浴　鸭子具有喜水性，应定时让鸭子下水洗浴，这样不仅可促进中雏鸭的新陈代谢，而且有利于中雏鸭体质的锻炼和羽毛的生长。肉鸭下水的次数和时间应根据季节气温的不同而定。在夏季每日下水 3 或 4 次；春秋季下水 2 或 3 次；冬季下水 1 或 2 次，特别寒冷时应不下水。每次在水中活动时间为 1 h 左右，天热可长一些，天冷则短一些，然后让鸭子上岸理毛，待羽毛干后再赶进鸭舍。

7. 加入沙砾　为满足雏鸭生理机能的需要，应在中雏鸭的运动场上专门放几个沙砾小盘，或在精料中加入一定比例的沙砾，这样不仅能提高饲料的转化率，节约饲料，而且能增强其消化机能，有助于提高鸭的体质和抗逆能力。

四、中雏鸭的冬季饲养

(一)舍饲饲养

舍饲饲养主要适用于樱桃谷鸭、北京鸭、狄高鸭等白羽型品种。场地可选在塘库或河湾旁边，也可在庭院空处。圈舍要空气流通，舍内用竹条搭制 60 cm 高的分格鸭栏，每格 $5m^2$ 可养鸭 20～30 只。在靠人行道侧的栏外挂食槽和水槽。配合饲料参考配方(%)：玉米 62，麦麸 15，炒豌豆 6，鱼粉 7，菜子饼 7，骨粉 2.8，食盐 0.2。每日喂 4 次，边喂料边供水，让其尽量吃饱。同时要补充青料，一般青料与配合饲料的比例为(1～1.5)∶1。此外,舍饲中要加强中雏鸭的洗浴,可放入塘、水库、河中洗浴。

(二)放牧饲养

放牧饲养主要适用于高邮鸭、建昌鸭等麻鸭品种。可放入冬闲稻田、塘库、溪渠、河湾等水域。放牧时间一般上下午各1次,上午在11时前,下午在4时后。同时每日补喂配合饲料2或3次,可按舍饲中雏鸭的饲料配方配制。

第四节　肉用商品大鸭的饲养管理

6周龄至上市期的肉用商品鸭为大鸭阶段,俗称育肥阶段。此阶段肉鸭采食量最多,消化代谢最快,生长增重也快,脂肪沉积多,绝对生长迅速。育肥阶段是决定肉鸭肉的品质、商品价值和养殖效益的重要阶段。由于鸭体各部分正充分发育,各种机能不断加强。因此,饲养管理上可比中雏鸭粗放些,除饲养密度应小些,饲料营养水平相对低些和慎防腿病之外,其他饲养管理方法基本跟中雏鸭相同。

一、饲喂技术

肉用商品大鸭一般采用自由采食和自由饮水制,这样做既节省人力,又对鸭应激少,还能收到良好的育肥效果。此期夜晚开灯与否应视鸭的肥育程度而定,一般是夜晚不需照明,只让鸭白天采食、饮水,采食量已能满足育肥需要;若大部分鸭达不到标准体重,或体重轻的弱鸭群,可在夜晚增加人工光照,以增加采食饮水时间,加速育肥。肉大鸭料应比中雏鸭料颗粒粗,营养水平和原料口味等要求可适当降低。在大鸭阶段应尽快转喂大鸭料,转料过程应有3天过渡时间,具体方法同中雏鸭阶段转换饲料方法。大鸭料的颗粒应完整,无散碎粉状,方便大鸭采食;如果颗粒太细或呈粉状,大鸭采食困难,难吞入,吃得少而浪费多,从口中随水流出的料多。料位高度应适当增加,保持与鸭背持平,以方便鸭采食又不至浪费太多。

大鸭饮水比中雏鸭多,溅水也多,所以需供给更多的清洁水,提供更多的供水设备。水位高度应同鸭背持平,且供水设备下边的地面应排水良好,以防止积水和潮湿。采用自动饮水设备的应经常检查其性能情况,并加放水盆,供其戏水、溅水。

二、饲养密度

大鸭个体大,生长发育和增重快,因此,密度应比中雏鸭小一些,饲养面积和圈养范围适当扩大。建议舍外饲养每平方米为2～3只,舍内地养为3～4只,网养为4～6只。若密度过大,鸭群会发生互相啄毛现象和生长增重缓慢。大鸭肥胖,不喜动;腿部负担重,所以鸭群应适当小些,以免互相挤压致残,建议大鸭群以400～700只为宜,群体越小越好。

三、疾病预防

肉用大鸭身体肥胖,体重增加快,而腿部发育跟不上,极易发生腿病。除饲料中钙、磷及其他矿质元素需足够外,在管理上也应小心仔细,尽量不惊扰鸭群,不要踩鸭,对久卧不起的鸭应适时轻轻轰赶,使其行走,以免腿部和其他部位瘀血或瘫软,胸腹部出现挫伤等。舍内舍外地面、运动场、网面等要平整,便于鸭只行走,防止跌伤。另外,要防暑降温,因为鸭会因热而中暑,因热而不想活动,这会增加腿病发生的机会和猝死现象。若发现鸭因炎热高温而中暑，站不起来或昏迷，可将其放于阴凉地面，用风扇吹其身；并喂些解暑药和维生素。

四、肉鸭的育肥

(一)放牧育肥

南方地区主要采用此法，放牧育肥与农作物收获季节紧密结合，是一种较为经济的育肥方法。通常1年有3个放牧肥育期，即春花田时期、早稻田时期和晚稻田时期。事先估算这3个时期农作物的收获季节，把鸭养到40～50日龄，体重达到2 kg左右，在作物收割时期，便可放到茬田内充分采食落地的谷粒和小虫。经10～20天放牧，体重可达2.5 kg以上，即可出售屠宰。

(二)围养(舍饲)育肥

育肥鸭舍应选择在有水塘的地方，用砖瓦或竹木建成，要求舍内光线较暗，但空气流通。育肥时鸭舍周围保持安静，适当限制鸭的活动，任其饱食，供水不断，定时放到水塘活动片刻。这样经过10～15天肥育饲养，可增重0.25～0.5 kg。

采用自食育肥法，最好喂给全价颗粒饲料，把料倒入饲料箱内，一次加足，任其自由采用。颗粒料比粉料适口性好；采食时间短，采食量大，催肥效果明显。

(三)网上快速育肥

1.饲养舍设置　鸭舍宜选择在离村庄较远、地势干燥、安静、水源充足、通风采光好、交通方便的地方。舍内网床下面设有半倾斜水泥地面或水沟，以利冲洗打扫鸭粪。鸭舍建筑面积按饲养量大小决定，如饲养1 000只肉鸭，育雏室需8 m^2(育雏室利用率为80%)，育雏密度为每平方米网床15只;中成鸭舍240 m^2,饲养密度为每平方米网床5只。

育雏网床和中、成年鸭网床高70 cm,宽300~400 cm;长与鸭舍长度相等,可单列式,也可双列式。网床用木架,网用毛竹片(毛竹破成宽2 cm,长与网床宽相等的竹片)铺钉。育雏网床的竹片间距1 cm,中成鸭网床的竹片间距2 cm,网架外侧设有高50 cm左右的拦鸭栅栏。在栅栏内侧设置水槽和食槽。若有条件,网床可用8号或10号铁丝编织,网眼直径均1 cm。

2. 饲养与管理　肉鸭6周龄即长成为成年鸭,最好的方法是进行成年鸭填肥。填肥前,淘汰瘫、残、病鸭及体重过小的鸭,并按鸭体重分为大、中、小3类,平均饲养密度为每平方米5只。

(四)填鸭育肥

1. 开填的日龄　一般在40~42日龄,体重达1.7 kg以上的中雏鸭就应当开始填饲。但在饲料条件差,鸭子生长慢的情况下,有时需延至45~49日龄,体重达1.6 kg以上时才开始填饲。一般开填日龄早,饲料报酬较好,开填日龄过晚,饲料转化率降低,经济效益差。但过早地填饲,由于雏鸭骨骼、肌肉发育尚不十分健全,消化机能也不发达,容易造成瘫痪和死亡。

2. 填鸭前的准备　开填前将鸭子按体重和体质分群,挑选体质强壮、发育正常、健康状况好的鸭子先开填,淘汰病残鸭和过于弱小的个体。这样可以获得较好的育肥整齐度。此外,填鸭前应剪去爪尖,以免互相抓伤,影响屠宰体的美观,降低等级。

3. 配制填鸭专用日粮　填鸭的饲料应含有较高的能量(代谢能12.55 MJ/kg饲料左右),而粗蛋白含量14%~15%即可。这种营养水平有利于快速提高体重和积累一定量的肌间脂肪。填料配方：①玉米 60%，麸皮 10%，草粉 4%，米糠 10%，豆饼 4%，菜子饼 5%，鱼粉 5%，骨粉 1.7%，食盐 0.3%；②玉米 58%，大麦 8%，高粱 5%，豆饼 10%，鱼粉 5%，麸皮 7%，骨粉 1.7%，草粉 3%，松针粉 2%，食盐 0.3%。在上述两个饲料配方中，每 100 kg 还要加沙砾 2 kg。

由于人工填饲填入的饲料量，比自由采食多得多，产生热能也高。所以，一定要供应充足的饮水。

填鸭的饲料中须加入一定量的维生素和微量元素。这是维持填鸭生长发育、维持健康所不可缺少的，添加的维生素主要有维生素 A、维生素 D_2、维生素 E、维生素 K、维生素 B_{12}、核黄素、泛酸钙、氯化胆碱、尼克酸等，微量元素和硫酸锰、硫酸铜、硫酸亚铁、碘化钾、硫酸锌等。还要特别注意钙和磷的数量及比例。以免因无机盐不足或钙磷比例失调，影响增重或引起瘫痪。

4. *填料方法*　采用人工或机械填料均可。填料时要轻赶、慢捉、慢放。填料采用水拌料，水料比为 1.2∶1。一般开食量每只每日 0.25～0.3 kg，填食后期每只每日 0.4～0.5 kg。日填 4 次，每隔 6 h 1 次。填料前，要停水 30 min，其余时间要供给充足的清洁饮水。夏季填食时，夜间多填，白天少填，对个别食量小和消化不良的鸭要少填或停止填料，以免发生"填鸭病"（即瘫痪或病死）。

填鸭白天自然光照，夜间除填食补光外，其余时间黑暗。填鸭阶段通风尤为重要，鸭舍门窗要经常打开，夏天还要做好防暑工作。网床每隔 2 天打扫 1 次鸭粪，网床下粪便 5～7 天打扫 1 次，鸭舍外每周用石灰消毒 1 次。

填饲的操作要点：首先将调好的饲料装入填饲机的贮料箱内，转动搅拌器以免饲料沉淀。其次，将鸭慢慢赶入待填圈内,等候填饲。接着操作人员先用脚踏填鸭机的离合器,检查唧筒的出料情况,并调整出料量,达到规定数量后即可捉鸭填饲。有经验的填饲人员都采用抓嗉(嗉囊的部位)的方法,即四指并拢握嗉部,拇指握颈的底部。这种方法既可将鸭捉稳,又不会引起挣扎伤残。填左侧小圈的鸭子时。用左手提鸭子头部,掌心靠着鸭的后脑,用食指和拇指打开鸭喙,中指伸进喙内压住鸭舌,将鸭喙送向填饲胶管,让胶管准确地插入食道膨大部,同时用右手托住鸭的颈胸接合部,将鸭体放平,使鸭体和胶管在同一条轴线上。这样,才不至于损伤食道。插好管子后,用左脚踏离合器,启动唧筒,将饲料压进鸭的食道后,放松开关,将胶管从鸭喙退出。填饲操作在技术上的要领是:鸭体平,开嘴快,压舌准,插管适,进食慢,撤鸭快。

5.填饲的时间和填饲量　通常每日填饲 4 次,每隔 6 h 填 1 次,每次的填饲量(指带水饲料的重量)约为鸭体重的 1/12,以后每日饲量可增加 30～50 g 湿料,1 周后,每次可填 300～500 g。在凉爽季节,鸭子消化好可适当多填,应根据具体情况灵活掌握。填饲时要注意观察,发现嗉囊内有未消化的积食,应考虑少填或不填,以防消化不良或“撑死”。

6.填鸭的管理

(1)填鸭体重大,行动笨,赶鸭要慢,不可惊吓鸭群,道路及运动场要平整,防止摔伤鸭脚。

(2)下水洗浴,可清洁鸭体,帮助食物消化,促进羽毛生长,炎热天可延长下水时间。

(3)填鸭栖息的场地要卫生清洁,并保持干燥。饮水充足,解热降暑,以助消化。

(4)要保持鸭舍安静,闲人不得进出。饲养人员要细致耐心，不要粗暴驱赶，以免影响消化和增重。

(5)要做好防暑降温工作。鸭没有汗腺，填鸭的皮下又沉积了大量脂肪，过于闷热能使呼吸加快，影响育肥，甚至造成死亡。因此，在高温、高湿情况下，应采取加强通风除湿，植树遮阳等防暑降温措施，为填鸭生长创造较好的环境条件，以期获得最佳的生产效益。

(五)冬季快速育肥

1.品种选择　冬季快速育肥的肉鸭可选择樱桃谷鸭、康贝尔鸭、上海白鸭、北京鸭、高邮鸭、建昌鸭、淮鸭等。这些品种耐寒性强，生长发育快，育肥性能好，屠宰率高，适宜冬季快速育肥。

2.快速育肥　主要是为了提高肉鸭体重和肥度，使肉质更加鲜美细嫩。当中雏鸭养到 50～55 日龄时，开始育肥最为适宜。育肥期间要使用“高能量、低蛋白”的配合饲料。参考配方：玉米 35%，面粉 30%，米糠 25%，高粱 6.5%，贝壳粉 2%，骨粉 1%，食盐 0.5%。

实行填喂育肥，最简单的方法是：将配合饲料加水调成干糊状，用手搓成直径 3.3 cm、长 5 cm 的圆条。操作者坐在小凳上，双腿夹住鸭体下部，左手拇指和食指撑开鸭嘴，中指压住舌头；右手把圆条先沾水使之润滑，然后从口腔向食道填入。每日填喂 3 次。育肥第 1～3 天，每次填喂 3 或 4 根圆条；第 4～8 天，每次填 4～6 根；8 天以后，每次填6～8 根。填喂后供足饮水，每日进行几十分钟的水浴，以利消化育肥。管理上注意鸭舍光线要暗，使鸭少活动、多休息。育肥期一般为 10～15 天。当肉鸭体重达 2～3 kg，用手摸到皮下脂肪增厚，翼羽的羽根呈透明状态时，即可上市出售。

3.疫病防治　在肉鸭冬养的快长速肥中，疫病是最大的危害。除加强饲养管理外，要特别做好防疫工作。可用鸭瘟弱毒疫苗预防鸭瘟，在肉鸭养至20天左右时，每只肌肉注射1 mL鸭瘟弱毒疫苗；预防鸭霍乱可用禽霍乱菌苗，在肉鸭养至30～40天时，每只肌肉注射2 mL禽霍乱菌苗。平常可用磺胺二甲嘧啶或磺胺噻唑按0.5%～1%的比例拌饲料连喂3～4天，停10天后再喂一个疗程，也可用0.01%高锰酸钾饮水预防肠道感染。

第五节 种用育成肉鸭的饲养管理

种鸭的育成期是指4周龄至开始产蛋这段时间，也称后备期，育成鸭也称后备鸭。这一阶段种鸭迅速生长发育并达到性成熟和体成熟，是决定成年鸭生产性能最重要的时期。这一时期最重要的工作是限制饲喂、控制体重和控制光照，饲养管理方法要科学化，这与肉用商品鸭有很大的不同。如果饲养管理不当可导致成年种鸭生产性能低下，经济价值低，甚至失去种用价值。

肉用种鸭的价值在于其生产性能的高低，种鸭的生产性能主要包括母鸭产蛋量和产蛋质量、种蛋受精率、种蛋孵化率及雏鸭强健情况等。生产性能的高低取决于遗传育种和饲养管理两个基本因素，这里只谈谈后一个因素。正确的饲养管理能使种鸭充分发挥其遗传潜力，获得最佳的生产性能，其重要性不可忽视。种鸭的育雏应比肉用商品鸭育雏更加精心仔细些，种鸭的育雏最好在春季，而且其育雏舍应独立隔离，不可与肉用商品鸭混养。育成期种鸭的体重控制是最重要的，当然科学的管理计划也非常重要，使种鸭经常感到非常舒适，不受外界和恶劣条件的影响，尽量减少应激，以发挥最佳的生产性能。

一、后备种鸭舍的准备

后备种鸭进舍前,应对鸭舍进行仔细检修,保持舍内不漏雨,无贼风,干燥,光亮适度,便于通风换气等。运动场和圈养场地须平整,无积水现象,遮阳设施完好,树、竹等要设置铁丝网保护,使其与鸭隔离,以免被鸭损伤。对所有饲喂工具和设备进行彻底检修,同时做好消毒、灭鼠等工作。

在后备种鸭入舍前2天,应在舍内地面和网上铺好垫料和垫层,垫料和垫层切忌霉烂结块,要求颗粒适中,干燥,清洁,柔软,吸水性好,粉尘少,无尖硬杂物。然后安放好饲料桶和饮水设施,调整其至恰当的位置和高度。

迁入后备种鸭舍时,应有专门的清洁消毒过的箱或笼盛装后备种鸭,这些箱和笼的底部应柔软,铺有软垫料。捉鸭时应小心,轻拿轻放,最好双手捧鸭身,或者抓其颈部,不宜抓脚,要轻放于笼底,不能甩丢。盛装密度要适中,密度太大或太小都不好,途中要注意通风换气,防霉防震,行车速度要均匀。笼中的鸭捉出时也要轻拿轻放,不要让鸭碰伤,不要把鸭甩丢在地上。搬迁前后最好给鸭各补充一次维生素C和葡萄糖水,以减轻应激反应。同时将不合乎种用要求的鸭,如盲眼、扭头、拐脚等畸形鸭及瘦病鸭等淘汰掉。

也可以在育成舍育雏,先将所需的育雏区域用保温性能好的塑材围住,以后随雏鸭的生长逐渐扩大育雏区域。这样,可避免搬迁的应激反应。

二、后备种鸭的饲养方式

后备种鸭的饲养方式主要有以下4种:

第一,在地面上铺干燥清洁垫料的地面平养;

第二,在离地50 cm处用铁丝网、塑料网、木条板或竹条板铺设地面的网面平养；

第三，前两种方式结合的半地半网平面饲养；

第四，层叠式或笼式饲养。

另外，后备种鸭的饲养应当舍内舍外结合，即须设有户外运动场或圈养场地，起码在后备期的后半段应让后备种鸭有适当的活动和运动场地。所有的地面应平整，保持清洁干燥，舍内地面应是水泥地面、石材地面等硬表面，且不积水；户外场地最好为沙地，排水性能好，并设有遮阳设施如树、竹、人工棚等。可以设水面供鸭游水，但不能有污染和脏臭现象。要记住种鸭并不一定要游水才健康，不是只能在水中交配繁殖。所有地面的坡度应小于 25°，在陆地与水接头处地面应逐渐倾斜入水，不可有陡坡和突然高出水面的现象。

值得注意的是，种鸭育成舍应同肉用商品鸭舍、成年种鸭舍隔离开，并且其结构和设施要相对良好。

三、后备种鸭的管理

（一）后备种鸭的饲喂技术

1. 常规管理饲喂法　必须供应清洁、新鲜的饲料和饮水。育成鸭饲料可用于鸭料，也可另行配制，但最好颗粒比小鸭料粗，到后期饲料颗粒同大鸭料一样粗；也有喂粉料的，但鸭对粉料的采食量小，吞咽困难，撒出浪费多。任何转料过程都需有 3 天的过渡时间，不然对鸭的采食、消化功能影响大，应激大。

2. 育成期的饲喂　种鸭质量的好坏，直接关系到合格种蛋的多少、肉用仔鸭的生长速度和填鸭的品质。因此，养好种鸭是一项关键性的基础工作。

一般从 50 日龄至开产（180 日龄）称“育成期”。种鸭在育成期间,各器官系统进入旺盛的发育阶段,向健全和成熟阶段发展。因此,这阶段的肌肉系统、骨骼系统、生殖系统能否打好基础,关系到将来产蛋性能高低的问题。

育成期间鸭的相对增重降低,但绝对增重增加。因此,表现为食欲旺盛,消化能力提高,爱活动。饲养种鸭的目的不是指望它们增加体重,而是为了获得正常体重的前提下,将来有良好的产蛋性能,产蛋量高,蛋重个大,饲料转化率高,所产后代雏鸭的育肥效果好,此期的饲养特点主要是对鸭子进行限制饲养。

限制饲养的目的,不是让鸭吃料不够,而是防止青年鸭吃料过多而增加脂肪积蓄,从而保证鸭的正常生长发育和满足种鸭对营养物质的合理需要。

限制饲养在育成期的主要作用是使鸭生长略受抑制,防止过早性成熟(过早开产);控制体重增长,维持标准开产体重,减少采食量,从而节省饲料,降低体内脂肪积累,以免体重过大鸭体过肥。

限制饲养的具体方法:

(1)限时。限时饲喂,或减少饲喂次数,或缩短饲喂时间。隔1天喂2天的方法,更符合育成鸭的饲养需要,效果最佳。

(2)限质。控制营养水平,降低日粮中粗蛋白和能量的含量,增加纤维素。但钙、磷、微量元素和维生素仍保证满足需要,以促使鸭体骨骼和肌肉的正常生长发育。

(3)限量。在日粮营养水平较高的情况下,适当减少其采食量,限喂前应根据出雏日期、体重标准、饲料及饲养方式等条件制定限喂计划。

无论采取何种限饲方法,必须注意以下6点:

第一,育成种鸭的日粮应为营养全面的颗粒饲料,特别是维生素类和限制性氨基酸不可缺少,必须由经验丰富的营养专业人员来配制,通常不能只供应单一的粗劣原料。因为鸭喜食颗粒料,所以一般不采用自动喂料机,自动喂料机的传送系统易使饲料颗粒散开,也不方便限饲,站在料槽旁边前后位置不同的鸭,采食量会不相同。不管何种喂料设施,均应做到既不浪费饲料,又利于限饲均匀。如采用饲料桶喂饲时,可在其底下套一个稍大的盆,以承接漏出的饲料,然后将这些漏出的干净饲料再倒回给鸭采食。

第二,隔天饲喂的饲料应在 4～6 h 吃完,隔 1 天喂 2 天的饲料应在 3～5 h 吃完。若饲料投喂量没变而采食时间发生变化,则需检查原因,投喂量是否过多或过少。

第三,一定要保持适当的饲槽间隔,使每只鸭获得其定量饲料的机会均等。育成期种鸭的采食间距每只应不少于 15 cm,饮水间距每只不少于 2 cm。除了采食和饮水间距应当足够外,饲料和饮水的分布应当均匀,饲料放置的高度应与鸭背持平,而饮水位置也应差不多或高或稍高,并尽可能使鸭舍保持干燥。也可将饲料铺撒到干燥清洁的地面或编织布上。

第四,称量饲料要准确,使配给的饲料量正确无误;要定期抽样称量鸭体重,通常每 1 000 只鸭中抽称 50 只,须随机抽样、称量准确,而且必须在非饲喂日或在饲喂之前称量,即统一用空腹体重衡量。这样可比较客观地评定其体重是否符合品种标准,并适时做出饲喂量的调整。

第五,调整饲喂量,应在准确称量鸭体重,表明鸭群不符合品种体重标准以后再进行。饲喂量增加或减少的幅度应按每 100 只鸭 0.5 kg 的比例来掌握,不要超过这个比例。

第六,在母鸭开产前一段时间,须逐渐增加饲喂量,一般是每周增加 2 或 3 次,每次按每 100 只鸭增加 1 kg;到刚开始产蛋时，须改为每日饲喂，并更大程度地增加饲喂量；至母鸭产蛋量达5%左右时，应采取自由采食制，这样既能供给其足够的营养，用于蛋的形成，刺激开始产蛋，又能很好地控制其体重，并且尽量减少应激。

目前常用的投喂方法有隔天饲喂和隔1天喂2天法两种。也有喂粉料或粗料而不限时间的，但这种方法不足取。隔天饲喂法是指将鸭2天该采食的总饲料量在1天之内投喂完毕，另外1天则停喂。隔1天喂2天法是指将鸭3天该采食的总饲料量平均分2天投喂完，而第3天停料。据统计，隔1天喂2天的方法更符合育成鸭的饲养需要，效果最佳。

育成种鸭的饮水量比肉用鸭少，因为采食量少。供水情况与肉用商品中鸭相同。若运动场放置有饮水，则一定要保持饮水清洁，并且及时排除溢出的水。如果设置有水池，水池的水应清洁，无病菌污染。

（二）后备种鸭的体重标准

通过限制饲喂的手段来实现控制体重的目的，但决不是体重控制的越小越好，要求达到标准体重。而限制饲喂的体重标准因品种的不同而不同，因此限饲的结果必须通过抽样，进行体重测定来和标准相对照。

称重必须在同一时间进行，而且必须是空腹，因为品种标准表列出的是空腹体重。体重测定应该从第4周龄开始，并且每周定期进行，直到开产。具体抽样称重方法是：先随机抽取所有雌鸭的5%和所有公鸭的5%，分别称量其公母鸭的总重，算出平均数；再将这部分鸭的个体重逐只称出，如果平均数特别高或特别低，则需称重和增加抽样数量的10%，并且再测量其个体重。将公母鸭体重平均数分别与其品种标准比较，如果相同或很接近，则饲喂量正常；若两者不同,就要相应改变饲喂量,如体重比标准轻,则需适当增加饲喂量,如体重比标准重,则需适当减少饲喂量。如果样本鸭的体重个体差异大,则要改善饲喂方法,例如,增加饲喂设备、改变饲喂时间、避免贼风等,同时将弱残鸭淘汰掉。

个体称重时所使用的秤可以有多种,但以漏斗形弹簧秤为佳。

抽样必须完全随机,使样本具有代表性,绝对不能有意选择鸭来称重。几种肉用鸭的体重标准,见表 7-1 至表 7-3。

表 7-1　北京肉用种鸭的体重标准　　kg

周龄	母	公	周龄	母	公
4	1.60	1.65	14	2.50	2.60
5	1.80	1.85	16	2.55	2.65
6	1.90	2.00	18	2.60	2.75
7	2.00	2.10	20	2.68	2.80
8	2.10	2.20	22	2.75	2.85
9	2.20	2.30	24	2.80	2.95
10	2.30	2.40	26	2.85	3.00
12	2.40	2.50	28	2.90	3.10

表 7-2　狄高肉用种鸭的体重标准　　kg

周龄	母	公	周龄	母	公	周龄	母	公
4	1.70	1.75	13	2.45	2.60	22	2.75	2.90
5	1.80	1.85	14	2.50	2.65	23	2.75	2.90
6	1.90	2.00	15	2.50	2.70	24	2.80	2.90
7	2.00	2.10	16	2.55	2.75	25	2.80	2.95
8	2.10	2.20	17	2.60	2.80	26	2.85	2.95
9	2.20	2.30	18	2.65	2.80	27	2.85	2.95
10	2.30	2.40	19	2.70	2.85	28	2.90	3.00
11	2.35	2.45	20	2.70	2.85			
12	2.40	2.55	21	2.70	2.85			

表 7-3　樱桃谷肉用种鸭的体重标准　　kg

周龄	母	公	周龄	母	公	周龄	母	公
4	0.97	1.11	12	2.44	2.77	20	2.89	3.24
5	1.34	1.53	13	2.52	2.86	21	2.92	3.27
6	1.76	2.01	14	2.60	2.94	22	2.96	3.31
7	1.95	2.22	15	2.68	3.03	23	3.00	3.35
8	2.13	2.44	16	2.76	3.11	24	3.04	3.39
9	2.21	2.52	17	2.79	3.14	25	3.07	3.42
10	2.29	2.61	18	2.81	3.16			
11	2.37	2.69	19	2.85	3.20			

(三)后备种鸭光照控制

限制饲养,控制体重应同光照控制结合起来,才是控制种用育成鸭的性成熟和开产期的最有效的方法。三者应相辅相成,相互配合,统一安排,认真执行。

光照刺激鸭的新陈代谢,影响性成熟和开产期,并影响早期种蛋的受精率和孵化率,育成期是鸭的一生中易出问题的阶段,光照太多或太少都会引起经济损失。如果在育成期光照时间过长,会导致早熟和早开产、蛋小、受精率低等;如果光照时间过短,可导致延迟成熟,产蛋较迟。即使在雏鸭 1 周龄时,光照也能影响未来的生产性能。

开放式鸭舍应根据出雏日期、当地太阳出没时间规律来制定光照制度。从开产前 8 周左右起,可在日出前或日落后提供适当的人工光照,每周增加 0.5 h 或 1 h。应该在产蛋高峰期光照时间达到最长;从开始增加光照时间开始,每日光照时间可保持恒定,也可以逐渐增加,但绝对不能减少,因为在产蛋期间,正常的光照制度被中断或光照时间被减少,将引起产蛋量降低而难以恢复。每日11～12 h 以上的光照即会刺激产蛋,但产蛋高峰时每日至少需 14 h 的光照,最好每日光照总量为 18 h。人工光照最好设计在早上日出前,因为这样将促进所有母鸭在早上日出前产蛋。

全封闭式鸭舍的光照比开放式鸭舍好控制,可以全部采用人工光照来控制,但其建筑成本和光照费用将增加很多。全封闭式鸭舍与开放式鸭舍两者的光照长度及光照变化规律类似,都采用渐减渐增法或恒定光照法两种光照制度。

1. 渐减渐增法　即在育成阶段要逐渐减少光照时间,产蛋前和产蛋期间逐渐增加光照时间。具体方法是:出雏后最初 2 天给予全天 23 h 光照,以后逐渐递减光照时间,到 10 日龄为 15 h 左右,以后每周递减 0.5 h,到开产前第 8 周左右每日光照只有 8～9 h,然后逐渐递增光照时间,每周增加 0.5～1 h,直到产蛋高峰时每日光照时间达到 16～18 h,维持至产蛋结束。

2. 恒定光照法　即在育成期采用固定的光照时间,产蛋前和产蛋后逐渐递增光照时间。具体方法是:由雏后最初 2 天给予全天 23 h 光照,从第 3 日龄开产前至第 8 周左右每日固定 8～9 h 光照;然后每周增加光照 0.5～1 h,到产蛋高峰时光照达到 16～18 h,维持至产蛋结束。例如,樱桃谷种鸭和狄高种鸭的光照制度见表 7-4。

表 7-4　光照时间递增表　h

出雏	周龄																
月份	18	19	20	21	22	23	24	25	26	27	28	29	30	31	32	34	36
3	1/2	—	1/2	—	1/2	—	1/2	—	—	1/2	—	—	1/2	—	—	1/2	—
4	—	1	—	1/2	—	1/2	—	1/2	—	—	1/2	—	1/2	—	—	1/2	—
5	1	—	1/2	—	1/2	—	1/2	—	1/2	—	1/2	—	1/2	—	—	1/2	—

注:18 周龄之前一般为自然日照长度,“—”表示不增加;本表是以北半球的日照为基础制定的;本表只列举了 3—5 月份孵出的雏鸭采用的光照,对其他月份孵出的种雏鸭应采用的光照则可按本表作相应的改变。

(四)后备种鸭的日常管理

1. 调节密度　一般来说，育成期地面平养每平方米不超过5只，网养不超过10只，半地半网养不超过7只，具体饲养密度需视房舍设计、天气情况、饲料和饮水设备以及通风情况等来决定。在运动场和户外饲养的种用育成鸭，应保证每平方米不超过1只，而且场地地面应排水良好，有遮阳设施，最好为水泥地面或沙地。

2. 注意通风　必须保持通风良好，以排除污浊空气，使鸭得到新鲜的空气和足够的氧气，感觉舒适，以维持健康和正常新陈代谢，促使其生长良好均衡。要避免贼风入侵和温度突然大幅度变化。

3. 控制垫料　育成种鸭最好采用离地网养或半地半网平养，地面平养时需用水泥地面，且每日保持垫料干燥清洁，大部分地面应干燥，供鸭休息睡眠。良好的通风、排水及饮水器的放置位置等都可帮助保持垫料和地面干燥。运动场最好为沙地，而且有一定的坡度，使多余的水能排除出去，保持场地干燥。垫料厚薄均匀，最好用抛撒的方式撒铺垫料。种鸭不一定需要游泳，但水面对种鸭的防暑散热和提高蛋的受精率有一定的帮助，而且可节省陆地，综合利用水面，因此可充分利用水面饲养种用育成鸭。

4. 适量喂沙　禽类的共同特点之一是无牙齿，靠肌胃内的沙磨沙食物。因此，从第6周龄开始，应该提供给鸭不溶的、颗粒大小适当的沙砾。沙砾应稍粗但直径不应大于0.5 cm，用量为每6周每100只鸭加500 g，盛于盆中，放在地面上供鸭采食，沙砾不宜与饲料混合饲喂。有运动场的鸭舍养鸭时不需要喂沙砾，因为鸭能采食到运动场里的沙砾来满足自身的需要。可溶性的颗粒如贝壳粉、石粉等，只有在产蛋期间，当饲料中的钙、磷不能充分满足生产需要时，才适当饲喂。若供给育成鸭，可能因采食太多而引起营养不均衡和相互拮抗，甚至导致钙中毒。

（五）肉鸭育成后期的管理

1.公鸭的饲养及选择　在整个育成期，公母鸭都混合饲养，限制饲喂初期，公鸭一般较瘦，但到育成后期 18 周龄左右后，随着饲喂量的逐渐增加，公鸭的体重将逐渐增加，到母鸭开始产蛋时，公鸭的体重会达到品种标准。如果在限饲初期让公鸭超重，那么它们将在母鸭开始产蛋时超重，从而使蛋的受精率降低。在公母鸭混养时，会因公鸭强壮而抢食较多或行动不如母鸭那么轻便而采食较少，因而引起体重过重或过轻，这时必须采取措施加以纠正，将体重较轻的公鸭挑出来另养，额外补加连续 2 次的隔天饲喂成隔 1 天喂 2 天的饲料，然后再与鸭群混养；而对体重过重的肥胖公鸭则挑出来减 2 次料量。此种方法只能在 10～20 周龄期间使用，而在其他阶段使用时容易出问题。

在限制饲喂开始时，即第 4 周龄，应将一些公鸭挑出来另养，不留做种用。挑选后的公母比例应为每 100 只母鸭配 22 只公鸭，此为第 1 次公鸭选择。留做种用的公鸭必须是体重、形态、健康状况均符合品种标准的，而将体重过轻或过重、形态不正常、健康状况不良、有变异的公鸭淘汰出种群。

第 2 次公鸭选择应在母鸭开始产蛋前 2～4 周进行，再次将种鸭群中公鸭的数量减少，使种鸭群中每 100 只母鸭配 16～18 只公鸭。选择标准和方法同第 1 次。

2.就巢训练　肉用种鸭经过长期的选育和驯化，已失去就巢的本能，所以在母鸭开始产蛋前，需要很好地练会就巢活动并养成习惯，使母鸭习惯于在巢箱中产蛋，从而减少破蛋、脏蛋率和简化集蛋工作。

巢箱主要用来让母鸭在其中产蛋，所以也称产蛋箱，通常6～8个巢箱连成一个整体。巢箱不要太重，在搞清洁卫生时一个人要能够搬动；而且要与外面有一定程度的隔离，使母鸭在产蛋时不受外界干扰；箱底应柔软，保持清洁干燥，使蛋保持完好，不弄脏种蛋。箱下的垫料需常更换，将旧垫料移出铺在鸭台其他地方，再将新鲜垫料铺入箱下。每4只母鸭应有1个产蛋巢窝、巢窝必须放置在鸭舍或栏的边上靠墙，不能靠近饮水器(距离1 m以上)和湿的区域，也不能放置在鸭通往运动场的路上和门口。

另外，要详细记录好育成鸭的只数、雌雄比例、饲喂量、体重、死亡淘汰数及天气变化等，做好防暑降温、免疫接种、防止啄羽、卫生与环境管理等工作。

第六节　种鸭的饲养管理

种鸭经训练后，能适应一定的饲养规程，而且一经形成习惯就不轻易改变，产蛋种鸭更是如此。所以，要严格执行正常的饲养管理规程，如定期饲喂、定期集蛋、合理光照、准时赶鸭运动和就巢等，让种鸭发挥最大的生产潜力。

一、一般饲养管理

(一)从育成舍到种舍的适应

种鸭在开始产蛋前至少2周，应从后备舍迁移至产蛋种鸭舍，使种鸭有一个适应新环境及其管理规程的过程，并且由限制饲喂逐渐到增加饲喂，并慢慢转为自由采食。所有的饲料和饮水必须新鲜、清洁，杜绝霉变和脏污现象。

(二)划分生活区

要训练种鸭习惯于将饲喂和饮水活动区域与就巢和产

蛋活动区域分开，饲料和饮水位置应离巢箱 10 m 以上，或者将鸭棚分为“日区”和“夜区”。所设计的“日区”，设置饲料桶和饮水器，饮水器的下面要设计有排水沟，上面要有铁丝网围住，以防止溢出更多的水，并能将溢出的水排除掉，有一个小的干燥垫料区；“夜区”全部铺有垫料，沿墙壁边缘放置有产蛋巢箱，始终保持干爽清洁。“日区”和“夜区”最好隔离开，只设小门让鸭通过。“日区”可以是在户外运动场、围栏内，也可以是在棚舍内，但面积需符合密度要求；“夜区”应在棚舍内，所有地面应平整，坡度不得大于 25°。每日早上在固定时间（通常在 7 时）将鸭从“夜区”赶到“日区”，在黄昏固定时间再将鸭从“日区”赶回“夜区”，经过一段时间的训练后，种鸭会养成习惯，白天在“日区”活动，不留在巢窝；晚上则在“夜区”休息和产蛋。

（三）防止鸭啄羽和吃蛋

为了防止鸭啄羽和吃蛋，除保持地面和垫料干燥外，还需注意饲养密度，尽快集蛋，特别是运动场上的蛋，以及注意营养的均衡性。种鸭每群不能超过 250 只母鸭，每只母鸭至少需供给 0.5 m^2 的“夜区”和 1 m^2 的“日区”（即运动采食场所）。运动场最好宽为 40～50 m，长同鸭棚一样。运动场四周的围墙应不低于 2 m 高，以隔离外来动物的入侵和干扰，棚舍内或运动场内的间墙应为0.75 m 高左右，更高将花费不必要的成本。做好灭蚊、灭鼠等卫生工作。避免犬、猫等动物对鸭的捕食和惊吓，防止产蛋量急剧下降。

（四）管理好巢箱和垫料

产蛋巢箱必须数量配足，质量良好，方便母鸭出入，在产蛋时可避免外界的干扰。每 4 只母鸭应有 1 个，其内的垫料必须柔软、清洁、干燥，比其他地方的垫料好，使鸭感到巢箱内最舒适，只喜欢在巢箱里产蛋。若见巢箱里有粪便和破蛋等脏物，应立即除去。巢箱内的垫料最好是刨花，其次是谷壳，木屑和干稻草最好不用。每周至少更换2次，将旧垫料取出铺在鸭舍其他地面，再将最新鲜、柔软的垫料铺进巢箱。下雨天若鸭在户外活动多而易弄湿地面和垫料时，则需每日更换全部巢箱垫料。垫料必须防霉，不宜采用花生壳及已经霉变的垫料，地面上的垫料也必须经常保持干燥、清洁、柔软，若其变脏变湿，不仅影响种鸭的产蛋性能，而且影响巢箱卫生，从而影响蛋的清洁和孵化结果。垫料潮湿不洁还会引起腿病和寄生虫病，从而影响公母鸭交配及受精率，导致其他疾病流行。

保持巢箱和垫料情况良好还需注意做好以下4点：

(1)通风必须良好，以排除产蛋棚内的湿气。

(2)饮水器必须放置在排水良好的地方，如没有排水沟的区域或运动场，应及时排除溢出的水而不要弄湿弄脏地面及垫料。

(3)在炎热季节喷水降温时，不要喷到巢箱区域，而且不能弄湿地面及垫料。

(4)湿的、硬的、差的垫料必须加以更换，或者用新鲜、干燥、柔软的垫料覆盖。

(五)适量喂沙补钙

像后备种鸭一样，要给种鸭提供不溶性的、颗粒适中的沙砾，使鸭的消化功能加强。这些沙砾应装在单独的盆或槽中，供鸭任意采食。如果鸭舍设有沙地运动场，鸭能在运动场上采食到足够的沙砾，可不必补喂。

当饲料中的钙、磷满足不了产蛋生产需要时，必须补充钙磷制剂，如贝壳粉、磷酸氢钙粉、石粉等，颗粒应稍粗，使鸭不至采食过多，而供其慢慢消化吸收利用。在鸭产蛋高峰期或饲料粗劣时，尤应特别注意补充钙、磷。

（六）淘汰病次鸭

鸭群中无生产力的或有病的鸭，应该尽快地予以淘汰，以免浪费饲料或使疾病蔓延。母鸭每个月的淘汰和死亡总数不应超过全部鸭的1%，超过此标准时，要彻底检查饲养管理方法和免疫程度等。公鸭的淘汰，则着眼于维持合理的公母鸭比例。

（七）其他注意事项

另外，舍内应通风良好而无贼风侵袭；夏天做好防暑降温工作，减少热应激；冬季注意防寒，控制好光照，即从增加光照时间开始至产蛋结束这段时间不可减少光照时间；严格执行接种计划，搞好卫生和隔离消毒工作；保持环境安静以及做好各项记录等，以确保种鸭处于完善、舒适的条件下，发挥最佳的生产性能。

二、种母鸭的饲养管理

（一）提高日粮的营养水平

种母鸭在接近性成熟时，要停止限制饲养，按产蛋期的要求，提高日粮中的营养水平（详见附表肉用鸭的饲养标准），充分满足产蛋的营养要求。在配制饲料时，应按较高一级产蛋率的标准给予必需的营养物质，除蛋白质满足需要外，还要使各种必需氨基酸保持平衡，其中色氨酸对提高种蛋受精率和孵化率作用较大，这种氨基酸在豆饼和鱼粉中含量丰富。各种维生素也要合理添配，不可缺少，特别要适量增加维生素E，以提高种蛋受精率和孵化率。有条件时，尽量补喂青绿饲料。总之，提供充足的营养是保证种鸭产蛋的关键，多年试验研究表明，种鸭冬季产蛋营养，要求粗蛋白17%～19.5%，代谢能48.95～50.63 MJ/kg。

(二)适当增喂无机盐饲料

种鸭产蛋期内,无机盐的需要量大,特别是钙,鸭体内代谢快,储藏不多,需要从饲料中不断吸收,应尽可能补充小颗粒的钙质,放在小盆里,摆在运动场或鸭舍的一角,任其自由采食。常用的是碎石或碎蛤蜊壳。使种鸭肌胃内经常保持有钙质颗粒,以满足产蛋母鸭对钙需要量的要求。

(三)定时喂料

种鸭产蛋期内,代谢机能量盛,对营养物质的需要量大,应适当增加饲喂次数,一般每昼夜喂 4 次(白天喂 3 次,晚上 1 次),休产期的种母鸭每昼夜喂 2 次即可。

三、种公鸭的饲养管理

种鸭的饲养不仅只是母鸭还有公鸭,不但要养好种母鸭,还要养好种公鸭,才能提高受精率。

(一)适当控制体重

经过后备期的限制饲喂,公鸭的体重得到适当控制。到育成后期,鸭群饲喂量将迅速增加,到母鸭产蛋时鸭群将改为自由采食。如果这个过程开始的时间太早,则公鸭的体重将超重,这对种蛋的受精率将产生一定的负面影响。通常将限制饲喂改为自由采食是在母鸭已经产了最初几枚蛋以后,即在预定的开产期(即鸭群产蛋率达到 15%时)的前 2 周时(此时鸭群产蛋率为 5%)开始实行。这样可以防止公鸭体重超重而又不会妨碍母鸭开始产蛋。

(二)公母配比适当

在刚开始产蛋时,每 100 只配 18 只公鸭是必要的,这对保持种蛋良好的受精率很重要,但不要超过 20 只公鸭,因为公鸭的生活力强,过多的公鸭或新增进的公鸭会扰乱鸭群的秩序，需要立即剔除过剩的公鸭。如果全部公鸭是健康和精力旺盛的，每 100 只母鸭配 16 只公鸭就足够了。

（三）保持高的受精率

公鸭要求体质强壮，性器官发育健全；性欲旺盛，精子活力好，才能有高的受精率。公鸭的出生年龄要比母鸭早 1～2 个月，使它在母鸭产蛋前已经性成熟。育成阶段，公母鸭最好分群饲养。在有放牧条件的地区，尽可能采用放牧为主的饲养方法，使其能充分采饲野生饲料。并且放牧也能使其骨骼、肌肉得到充分锻炼，从而增强体质。性成熟初，尚未到配种期的公鸭尽量少下水，以减少公鸭之间互相嬉水，形成恶癖；配种前 20 天，将公鸭放入母鸭群中，此时应多下水活动、少关着饲养，创造条件，促使其性欲旺盛，增加有效的配种次数。

管理良好的种鸭群中，蛋的受精率应超过人工入孵蛋的 90%，孵化率应超过入孵蛋的 80%。在种鸭群中实行人工授精技术也是可行的，但目前种鸭场还很少实行。采用人工授精后可大大减少公鸭的饲养量，减少鸭群中的追逐应激，节省饲料成本，是有利可图的。

（四）种鸭的利用年限

种鸭的产蛋年限一般可达 4～5 年，母鸭开产后的第 1 年度内（相当于 18 月龄），产蛋量最高，2 年以上的鸭子产蛋能力逐渐下降（比第 1 年度降低 30% 以上），3 年以上的老鸭产蛋量则更少（比第 2 年度降低 35% 以上）。也就是说，母鸭越老，产蛋量越低，而且受精率与孵化率也随之下降。因此，种鸭以利用一个产蛋年最为经济，即种鸭自出雏至养到 17～18 月龄淘汰最合算。育种鸭群的使用年限，可根据育种需要适当延长，不受上述条件限制。

四、种鸭的特殊管理——人工强制换羽

(一)人工强制换羽的作用和条件

母鸭开产后,在达到理想的产蛋高峰后逐渐回落,直到产蛋结束,历时8~9个月,为第1个产蛋年。到夏季天气炎热时,鸭群由于受热应激的影响,食欲减退,新陈代谢减慢,加上其他因素,产蛋量明显下降,很多母鸭出现换羽停产。

自然换羽需4个月左右的时间,换羽期间产蛋率很低,甚至不产蛋,蛋小,品质不良,受精率低,换羽不一致,换羽后再次产蛋参差不齐,第2个产蛋年的产蛋率要比第1年低。为了使鸭群在秋季能尽早恢复产蛋,缩短休产期,常采用人工强制换羽的方法。

人工强制换羽只需要2个月左右的时间,换羽一致,换羽后产蛋整齐,蛋的品质好,受精率高,蛋重会明显增加,能再次达到较高的产蛋高峰。而经人工强制换羽后,第2个产蛋年的产蛋率要比第1年高。

人工强制换羽主要是通过对水、饲料与光照时间的控制,使鸭的生活条件和习惯突然改变,营养供应不济而实现的。当鸭群产蛋率下降至30%以下、蛋形变小甚至有畸形蛋、受精率降低时,即可进行人工强制换羽。

实行人工强制换羽的鸭群必须是健康的,第1年的产蛋成绩良好。如果鸭群的健康状况差或第1年的产蛋成绩差,则不要进行人工强制换羽,让其自己换羽,以免引起鸭大量死亡和耗费不必要的人力。

(二)人工强制换羽的方法

第一步,关养限饲。是限食停产,制造应激环境。开始的第10天将鸭子紧逼驱赶到控制鸭舍(不回原圈),驱赶时

有意惊扰,结合环境改变,使鸭群受到强烈的刺激,夜间控制照明,只给予特暗的光线。舍内不铲粪不垫草。同时限制饲料,第1~2天精料减半,一次投给,夜间不喂,到了第3~4天不喂料,只喂水;原来放牧的停止放牧以"关拦扎蛋"。

第二步,人工拔羽。经过以上十多天的种种措施的刺激,使鸭子体重减轻。体内脂肪消耗殆尽。翼肌收缩,此时可试拔主翼羽。拔时注意观察和感觉,若羽根干枯,羽轴与毛囊易脱离,就是所谓已经"脱壳",即可开始人工拔羽,先拔主翼羽、后拔主尾羽,一次全部完成。如果试拔很费劲。拔出的羽根甚至带嫩尖或带血液,说明拔的时间太早,应延迟几天再拔。

第三步,恢复饲养。拔毛完毕后,要逐步改变饲养环境,提高饲料质量,增加饲喂量,使之尽快恢复体质,待小毛都脱完后,要及时供给营养水平较高的饲料,以满足种鸭所需。促使早开产。在拔毛后的1周。饲料中的粗蛋白含量应提高到15%以上,并在这个基础上逐步增加,直至达到种鸭产蛋高峰期的标准。此外,还要适量加喂多种维生素和微量元素以及钙、磷、硫等元素。进入恢复期以后,鸭群要放牧游泳,勤洗浴,增加运动,促进新羽生长,不使之过于肥胖,以免影响产蛋。在恢复期内,舍内要多垫柔软的垫草,并保持干燥,同时要有足够的水盆和食槽。加强饲养管理,一切按产蛋种鸭正常饲养管理方法进行,一般在拔毛后25天左右长出新羽,产蛋逐渐回升。

(三)人工强制换羽期间应注意的问题

(1)人工强制换羽前,先要对鸭群进行个体检查,及早淘汰病、弱、瘦小的鸭子,以免在人工强制换羽的过程中造成过多的死亡和不必要的经济损失。

(2)人工强制换羽期间，除最初8～10天部分或全部限制鸭群饮水和给料外，以后就应恢复正常的饲料和饮水供给，尤其是富含蛋氨酸、胱氨酸等含硫氨基酸的动物性蛋白质饲料，加鱼粉、羽毛粉等的供给。

(3)人工强制换羽期间至恢复产蛋前，公母鸭要分群饲养，以免公鸭骚扰母鸭，影响母鸭的正常换羽和饮食，同时也可保持公鸭精力，以利于母鸭恢复产蛋后的自然配种。

(4)人工强制换羽期间由于鸭体质下降，抵抗力降低，容易发生疾病，因此应该特别注意做好饲养管理和防病工作。

第七节　几种重要肉鸭的饲养管理

一、番鸭的饲养管理

番鸭又称"瘤头鸭"、"麝香鸭"、"洋鸭"。为著名的肉用型鸭。原产于中美、南美洲热带地区的森林禽种，迄今墨西哥、巴西和巴拉圭等国仍有野番鸭存在。经驯化的番鸭体质健壮，体躯长宽，与地面呈水平状态；头颈中等大小，眼周围和喙的基部有皮瘤，头颈部有一排纵向长毛，受惊时会逆立呈刷状。胸腿肌肉特别发达，翅较长(30～50 cm)，有一定的飞翔能力。尾较长而窄，胫短而结实，步态缓慢而平衡。羽毛有黑、白、褐等色。黑羽鸭的羽毛泛绿色光泽，皮瘤黑红色，较单薄，喙红色带黑斑，虹彩浅黄色，胫、趾、蹼多黑色。白羽鸭的喙呈粉红色，皮瘤红色，肥厚，虹彩浅灰色，胫、趾、蹼橙黄色，叫声低哑。繁殖季节公鸭散发出麝香气味。

我国饲养的番鸭，顾名思义是由海外而来。在我国劳动人民长期饲养下，已驯化成为适应我国南方生活环境的良种肉用鸭。番鸭虽有飞翔能力，但性情温驯，行动笨重，不喜在水中长时间游泳，极适于陆地舍饲，故福建、江西、台湾、广东、广西、浙江、湖南等地均大量繁殖饲养。

番鸭的饲养价值在于：耐旱、耐粗饲、易肥育、瘦肉多，体型肥大，生长迅速，肉细、味美，雏鸭成活率高等。民间素来视之为补壮身体的珍品，多饲养以供自家食用。据国外报道，成年公鸭体重 4.5～5 kg，母鸭 2.5～3 kg；饲养至 8 周龄，公鸭体重可达 3 kg，母鸭可达 2 kg。国内亦有公鸭体重 5 kg，母鸭体重 2.5 kg，以及 120 日龄一般体重可达 4～6 kg 的。

公番鸭与母家鸭杂交所生的第一代，无繁殖力，专供肉用，叫做“半番鸭”或菜鸭。这种杂交鸭体格健壮，适于放牧，增重快。因此，番鸭不仅本身可供肉用，而且为生产半番鸭提供种公鸭。

（一）番鸭的常规管理

1. 保暖和防潮　雏鸭一出壳，全身潮湿，特别怕冷，要放在干燥的鸭笼里保暖。雏鸭爱挤在一堆相互取暖，应时常用手拨开，以防压死或闷死。垫草要勤换，以防潮湿引起脚病。

2. 试水　刚出壳的雏鸭于喂食前 2～3 h，应先“试水”，即用盆盛水约 2 cm 深，把雏鸭放至水中，只使鸭脚浸到水，任其在水中吞吐和洗涤。这样有助于清除肠粪，预防干热和刺激食欲。但试水时间不宜过长，以免弄湿羽毛受凉。

3. 饲喂　试水 2～3 h 后，即可开食。古田、福州等地多用半生熟的米饭，闽南一带多用碎米或稀饭给雏鸭开食。每日喂 5 或 6 次。3～5 日龄起喂切碎的蚯蚓、泥鳅、小鱼虾和蛆虫等动物性饲料，喂到30日龄，其食量大大增加。因为番鸭最喜吃动物性食物，食量很大。动物性饲料不宜在晚餐喂给，以防食量过饱涨死或影响翌日食欲。7～10日龄开始喂青饲料，1月龄以后，每日喂3次，多用青菜、糠麸拌稀饭、米汤或熟地瓜喂给，还有搀喂一些稻谷的。

4. 限饲　8周龄时公鸭体重可达3 kg，母鸭2 kg，每千克体重耗料不超过2.8 kg，但此时屠宰率低，屠体品质不佳。胸肌的增长，主要在8～12周龄。目前认为，较适宜的屠宰期是：母鸭10周龄，公鸭11周龄。此时，公母鸭的主翼羽都已长成。如延长饲养2～3周，由于增重缓慢，耗料量增加，饲料报酬降低，而影响经济效益。

由于番鸭具有特殊的补偿生长的能力，国外采取控制饲养(或称节制给食)的方法，公鸭从7～8周龄开始，母鸭从6～7周龄开始，一种是按自由采食量的95%喂给，即减少5%的饲料，不影响生长，料肉比可提高5%～10%，这种叫轻度控制方法；另一种是按自由采食量的80%喂给，生长速度有所减慢，料肉比不增加，胸腿肉无明显改变，但屠体肥肉明显减少。故目前认为，在雏番鸭的生长后期，降低光照强度，按自由采食量的90%～95%喂料，即采取轻度控制饲养的方法，可改善屠体品质，提高饲料报酬。

5. 管理

(1)公母分群饲养。番鸭异性间差别较大，3周龄以后，公母之间的体重距离拉大(达50%左右)，公鸭性情粗暴，抢食强横，如公母混群饲养，若按公鸭的要求，则造成浪费；若按母鸭的要求，则影响公鸭的生长或使部分母鸭受到压制。正确的方法是从初生雏进行性别鉴定，公母分群饲养。

(2)切喙防止啄羽。番鸭啄羽一般发生在4～5周龄

(尾蜕和背部羽毛发生时)和6~7周龄(翼羽发生时),预防的办法主要是喂给丰富的含硫氨基酸饲料;控制正确的饲养密度;限制照明强度,缩短光照时间;此外,可在2~3周龄时进行一次切喙,以防啄羽。

切喙最好用鸭子专用的切喙器,或用剪刀代替,切喙前先将剪子烧灼,在鸭嘴豆的中部切去。为防止出血,切喙前喂少量维生素K。

番鸭的爪子很锋利,为便于饲养时操作,防止鸭子互相追逐时踩压抓伤,改善屠体外观,也可以同时进行断爪。

(二)雏番鸭的成活率及其控制

1. 影响雏番鸭成活率的因素

(1)种鸭质量不高。导致原因是选种不严格,饲养管理欠科学,栏舍卫生消毒意识差,禽群免疫预防措施不全面甚至空白,使得其后代雏先天性营养不足、发育不良或从母体传染上病原。

(2)种蛋品质不良。导致原因除种鸭素质差外,还包括产下的蛋收集不及时,未执行必要的清洁、消毒和适当的储存措施,运输颠簸,储存时间过长等。

(3)孵化技术滞后。目前相当一大部分番鸭种苗场采用桶孵或炕孵等孵化方式。这些土办法如技术掌握不好特别易使胚蛋受热不均,发育不良,出雏时间不统一,尤易孵出较多弱雏,另外土法孵化过程很难执行规范的卫生、消毒制度,孵房空气污浊、潮湿,易滋生细菌、霉菌,使雏禽出生就受感染。某些孵房,在种苗销售旺季,为了增加出雏数量,擅自提高孵化后期温度,促使雏鸭早出壳,而在种苗销售淡季,又不及时将破壳出雏鸭取出饮水,由其与未出雏胚蛋混杂,长时间饥饿脱水,造成衰竭,这些种苗的成活率是不可能达到理想的水平的。

(4)育雏期饲养管理欠科学。番鸭的生活习性是喜温暖、好干爽，对卫生的要求比其他饲养鸭的条件要求高，而下述一些情况是不利于雏番鸭正常发育成长的：垫料不足，潮湿，温度过低易使雏鸭埋堆，冷死压死；温度过高易使雏鸭脱水，腹内残留蛋黄吸收不良，且高温高湿利于垫料中球虫卵的发育；温度在育雏室分布不均；雏群受应激因素作用，如免疫接种时，没有适当地提高室内温度；为了保温而过度封闭育雏室，造成空气污浊，氧气不足；

入雏后没有及时饮水、喂料；营养不足；没有及时正确地调教下水，或冬天下水过早等。

(5)疾病因素。疾病是影响雏番鸭成活率的又一重要因素，对雏番鸭危害较大的常见疾病有：雏番鸭细小病毒病、小鹅瘟、雏鸭病毒性肝炎、鸭疫里默氏杆菌病(旧名为鸭疫巴氏杆菌病)、大肠杆菌病、沙门氏杆菌病、禽霍乱、球虫病、“新羽症”等。

2. 控制措施

(1)加强种鸭的饲养管理，保证获得高品质的种蛋。选种时严格挑选，留优去劣，做好免疫接种，注意卫生消毒工作，及时收集种蛋，严格挑蛋及清洁消毒，提供优质种蛋。

(2)改进孵化条件，提高孵化技术。改良孵化方法，采用机孵，保证稳定的温度、湿度，种蛋的保存时间不能超过5天，入孵前做好种蛋与孵化器、室的消毒，控制适当的温度、湿度、翻蛋、凉蛋等。出雏后及时拣出雏鸭并挑出脐部收缩良好、绒毛干的雏鸭分筐放置。

(3)做好育雏环节工作。入雏后及早进行调教饮水，保证在24 h内开饮开食。可在饮水中加入适量的补液盐、多种维生素，还可使用抗生素饮水作沙门氏杆菌病及大肠杆菌病等的预防；为加强棚舍的保温性能可以采用保温性能好的材料构建温室,使用保温伞或煤炉保温。约20.25 m^2用一个炉,但必须把废气排出舍外,同时在棚舍的南边开高窗,保证舍内通风良好。1 周龄内温度保持28~32 ℃,以后逐渐降低,要注意保持舍内温度的均一。采用竹、木板等材料搭成棚架,使鸭群与地面上的粪便分开;5~6 日龄时(冬季应延长几天),选择晴朗天气对雏鸭进行下水调教。其方法是:把鸭赶进浅水池(水深不淹过雏鸭背部),绒毛稍湿即赶起。如此反复 3 或 4 次,让雏鸭逐渐熟悉水性;在全价饲料的基础上添加适量的维生素、鱼肝油等,特别是在免疫接种前后及发生疫病时添加 3~5 天。加强场地的卫生消毒工作。

(4)做好免疫防制工作。针对常发病,结合实际情况,进行科学合理的免疫接种,以下方法可供参考:

3 日龄内皮下注射细小病毒与小鹅瘟高免血清每只 0.6~1 mL,如发病初期注射每只 1.2 mL;平时适当投喂抗生素或磺胺类药作细菌病的预防,特别是在有不良因素存在时,应提前应用药物预防,同时根据各个场的实际情况应用疫苗作主动免疫接种,例如,于 5 日龄与 15 日龄时各接种一次鸭疫里默氏杆菌灭活菌苗;大肠杆菌病常发场可分离本场菌株制成菌苗进行免疫接种,能使本病较有效地得到控制;对鸭霍乱的防疫可于 20 日龄注射禽霍乱亚单位菌苗等。

综上所述,影响雏番鸭成活率的因素繁多,涉及到种鸭、孵化、育雏以及疾病等各个环节,任何环节存在不良影响时都不可能有高的成活率。生产上只有针对各种不良因素,进行改进、克服,做好每一环节的工作才能把不良因素的影响程度降至最低,最终取得较高的成活率而获得高效益。

(三)番鸭的填饲

3月龄以后,不做种用的番鸭体重达到1.5 kg左右即可开始填肥。正如群众“三月大,四月肥”的说法。填肥必须适时,太早会影响生长发育,甚至引起死亡;太迟增重缓慢,使饲料转化率降低。填肥的饲料,一般是米糠和熟地瓜各一半,用米汤或稀粥调成糊状,搓成团用手填喂,亦可装入填筒,推送到鸭的食道。填喂的饲料量应由少到多。可在第2天清早用手触摸食道扩大部,以没有积食为适度。当番鸭体重达到4 kg左右,皮下、腹内脂肪形成时即可宰食或出售。

(四)种番鸭的饲养管理

1.种鸭的选择　公番鸭应选择肌肉发达,体质健壮,羽毛华丽的。配麻鸭用的公番鸭以体重3～4 kg大小为适中,体躯和脚也不宜太长,以利于人工辅助配种。阴茎色白、皱纹细密的公鸭,配种能力较强。

母鸭应挑选羽毛细密而光亮,体躯紧凑而呈椭圆形的。颈、喙较短的善于觅食,抓在手上有反抗力的母鸭宜留作种用。

2.公母配比　自然交配按公母1∶7的比例放入公鸭,如进行人工授精,可按公母1∶10的比例留足公鸭。公鸭的年龄应比母鸭大1个月。

公番鸭的睾丸无论是绝对重或是按占体重的比例,都比普通鸭小50%以上,睾丸功能低下。据实际观察,公鸭每日平均交配5～8次,比普通鸭少一半。交配时间大都集中在下午15～17时,故每日下午定期放水,可提高受精率。

公母鸭前期分群饲养,至22周龄时将公鸭放入母鸭群中,互相适应熟识后,有助于提高受精率。

3.种鸭的利用期　公鸭只利用1年;母鸭可利用2～3

年。第 4 年必须淘汰，因母番鸭随年龄增大，就巢性增强，产蛋力下降。

国外母番鸭只利用 2 个产蛋期，第 1 个产蛋期有 22 周(5 个月)，产蛋高峰出现在开产后的第 7～13 周。第 1 个产蛋期结束后进行人工强制换羽，约需 13 周(3 个月)。接着第 2 个产蛋期，约 22 周，然后淘汰，此时母番鸭的肉用价值尚好。

4. 种鸭舍的要求 种鸭舍要求保温性能好，地面保持干燥，可补充光照，有产蛋巢箱，运动场上有配种池。

番鸭耐热能力强于耐寒能力，所以夏季对产蛋率没有影响，而低温对产蛋影响很大，室温低于 15 ℃时，受精力就要降低。因此，在建造种鸭舍时，要重视保温性能。

鸭舍的地面可采用一半垫草，另一半用条子或网。垫草有利于种鸭产蛋和生活，但不容易保持清洁干燥。用条子(或增塑网，网孔方形，直径 1.5～2 cm)离地饲养，可保持鸭舍干燥，但长期生活在条子上，容易造成腿趾疾病。

鸭舍在靠墙一面设置产蛋巢，高和宽各 28 cm，长 35 cm。每 6 只母鸭准备一个产蛋巢。巢底铺木屑或切短的垫草。

鸭舍的大小按每平方米种鸭 3～4 只计(根据品种的大小而定)，每群不超过 500 只，每一单间 30 m^2 左右。

5. 种鸭的饲料和饲养 种鸭的饲料分产蛋期和休产期饲料两种。产蛋期的饲料营养水平高一些，每千克含代谢能 11.30～11.72 MJ/kg，含粗蛋白质 16%～17%，休产期饲料能量不变，粗蛋白质降为 14%。配制成的粉料，最好加工成直径 5 mm 的颗粒饲料，任其自由采食。母鸭每日耗料量 120～130 g，公鸭每日耗料量 200 g 左右。种鸭产蛋期，舍内需另加无机盐盆、添置沙砾和牡蛎粉，任其自由采食。

番鸭最爱吃蚯蚓、昆虫等动物性饲料，适当增喂这类饲料，仔鸭生长快，母鸭开产早，产蛋多。

6. 种鸭的管理

(1)逐渐补充光照。光照和温度对母鸭的产蛋影响最大，一般从 26 周龄开始补充光照，每周照明时间增加 15 min，直至达到 16 h 不再增加(表 7-5)。补充光照用普通白炽灯泡，照度按每平方米 15～20 lx。补充光照结束后，只要在走廊上留暗灯照明即可，亮度比一般鸭舍更弱些。

表 7-5 种番鸭不同周龄光照时数表 h

周龄	光照时数	周龄	光照时数
26	13.00	33	14.45
27	13.15	34	15.00
28	13.30	35	15.15
29	13.45	36	15.30
30	14.00	37	15.45
31	14.15	38	16.00
32	14.30	39 至淘汰	16.00

(2)保持适宜舍温。据观察，番鸭在我国长江以南各省饲养，冬季很少产蛋，而夏季对产蛋影响不大。因此，保持鸭舍内的温度，尽可能不低于 15 ℃，是提高种鸭产蛋率的关键。缺乏人工加温设备的鸭舍，冬季要关闭门窗，堵塞东、西、北三面的通气洞，北窗外加塑料夹层。适当增加单位面积的饲养量，提高饲养密度，聚集鸭体本身散发的热量以提高舍内温度，饮水尽量用温水。缩短在运动场上的放牧时间，晴天出太阳以后，气温升高时，再将鸭放到外面活动，遇到下雪、下雨或大风天气，停止放鸭。

(3)保持清洁干燥。番鸭怕脏怕冷，舍(蛋巢)内勤加、勤换垫草才能保持清洁干燥，冬季尤应注意，因饲养密度提高后，垫草污秽、湿度增大，勤换清洁而干燥的垫草，对保持舍温、提高产蛋率有很大作用。

(4)固定产蛋巢位置。番鸭有定位产蛋的习惯，如家庭分散饲养，蛋巢不要随便移动，否则会产地蛋(搬动位置必须待一窝蛋产完以后进行)。产蛋初期，蛋巢内的蛋不要拣光，每日要保留1或2枚"引蛋"。

(5)创造安静环境。母番鸭性情温驯，平常很少争斗，但产蛋时(产蛋大都在上午7～9时)和孵化伏巢期间，警惕性很高，陌生人不能走近，以免产生应激；公鸭的性情较暴烈，常在抢食时发生斗殴，自卫能力强，陌生人干扰时，会与人对抗。因此，必须保持饲养环境的安静。为避免公鸭之间的斗殴，饲槽和饮水器要均匀地分散放置，这对提高产蛋率和受精率都有作用。

(6)种公鸭的饲养管理。种公鸭养到6月龄，体重达2.5～3.0 kg，有"咝咝"叫声的，标明将到性成熟，应立即上笼，分别饲养，以防相互打架，造成伤害。

公鸭夏季特别怕热，夏季应每日下水洗澡1或2次，冬季应每隔2～3天洗澡1次，以保持羽毛整洁。据古田和漳州养鸭户介绍，配种的公鸭补喂少量枸杞可以提高受精率，补喂红糖、猪油拌糠饭，可以保持旺盛的配种能力。配种期间还要控制适当的配种次数，在正常情况下，以每日早晚各配1次为宜。

二、骡鸭(半番鸭)的管理

番鸭与普通家鸭之间进行的杂交，是不同属不同种之间的远缘杂交，所得的杂交后代虽有较大的杂交优势，但一般没有生殖能力,故称为骡鸭,我国福建一带叫"半番鸭"。

骡鸭的主要特点是性情温顺,耐粗饲,增重快且肉质好,适于填肥,能生产优质肥肝,填喂时间短,省饲料,生产费用低。近年来,国内外发展较快。

(一)杂交组合

杂交组合分正交(公番鸭×母家鸭)和反交(公家鸭×母番鸭)两种,以正交效果好,这是因为以家鸭做母本,产蛋多,雏鸭成本低,杂交鸭公母生长速度差异不大,12 周龄平均体重可达 3.5~4.0 kg。如以番鸭做母本,产蛋少,雏鸭成本高,杂交鸭公母体重差异较大,12 周龄时,杂交公鸭达 3.5~4.0 kg,母鸭只有 2 kg,故反交方式不宜采用。

母本最好用产蛋率高的北京鸭品系,繁殖的骡鸭体型大,生长快,金定鸭或其他麻鸭品种也可做母本。

(二)配种形式

一般都采用自然交配,每一小群 25~30 只母鸭,放6~8 只公鸭,公母配比 1:4 左右。公番鸭应在育成期(20 周龄前)放入母鸭群中,提前互相熟识,先适应一个阶段,性成熟后才能互相交配。增加公鸭只数,缩小公母配比和提前放入公鸭,是提高受精率的重要方法。

也可以采用人工授精,每周需要输精 2 次。目前,受精率和孵化率都比较低,入孵蛋的出雏率只有 30%~40%。这除了远缘杂交的原因外,亲本的选择关系也很大,公番鸭不同个体间受精率差异较大,这方面还有待深入研究。

骡鸭的饲养管理技术同番鸭。

三、美国绿头野鸭的饲养管理

美国绿头野鸭属候鸟类,性情温顺,产蛋量大,饲料利用率高，生长速度快，70日龄体重平均可达1.27 kg。成熟也早，最早165日龄开始产蛋，年产蛋150枚以上。全净膛屠宰率可达87.5%。肉质鲜嫩，味美可口，脂肪较少，肌肉率高，富含多种人体必需的氨基酸、脂肪、糖分、无机盐、维生素及微量元素等，特别是完全没有家鸭那种令人不愉快的臊味，是传统的滋补食品和宴宾餐桌上的野味家肴，具有较高的经济和食用价值。而且绿头野鸭抗病力强，疾病较少。对一般高温、高湿、寒冷和干燥的气候有较强的适应能力。

20世纪70年代以来，国内成功地开展了绿头野鸭的驯养，并建立了鄱阳湖野鸭养殖公司。驯养后的野鸭生产性能明显提高。体重由1.8 kg增至2.5 kg，料肉比(2.5～3.3):1，商品肉鸭育成期缩短至90天左右。同时它还保持了天然野鸭的营养和风味，备受消费者青睐，近年来成为特禽养殖的后起之秀。

(一)美国绿头野鸭的生物学特性

(1)食性杂而广，耐粗饲，植物种子、根茎、叶菜、谷实、杂草、软体动物等均可食用。

(2)喜在河流、湖泊、沼泽地及水生植物较多的地带活动。

(3)喜群居生活，有群居习性，迁移时多结群而行，此习性有利于集约化饲养。

(4)胆小，警惕性高。遇见陌生人或畜禽，即发出惊叫，成群逃离。

(5)适应能力强，有较强的抗逆性和抗病力。

(二)饲养场地的选择与建设

美国绿头野鸭是水禽类动物，与鸟类有一共同的特点——会飞翔，且有以上生物学特性。因此，人工圈养时，必须考虑上述特点选择饲养场地、舍地和搞好必要的建设，重点应注意以下 4 点：

(1)鸭场、舍地必须建筑在背风向阳、能御寒防热、地势较高，并靠近水质好的河沟、水库、湖泊、池塘的边缘。水面宽阔，水深要适中(深度一般以 1 m 左右为宜)，最好有活动水流。周围环境较僻静，与公路、村庄、工厂等嘈杂的地方保持一定的距离。

(2)鸭舍外应设有运动场，并有一定的缓坡到达水场，方便鸭群落水、入舍和活动。水面上应设有用竹子或木棍拼制的浮动食台，以利野鸭觅食。

(3)鸭舍应本着“因地制宜，就地取材，少花钱，多办事”的原则，建造砖瓦木结构或简易的草木竹结构，但必须坚固耐用。美国绿头野鸭除会飞翔外，还会潜水，因此其鸭舍不同于家鸭舍，运动场、水场都要建造天网，网高距水面或地面 2 m 左右。周围加围网，深至水底，与天网连成一个封闭体，以防野鸭逃逸。天网与围网孔眼3 cm×3 cm。用尼龙网或经久坚固耐用的绳网均可。

(4)合理安排饲养面积。鸭群在饲养过程中，应保持各生长期的适宜密度，若过大则影响野鸭的活动与生长发育；过稀成本高、经济效益低，达不到饲养目的。根据美国绿头野鸭的生活特性，经实践证明，如表 7-6 所列饲养面积，可供参考。

表 7-6　每 100 只美国绿头野鸭饲养面积　　m^2

日龄(天)	舍面积	运动场面积	水场面积
1～30	5～7	10	10
31～70	10～15	20	15
71～130	15～18	20	15

(三)营养需要与饲料

1. 营养需要　美国绿头野鸭营养需求与家鸭基本相同。不同日龄、不同生长发育阶段和不同用途野鸭的营养需要有所不同,见表 7-7。

表 7-7　野鸭的营养需要

类型	日龄（天）	代谢能（MJ/kg）	粗蛋白（%）	粗纤维（%）	钙（%）	磷（%）	食盐（%）
肉野鸭	1～30	11.30～11.50	21	3	0.9	0.5	0.35
	30～49	11.51～11.92	18	1	0.8	0.5	0.35
	50～90	11.92～12.13	23	4	1.2	0.8	0.40
种野鸭	1～45	12.13	20	3	1.0	0.5	0.35
	45～100	11.72	19	10	1.0	0.6	0.35
	产蛋期	11.92	18	5	3.2	0.7	0.40

2. 饲料　美国绿头野鸭的食性很广,在一般情况下,用饲喂家鸭的专用饲料喂野鸭生长发育正常。如果没有专用的野鸭颗粒饲料,可根据野鸭的营养需要,用玉米、糠麸、豆饼(粕)、鱼粉、草粉或鲜草、蔬菜等原料自行配制。表 7-8 配方可供参考。

表 7-8　野鸭饲料配方　%

日龄(天)	大米	玉米	稻谷	肉鸡浓缩料	米糠	麦糠	骨粉	贝壳粉	食盐
0～30	65.0			31.0	3.8				0.2
31～70	65.0		8.0	23.0	3.8				0.2
71～130	56.5		36.2	14.0					0.2
产蛋期		33.0	25.0	29.0		7.0	1.2	4.5	0.2

若没有肉鸡浓缩料,可用一般饲料,查阅各种饲料原料的营养成分,按营养需要配制成野鸭各生长发育阶段所需

的饲料,其成本较低。饲料配方见表 7-9。

表 7-9　野鸭各生长发育阶段饲料配方　　%

日龄(天)	鱼粉	大豆饼	花生饼	小麦	玉米	麦麸	米糠	稻谷	贝壳粉	骨粉	食盐
0～30	4.0	22.0		15.0	47.6	10.0			1.5		0.2
31～70	4.0	13.7		14.8	40.0	17.5	8.0		1.0	0.2	
71～130	2.0	10.0			35.0	15.0	36.8		1.0	0.2	
产蛋期	5.0		21.0		24.0	7.0	37.0	2.7	3.0	0.2	

原料准备好后,按说明书搀入禽用多种维生素添加剂和微量元素添加剂,后充分拌和。在配制饲料时要注意如下 4 点:

(1)选择品质优良、适口性好、容易消化、没有霉变的饲料原料。

(2)原料最好就地取材,来源方便,保证质量,减短运输,降低成本。

(3)如果变换饲料,须逐步进行。特别在产蛋期,尤应注意饲料的相对稳定。

(4)有条件的可在饲料中加进一些新鲜切碎的蔬菜、青嫩草、水草等,其用量约占饲料的 20%,以增加维生素等营养物质,增进食欲,帮助消化。

(四)饲养管理

1.雏野鸭的饲养管理　育雏鸭(1～30 日龄)入舍前,地面及用具应用 10%石灰水或 3%烧碱水消毒。铺垫料要做到无霉败,并放置阳光下翻晒。达到清洁、干燥、蓬松的要求。

(1)保温。雏鸭对温度变化很敏感,保温是育雏成败的关键。冬春育雏,可用煤球炉将室温保持在15~20 ℃。育雏开始时为30 ℃,以后每隔2天降1 ℃,20日龄后逐步过渡至常温。

(2)密度。10日龄内的适宜密度为每平方米40只,11~20日龄为30只,21~30日龄为25只。20日龄后,天气晴暖可作适度户外活动,以促进生长发育。雏鸭有堆睡习性,育雏期间(尤其夜间停电)应有专人值班,每2 h左右观察1次,分开堆睡的雏鸭。

(3)湿度。相对湿度70%左右为宜。初期因室温较高,较干燥,湿度偏低,可在煤炉上置水壶产生的水气来提高湿度;后期因采食量、饮水量、排泄量增加,湿度超过80%,应及时消除粪便,铺以干燥垫草,并及时更换。

(4)通风。雏鸭粪便稀、氨味重,舍内空气易污染,故应加强通风换气。不影响育雏温度时,通风换气量越大越好。育雏室前后均要装透气窗,有条件时可装换气扇。冬春育雏,透气窗白天开晚上关,窗上应设置铁丝网,以防鼠、猫等兽害。

(5)光照。雏鸭对光照敏感,有很强的趋光性,育雏期合理的光照尤为重要。10日龄内为20 h/日。可用普通白炽灯,强度以每平方米8 W为宜,也可用可见光型红外线灯,保温、照明一举两得。11~20日龄,白天不补充光照,逐渐减少夜间光照时间,21日龄后过渡到自然光照。

(6)饮水。出壳12 h后绒毛已干,有啄食行为时,即可饮水,先用与室温相同的0.1%高锰酸钾水,以清理胃肠。10月龄以内忌饮冷水,以免引起肠道疾病,饮水应清洁,可适量加维生素B。由于美国绿头野鸭没有唾液腺,因此无论何时栏内均需备足清洁水,以便随时饮用。

(7)开食。饮水后即可开食。开食时,可将米煮至七八成熟,然后用水冲洗成松散的米饭粒,慢慢地撒在事先摊放的塑料薄膜上,做到边撒边食。在喂食时,旁边供给充足的与室温相近的清洁水,边食边饮。如果用粉状料,则应加水拌成半湿状后再喂。

喂饲次数,一般10日龄前每日7次(包括晚上2次),10日龄后,每日可减至5次(包括晚上1次),育雏后期,每日可喂4次(包括晚上1次)。

(8)放水。野鸭为水禽,喜在水中洗浴、梳毛,但出壳后不能立即放水,待1周后视天气晴朗,气温、水温较高,方可试行放水,最初每日1或2次,每次2~3 min,如果绒毛受湿粘连,应立即离水,让它晒太阳和理绒毛,毛干后便可入舍。随着不断的生长发育,体质增强,对气温适应能力渐强,可增加放水次数和时间,但以安排在喂食后放水为佳。

在喂料和放水时,饲养人员可发出呼唤口令,形成条件反射,养成习惯,以便于管理。

2.育成野鸭的饲养管理　31~90日龄的野鸭称为育成野鸭,生长期最快。骨骼、肌肉都迅速增长,活动能力和对水的适应性都不断提高。同时,羽毛逐渐丰满,管状羽毛也增加很多,抗寒能力大大增强,此时可以在常温下自由生活,此期的管理要点:

(1)饲喂。喂以全价饲料,日喂3次,日投饵量为体重的5%,适当喂些蔬菜等,以补充维生素,60日龄以后应适当增加饲料量和喂食次数,以利增加上市体重。

(2)防逃。50日龄左右野鸭羽翼已基本长齐,开始学习飞翔。因此,要注意检查栏、舍、围网是否牢固,以防逃逸。

(3)管理。育成野鸭排泄量大,易污染鸭舍,故应每日清扫鸭舍,勤换垫草,开窗透气,保持鸭舍清洁干燥。条件所限用小池塘作活动水面时,应及时换水,保持水质清洁。

3. 产蛋种鸭的饲养管理

(1)选种。公鸭的选择标准是头大、体壮、活泼、头颈绿色明显,交尾能力强;母鸭的选择标准是头小、颈长、眼大。公鸭以1～2年为好,不宜超期留用。种公鸭的体重大于1.25 kg,种母鸭体重应大于1.0 kg。

(2)比例。种野鸭的饲养密度以每平方米8～10只,公母比例以1:(4～6)为宜,这样种蛋受精率可达85%以上。公鸭过多,影响母鸭健康;公鸭过少,交配不匀,降低种蛋受精率。

(3)光照。光能刺激种鸭的新陈代谢,促进脑垂体分泌促性腺激素,从而促进排卵。光照的时间和强度影响产蛋率,产蛋期每日光照15～16 h,每平方米配一只30 W灯泡,离地2 m,这样可延长产蛋期,增加产蛋量。

(4)饲喂。喂以全价配合饲料,日喂3或4次,喂料量以产蛋率的高低、气候情况而定,整个产蛋期的喂量和营养水平要相对稳定,不得骤然增减。同时,注意饲料中要有足够的钙、磷含量和合理比例。在产蛋高峰到来前应调整蛋白饲料比例,增加蛋白质含量和喂料次数,以利达到高产稳产。

(5)拣蛋。母野鸭习惯在有陷窝的泥地上产蛋。因此,在产蛋期可在地上人工造些陷窝,垫些松软干草。母鸭产蛋时间多在凌晨1～4时,故白天应让鸭充分洗浴、运动、晒太阳和交配,以提高产蛋量、受精率和孵化率。为防蛋破损、污染和受冻,放鸭后应及时拣蛋。

(6)管理。要有良好的洗浴条件,因交配主要是在水中完成。故水面的大小和水质的好坏,直接影响种蛋受精率。交配旺期为每日早晚,此期内应主动将种鸭轰下水促进交配。种鸭虽喜水,但忌舍内和运动场潮湿,故每日应清扫舍内地面,清除湿垫草和粪便,

夏季天气闷热,影响公鸭性活动,交尾次数减少,受精率下降。应在网顶遮草席或搭遮阳网,及时开棚放水,在舍内洒水降温。冬季应搞好防寒保温工作。放水前要噪鸭,即将鸭群轰起,缓缓驱赶在舍内作圆圈运动,每次3~5圈,以增加运动,产生热量,提高御寒能力,以免直接下水受凉而减产。

(7)环境。种鸭胆小怕惊扰,应保持舍内安静,尽量减少和避免环境骤变和惊吓等,防止应激反应。受惊1次,产蛋量下降15%。此外,成年鸭善飞,夜间睡觉易压伤青年鸭;青年鸭好动,影响成年鸭产蛋。故不同日龄野鸭宜分开饲养,以防相互影响。

(8)关蛋。即人工强制鸭群停产,促进换羽。为使种鸭全年均衡生产,或因季节性词料缺乏,产蛋率自然降低时,即可采取人为的措施。使鸭群集中在短期内全部停产,再加强饲养管理,使之整齐开产。关蛋可缩短休产期和换羽过程,提前恢复产蛋,且蛋大质量好。

关蛋多在夏初进行,对象是2年的老鸭群。当产蛋率降至70%左右,部分老鸭开始换羽时即可关蛋。先将母鸭关在棚里,停止放牧,减少精料。改喂粗料,停喂青料和荤料。经5~6天,多数鸭停产,逐渐消瘦,羽毛松乱,8天后翅羽和尾羽开始长出,背、胸和腹部的羽毛大部分脱落,即可逐渐增加精料喂量,并开始放牧。当羽毛有光泽,体力恢复后,进一步加喂精料和荤料,关蛋一般在20天左右,鸭群会逐渐恢复产蛋。

4.商品肉野鸭的育肥管理　仔公鸭和不做种用的仔鸭经短期育肥,可做商品肉鸭供给市场。

(1)放牧育肥。这是较经济的育肥方法。放牧前仔鸭应脱温、断翅。野鸭习惯于生食,逐日延长外放时间,使之有一个适应的过程。一般是立秋稻谷收割后,将野鸭放牧在茬田拣食落谷。要选好放牧的路线、地段和水源,由近及远。在河网地带要充分利用河道放牧,以减少体力消耗。确保采食、饮水两不误,注意天气变化,防止农药中毒。放牧密度以每公顷 150～225 只为宜,放牧前喂半饱,下午视采食情况决定是否补词及其数量。经 1～2 个月的放牧,待放牧区落谷拣食完毕,肉鸭即可上市销售。

(2)圈养育肥。若放牧场地不足而饲料条件好时,可采用圈养方法育肥。要求有简易棚舍,舍外有水源和陆地运动场。主要用大麦、小麦、碎米、次稻、玉米、糠麸、块根、块茎类及一些动物性饲料做成配合饲料进行投喂,并添加适量青料。饲养肉鸭应多喂含碳水化合物的饲料,以促进增膘长肉。每次喂料后洗浴 5 min,然后在运动场理干羽毛,安静休息,并保证饮水,促进肥育。

养肉鸭不提倡"羽毛齐全",不能以"羽毛齐全"作为出售标准。否则,每日采食的营养全耗在长毛上,而体重则有可能每日下降 5～10 g,要复原需要多养 30～40 天。

四、樱桃谷鸭的饲养管理

(一)育雏的基本要求

育雏的准备:首先,整修育雏室、鸭舍、运动场及其附属用具。通过整修,使得圈舍、门窗完整,通风,保温性能好,排水通畅,并于进雏前 1 周对圈舍场地进行灭鼠,同时对圈舍和用具进行清洗、消毒。其次,设置消毒池,封闭圈舍场地，备足饲料、添加剂、兽药等，准备进雏。进雏后，要做好如下工作：

1. 合适的温度　采用高温育雏法（夏季除外）。雏鸭进入育雏室后，维持室温 35 ℃约 48 h，以后每日下降 0.5～1 ℃，直至脱温。保温育雏过程中，注意根据雏鸭的动态、饮食、叫声、粪便等合理施温，以保证雏鸭不打堆、不气喘。

2. 合理的密度　根据季节、禽舍的结构、通风条件等，将鸭舍的运动场设计为禽舍面积的 1.5～3 倍（主要在夏天的晚上和冬天的晴天使用），并尽量做到有林木遮阳。育雏室为禽舍面积的 30%～35%，进雏总数为：禽舍面积（m^2）×饲养密度（7～9 只/m^2）÷95%，密度可随季节的不同略有升降。密度过大时，可导致空气污浊，环境过湿，诱发生长不良、啄食癖等；密度过小，经济上不合算。条件良好的禽舍，育雏室的隔墙可以移动，以保证合理的密度。

3. 良好的通风　鸭的排泄物随着鸭龄的增长而增多，鸭舍内的氨气、硫化氢气体、二氧化碳气体等有害气体会直接污染空气而影响雏鸭的生长发育，因而在雏鸭期内应坚持通风换气。在冬天可先将育雏温度提高 1～2 ℃后再打开门窗，以保证室温稳定。

4. 适宜的湿度　勤换垫料，加强通风以保证相对湿度保持在 65%～70%。主要做法是：将水槽置于易排水的一侧，同时每日坚持及时添加垫料 3 或 4 次，在 1 周龄以后更要及时更换垫料。凡是出现烂毛、羽毛不干现象，甚至出现宰后胴体次斑等情况时均要考虑降低湿度的问题。

5. 保证光照　育雏 0～3 天，连续光照以利雏鸭熟悉环境，保证生长均匀。以后每日光照 23 h，黑暗 1 h，使鸭适应停电的环境变化，防止挤伤。光照强度为每平方米 1 W，前期可稍大一些。在气温许可的条件下让雏鸭多行日光浴。

(二)加强饲养管理

(1)雏鸭孵出后 24 h 内,初次饮服 0.2%高锰酸钾水,并不要中断饮水,3 天后改为清洁常流水。

(2)在初次饮水后,采用全价料开食,对于不会吃食的雏鸭,应加以人工辅助,防止"僵口"。

(3)供应全价配合日粮。日粮中应考虑各种营养全面,达到品种营养需要。采用二阶段饲料配方,其主要营养成分如表 7-10。

表 7-10　樱桃谷鸭育雏、育肥阶段的营养需要

营养成分	育雏阶段	育肥阶段
代谢能(MJ/kg)	12.10	12.20
粗蛋白(%)	22	17.5
蛋氨酸(%)	0.5	0.4
赖氨酸(%)	1.1	0.85
蛋氨酸+胱氨酸(%)	0.8	0.7
钙(%)	0.9	0.9
磷(%)	0.55	0.45
维生素 A(100 万 IU/t)	12	9
维生素 D(100 万 IU/t)	2.5	2.1
维生素 E(IU/t)	20 000	15 000
粗纤维(%)	4.0	4.4

同时在配方中还添加一些抗菌、促生长、防霉、增加食欲的添加剂。

(4)整个饲养阶段实行自由采食,保证采食量;少给勤添,槽不剩料;保证鸭舍冬暖夏凉,不喂霉变、腐败饲料等。

(5)及时分群。雏鸭进入育雏室后就进行强弱分群,以后每周抽样称重 1 次,抽样数为 5%,同时进行再分群,对弱者进行营养补充。

(三)做好防疫控制疾病

(1)实行自繁自孵自养一体化,不外购苗鸭,减少交叉感染。

(2)采用全进全出制度。出售后及时对整个鸭舍内外进行彻底的清除、清洗,并进行全面消毒,切断病原微生物的循环途径,保持鸭舍卫生和群体健康。

(3)每周更换垫料 1 或 2 次,同时用 2%～3%烧碱水或 0.5%农福喷雾消毒场地等,严格执行肉鸭卫生防疫制度。

(4)发生疫病时,做到及时诊治,并按要求做好有关处理工作。

(四)提高种鸭育成效果的措施

20 世纪 90 年代以来,我国肉鸭养殖业发展十分迅速,规模养殖越来越大,由此刺激了许多鸭场和农户开始饲养父母代肉用种鸭。一些鸭场和农户在饲养父母代肉用种鸭过程中,忽视了种鸭在培育过程中严格控制标准体重和保持鸭群群体的均匀度,致使部分种鸭过肥或体重不足,影响鸭群的产蛋率和种蛋受精率,进而影响种蛋孵化效果和饲养种鸭的经济效益。为了提高种鸭育成均匀度和保持种鸭标准体重,必须采取如下技术措施:

1. 加强育雏管理　除育雏的温度、饲料、预防用药、饮水等都必须达到技术要求外,另外还应注意:

(1)种鸭在开始采食时就采取定量、定时饲喂,使每个育雏圈内的鸭苗数一致,这样便于饲养人员在饲喂时操作,饲料投放量相对准确,鸭苗采食量相对一致。否则,会造成鸭苗采食不均而造成个体间生长速度差异。

(2)鸭苗在育雏过程中饲喂人员和技术人员应勤于观察,对一些个体较小或体质较弱的鸭苗应分开饲喂,适当增加饲料量，促使其体质尽快恢复，待其生长速度与鸭群达到一致后再合群饲养。

(3)购进种苗个体体质很差或个体特别小的鸭苗，在确定其难以恢复且不符合种苗要求时应及早淘汰，避免由此而增加种鸭的培育成本。

2. 在限饲期间应保证足够的饲喂场地　种鸭育雏至3周龄后直至20周龄，因鸭苗生长较快，个体较大，一般都要将饲料撒在地面上饲喂。此时应注意：

(1)要保证有足够大的饲喂场地，使饲料分撒的范围大而均匀，便于每个后备鸭能均匀采食。

(2)所用的饲料品质要好，饲料制粒均匀且粒度要硬，饲料中粉料含量低，这样既便于种鸭采食而又能减少浪费。如饲料是粉料，则要相应增加饲料量5%～10%。

(3)由于种公鸭一般生长较快，体质好，采食量也较大，因此不能把公鸭单独集中饲养而给予同母鸭相同量的饲料。最好能使每个饲养单元的公母鸭比例一致，这样既能保持鸭群均匀度，又能防止公鸭在培育过程中因单独饲喂而产生性功能障碍。

(4)在培育过程中，如出现个别体质较差、生长跟不上大群的后备种鸭仍应分开饲喂，适当增加饲料，提高其体质和生长速度。

(5)种鸭在培育过程中，应从4周龄(28日龄)开始至26周龄每周定期称重，并与肉用樱桃谷种鸭培育各阶段标准体重表进行对照，以确定饲料喂量。例如，在28日龄早上空腹称重时，如体重符合标准体重，则维持原饲料量，即每日140 g；如体重超过标准体重，则降低饲料量，即每日135 g；如体重低于标准体重，则增加饲料量，即每日145 g。这样的饲喂量维持1周，至下周称重再做相应的调整。种鸭在育雏期的饲料量和4～26周龄标准体重见表7-11和表7-12。

表7-11 樱桃谷鸭0～28日龄雏鸭的日耗料量 g/只

日龄	日耗料量	累计	日龄	日耗料量	累计
1	5.1	5.1	15	75.8	606.3
2	10.1	15.2	16	80.8	687.1
3	15.2	30.3	17	85.9	773.0
4	20.2	50.5	18	90.9	864.6
5	25.3	75.8	19	96.0	960.0
6	30.3	106.1	20	101.0	1 061.0
7	35.4	141.3	21	106.0	1 167.1
8	40.4	181.9	22	111.2	1 278.3
9	45.4	227.9	23	116.2	1 394.5
10	50.5	277.9	24	121.3	1 515.7
11	55.6	333.5	25	126.3	1 642.6
12	60.6	391.1	26	131.4	1 773.4
13	64.7	459.8	27	136.4	1 909.8
14	70.7	530.5	28	141.5	2 051.6

表7-12 樱桃谷鸭4～26周龄的标准体重 kg

周龄	母鸭			公鸭		
	+2%	指标	−2%	+2%	指标	−2%
4	0.987	0.967	0.949	1.135	1.112	1.090
5	1.361	1.335	1.308	1.563	1.532	1.502
6	1.792	1.757	1.722	2.055	2.015	1.974
7	1.984	1.945	1.906	2.271	2.226	2.182
8	2.176	2.133	2.091	2.487	2.439	2.390
9	2.254	2.210	2.166	2.573	2.523	2.472

续表 7-12

周龄	母鸭			公鸭		
	+2%	指标	-2%	+2%	指标	-2%
10	2.333	2.287	2.241	2.658	2.606	2.554
11	2.412	2.365	2.381	2.745	2.691	2.637
12	2.491	2.442	2.393	2.830	2.774	2.719
13	2.570	2.520	2.470	2.916	2.858	2.801
14	2.649	2.597	2.543	3.006	2.941	2.882
15	2.728	2.675	2.621	3.085	3.025	2.964
16	2.807	2.752	2.697	3.169	3.107	3.045
17	2.841	2.785	2.730	3.208	3.146	3.077
18	2.863	2.807	2.751	3.223	3.166	3.096
19	2.908	2.851	2.794	3.268	3.204	3.146
20	2.493	2.885	2.827	3.302	3.237	3.173
21	2.976	2.918	2.859	3.334	3.269	3.247
23	3.056	2.996	2.936	3.413	3.346	3.279
24	3.160	3.040	2.979	3.458	3.396	3.322
25	3.134	3.072	3.011	3.496	3.421	3.353
26	3.176	3.105	3.043	3.521	3.452	3.383

3. *重视种鸭群的系统防疫* 系统防疫和卫生消毒及隔离措施在任何种禽场都是至关重要的，樱桃谷种鸭场也不例外。要做好种鸭场区的卫生消毒工作，杜绝外来人员进入种鸭饲养区；按防疫规程做好种鸭群的系统防疫，减少和降低种鸭群感染病原的机会和发病率。

不论其他工作做得如何好，种鸭群一旦发病，将不可避免地出现健康鸭与发病鸭个体间生长发育上的差异，影响鸭群的均匀度。对种鸭群中出现的反应异常的病鸭应及时隔离治疗，同时加强全场的卫生消毒和预防工作。对治疗无效的种鸭应予以淘汰。

在种鸭场的日常管理中，应重视种鸭群的死亡率。过高的死亡率往往预示着饲料质量有问题,或卫生条件差或鸭群潜伏着某种疾病。

除上述所述各项之外,影响种鸭育成均匀度和培育效果的因素还有很多,如不适当的饲喂方法,同一幢鸭舍不同单元之间光照的差异,是否都有充足清洁的饮水,鸭舍空气质量等,都会对种鸭的培育效果产生影响。

(五)种鸭育成期的限饲

集约化和半开放条件下的樱桃谷肉种鸭的生产和其他禽类一样,必须根据其生长发育规律,采取相应措施,才能培育出符合本品种特征的后备种鸭群,发挥肉种鸭的高产性能。其中限饲是一重要措施。

1.樱桃谷肉种鸭的育成限制饲养目标

(1)标准体重上下浮动2%。

(2)后备母鸭群具有良好的体重均匀度。

(3)后备公鸭符合本品种特征要求。

樱桃谷肉种鸭在育成期实行限制饲养,在生产中有重要的实践意义。它可以使后备种鸭群体的体重在目标体重范围之内,能够推迟种鸭的性成熟,增加累积产蛋总量,降低产蛋期死亡率。提高受精率和孵化率,保证其最佳种用价值。

樱桃谷肉种鸭限制饲养方案很多,如限制采食时间,限制饲喂量,饲喂低营养(低能量或低蛋白)日粮,饲喂氨基酸缺乏日粮或高纤维素日粮等。在实践中通常采用限制日饲喂量,即每日供给一定的采食量,使其沿目标体重生产曲线生长。

2.限制方案　第4周末,在喂饲前即空腹时,对鸭群随机抽取该群的10%进行称重并计算其平均体重,将平均体重与鸭群第4周龄末所推荐的目标体重进行比较。如果鸭群平均体重在目标体重范围之内，就可以采用该周龄所推荐的饲喂量进行饲喂；如果平均体重低于目标体重，则每日饲喂量在所推荐的喂料量基础上略加 2～4 g(最好不要超过 5 g)；如果平均体重高于目标体重，则每只鸭每日饲喂量等于或略低于第 4 周末饲喂量。总而言之，将平均体重同目标体重相比较，及时调整日饲喂量，调节鸭群的生长，使其达到预期理想体重。

3. 限饲所遵循的原则

(1)科学化、程序化的饲养管理方式。因为鸭是水禽，时刻离不开水的需要，而且鸭有戏水(用喙铲水)和清洗残留食物并洁身的遗传特征。所以，饮水器或 U 形水槽应放置在运动场(或舍内)的一侧有水沟的板条或竹排地面或网上。鸭群经常在饮水时排泄，因此可以将排泄物和鸭群溅出的水从水沟里及时排走，并且经常用水冲洗水沟和板条，保持运动场(或舍内)环境清洁。鸭的排泄物中含有大量水分，很容易使舍内环境潮湿，产生氨气，使舍内空气污浊。所以，鸭舍及时增换(添)垫料，确保舍内垫料清洁、干燥。定时进行通风换气，保持舍内空气清新。

(2)控制鸭群适宜的密度。当鸭群在垫料上饲养时，每只鸭在育成期至少应有 0.45 m^2 的活动空间。如果鸭群密度过大，则容易造成饲料及饮水空间不足，后果是体重及体型发育差，整齐度差。鸭舍之间应分隔成栏，每栏以 200～250 只为宜，严禁鸭群串栏。群体过大，往往造成个体差异大和伤残率(特别腿部疾病)高。

(3)足够的采食面积和饮水空间。保证鸭群吃料均匀，饮水充足。在育成期，每只鸭采食面积(料槽)以 13～15 cm为宜；饮水空间(U 形水槽)以 3.5～5 cm 为宜，特别要保证鸭群时刻供应充足且符合卫生要求的饮用水。在运动场上应设置 2 m^2 左右的洗浴池。供鸭群定期洗澡,保持种鸭清洁有利于种鸭的健康生长。

(4)及时调整鸭群。对鸭群随机抽样,定期周末称重。从第 4 周龄开始,必须在每周末随机抽取鸭群的 10%进行称重,计算其平均体重、整齐度及变异系数,根据体重大小来确定下周的饲喂量,并及时调整分群,缩小群体内的个体差异。

(5)每周加料幅度不要过大。一般每次加料 2~4 g 为宜,最好不要超过 5 g,否则造成体重曲线不能沿着目标体重生长曲线生长,不能保持每周稳定的增长。

(6)准时加料。将应加饲料准确称量,并在早上一次性投入料槽。料槽在运动场(或舍内)分布均匀,尽可能地使鸭群在同一时间吃到饲料,保持吃料均匀。

(7)准确称重。在对鸭群称重时,要使用同一计量器,以保证其准确度和灵敏度,一般用 10 g 为最小感量的千克秤。

(8)必须考虑应激因素。如不良通风、称重、调群及免疫接种对鸭群的影响,特别是在免疫接种时。在饮水中应添加适量的电解质和多种维生素。

(9)在育成期应实行公母分开饲养。这是因为后备公母鸭的采食速度、喂料量及目标体重均有所不同,所以实行公母分饲既有利于控制后备母鸭的体重和性成熟时间,也有利于控制公鸭的体重,提高其种用价值。但在公鸭群中应配备相应的"印记母鸭"(1∶4.55),促进后备公鸭的生殖系统发育。

另外,科学的光照制度、严格的卫生防疫制度,也是影响鸭群生长发育的重要因素。总之,使用目标体重标准,定期监测和调控后备种鸭群的生长,使其协调发展,才能培育出整齐度好、高产、稳产的后备种鸭群，提高种鸭场的经济效益。

(六)种鸭四季管理要点

由于季节的变化和环境气候条件的不同，对樱桃谷肉用种鸭的影响也不同。因此，在管理工作上要根据不同季节采取相应的措施，才能取得较好的生产成绩。樱桃谷肉用种鸭四季管理要点如下。

1. 春季　春分后，气温逐渐转暖，日照时数逐渐增加，气候条件对种鸭产蛋很有利。但南方进入雨季，空气潮湿，有利于各种细菌的生存。因此，开春时要做好全面的清洁卫生工作，定期消毒，保持鸭舍内干燥、通风。春季是樱桃谷种母鸭产蛋的旺季。要注意日粮全价，以满足种母鸭的产蛋营养需要；严格遵守饲养管理操作规程，延长产蛋高峰期，提高产蛋率。管理要点是：

(1)日粮中增加粗蛋白含量。要求粗蛋白达19%～20%，同时适当添加蛋氨酸+胱氨酸，要求含量在0.68%以上。

(2)要适当补充矿物质和微量元素。在日粮中补足钙磷，并拌入维生素A、维生素D和鱼肝油等，也可在日粮中加入骨粉或在运动场上堆放贝壳粉，让种鸭自由采食。

(3)适当投喂青绿饲料。增加青绿饲料可增强种鸭食欲，提高产蛋率。

(4)保持环境安静，避免应激影响种蛋品质。

(5)供给充足清洁卫生的饮水。

(6)勤拣蛋，减少污染蛋、破壳蛋等。

2. 夏季　夏季管理工作重点是防暑降温和注意饲料、饮水卫生。此时管理不好，不但产蛋率下降，而且种鸭死亡率高。具体做法是：

(1)调整日粮配方。适当降低能量水平,代谢能11.5~11.8 MJ/kg,相应增加蛋白质、钙、磷、多种维生素。在饲料中添加一些预防应激作用的药物,如补充维生素C等。

(2)改变饲喂方法。加强夜间饲喂,同时采用凉水拌料,现拌现喂。每次上料不要太多,防止过剩变质。

(3)防暑降温。保持有足够的水槽,供给清洁的常流水,最好是地下水;保持水槽清洁,每日至少清洗2次,防止饮水浑浊和搀入杂质;鸭舍顶层刷白,周围种丝瓜、南瓜,让藤蔓爬上层顶,隔热降温;运动场内搭设凉棚,避免日光直接照射;加强通风,提高鸭舍内气流速度;鸭舍内可合理配备一定数量的电风扇,有利于鸭体热量的散发。

(4)严防饲料发霉变质。饲料要保存在通风干燥处,运输途中要防止雨淋,发霉变质的饲料绝不可喂用。

3. 秋季　一般9—10月份是樱桃谷种母鸭的产蛋次旺季,也是冷暖空气交替的时候,气候多变。母鸭经过大半年的产蛋,身体疲劳,既有保持80%以上产蛋率的可能,也有急剧下降停产换羽的危险。此时管理要点是:

(1)适当增加营养,补充动物性蛋白质饲料。

(2)操作规程和饲养环境尽量保持稳定,避免大的变动。

(3)适当补充无机盐饲料,最好另置无机盐盆,任其自由采食。

(4)克服气候变化的影响,使鸭舍内的小气候变化幅度不要太大。

(5)加强卫生防疫,可在日粮中拌入适量抗菌药物(禁用磺胺类药物)和多种维生素,以提高种鸭的抗病能力。

4. 冬季　种母鸭冬季不产蛋原因是"冬",不是"冷",主要是冬季日照和营养不足,改善冬季条件就可提高生产率，管理要点是：

(1)调整日粮配方，提高能量水平，降低粗蛋白质，要求代谢能 11.7～12.1 MJ/kg，粗蛋白 18%～19%，提高种鸭的御寒能力。

(2)加强光照。一方面要适当延长光照时间，采取人工补充光照，每日的光照时数达 16 h；另一方面增加光照强度，防止种鸭采食量及种蛋受精率的下降。在同样的自然光照下，增加光照强度可使产蛋率平均提高 12%。

(3)加强夜间饲喂。寒冷的冬季，夜既长又冷，种鸭在此间消耗能量也多，但由于惧寒常很少到舍外采食，因此夜间宜将食槽放在舍内，并适时驱赶，使其适当活动。

(4)防寒保暖。在鸭舍及运动场的风口处用茅草、小竹子等搭建挡风墙；加厚鸭舍内的垫草，防止鸭蛋直接产在阴冷潮湿的地面上；适当缩短放水时间等。

(5)适时放水。早上和傍晚种鸭交配较频繁，要注意驱赶鸭群在一定水面上聚集，以提高受精率。

(七)种鸭高产期的管理

樱桃谷父母代种鸭平均产蛋率达 80%以上时，进入高产期。由于高产期间种鸭所需的营养要求更高、更全面，因此在饲养管理上应视情况做必要的营养补充，进行一些特殊管理。

1.提高饲料质量　高品质、高质量的饲料是种鸭高产、稳产的关键。目前，国内外生产的饲料系列越来越多，品种五花八门，它们大多根据 NRC 标准或国内一些饲养畜禽标准配制加工生产，一般的饲料按配方稳定生产，不可能随时变化。但在实际生产中，随着一年四季的变化及各个产蛋时期的变化，一成不变的饲料配方，即使是全价饲料，在特殊情况下也往往存在一定的局限性。夏季高温季节，由于高温应激，采食量有所下降，免疫力相应下降，机体对维生素需求将大大增加。为了继续维持种鸭高产，必须在全价料的基础上适当添加一些优质蛋白和补充足够的维生素，以及根据实际需要，每月使用一次抗生素添加剂，达到防病、治病、促进生产、提高机体免疫力的目的。特别是在产蛋高峰期，平时更要注意对种鸭的采食、活动、产蛋以及蛋形变化等情况的观察，不失时机地补充种鸭所需的各种营养物质，最大限度地延长产蛋高峰期，充分发挥种鸭的产蛋潜力。

2. 及时调整光照时间和强度　在一定时间内，稳定的光照时间和光照强度是维持种鸭高产、稳产的必要条件，但随着季节变化，应根据日照的时间和强弱，适当调整补充光照时间和强度，以满足种鸭卵泡发育对光照的需要。

3. 保持棚舍清洁、干燥、通风透气　在寒冷的冬季，做到既能透气，又能保暖，特别是晚间产蛋的地方不能有贼风，这对保证冬季种鸭健康、高产至关重要。在早春、晚秋同样要考虑这个问题。因为种鸭在产蛋时，机体免疫力处于最低状态，这时鸭子如受凉或受寒，不但容易发病，而且产蛋高峰期会缩短。在炎热的夏季，除了保证棚舍充分通风外，室外应搭建一些遮阳凉棚，夏天让种鸭露宿在外面，产蛋时再进棚。

4. 调整喂料时间　早晚凉爽时或夜间进行补喂，靠近料槽旁放置饮水盆，使种鸭吃料后能及时喝到水，并在饮水中加入一定量的维生素等抗应激添加剂，这样即使在炎热的气候下，也能维持种鸭高产。

五、中国野鸭的人工养殖

中国野鸭是指在我国北方繁殖、冬季在长江流域或南方越冬的一种野鸭。野鸭为候鸟，群聚在湖沼、水库附近和水流缓慢的河湾芦苇丛中或河滩上，为杂食性动物，繁殖力很强，在水边草丛中筑巢。夏季为产蛋淡季，母鸭第1个产蛋期在9—12月份，第2个产蛋期在1—6月份，年产蛋量可达100枚以上。种蛋孵化期为28天，80日龄后有飞翔能力，一般能飞翔几米。体重可达1.5 kg以上。野鸭有极强的抗病能力，成活率达95%以上，适应性强，无论是旱地、小溪、江河、鱼塘都可饲养。它生长快，饲养周期短，一般70～80天就可上市出售，

野鸭瘦肉率高，脂肪少，肉质细嫩鲜美，营养丰富，蛋白质含量高，在国内外市场上很畅销。

(一)养殖场地及设施

1.场地　要求饲养场地有开阔的水面，最好在水草丰茂的地方。在陆地上养殖应种植适当的乔木或灌木，以利遮阳。

2.设施

(1)鸭舍。商品鸭舍可为简易型，让鸭自由出入，一般规格为长9 m，宽4 m，高3.2 m，舍内设小窗，采用木制格子板饲养。也可用塑网(网目为1.85 cm×1.85 cm)。种鸭舍要求格子板稍高一些，亦可采用格子板与垫草相结合，两者面积各为一半。

(2)食棚与食槽。食棚高2.5 m，长宽可根据食槽来决定，食槽每100只鸭设长方形食槽或盆斗式食槽3个，双面长方形饮水器2个。

(二)野鸭的饲养管理

1.雏鸭的饲养管理　雏鸭孵化出壳前预先做好育雏的准备，育雏室用5%烧碱水或3%来苏儿消毒，垫料要干燥，无霉菌。育雏温度，1～3日龄时24～27 ℃；4～6日龄时15～26 ℃；7～10日龄时24～25 ℃；11～20日龄时

17～19 ℃。

育雏密度为每平方米15～20只。室内湿度以80%为佳。雏野鸭饲养同家鸭一样，在毛干后要先饮水后喂料，开食前先喂含0.01%高锰酸钾的冷开水。开食可用塑料薄膜铺地，将小米饭用凉水淘洗（除黏性）后，拌上有腥味的饲料饲喂，从5日龄开始添喂切碎的幼嫩青饲料，青饲料数量要由少至多，但饲料中的粗纤维不宜过多。雏鸭开食后要喂配合饲料，饲料配方为：

1～14日龄：玉米62%，麸皮5.5%，豆饼16.5%，鱼粉13%，骨粉2.7%，食盐0.3%，生长素1%，外加多种维生素每千克50 mg。

14～21日龄：玉米62%，豆饼18%，麸皮6%，鱼粉10%，骨粉2.7%，生长素1%，食盐0.3%，外加多种维生素每千克50 mg。

16日龄以内一般白天喂4次，晚上1次，16日龄以后每日喂4次；做种鸭时20日龄后，基本让其整天在野外寻食，早上补喂1次。雏鸭非常爱戏水，7日龄后便可放水，一般在食后进行，25日龄前要少放水，25日龄后逐渐增加放水次数，每次放水后注意让其理干羽毛后回舍。饲养密度为每平方米8～10只。棚内常换垫草，保持饲料新鲜和水质清洁。肥育的野鸭可在30日龄后进行，其饲料配方为：玉米64%，麸皮6%，豆饼19%，鱼粉8.7%，骨粉1%，生长素1%，食盐0.3%。饲料日耗量为：1～30日龄每只平均给料40 g；30～60日龄每只给料100 g；60～70日龄每只给料150 g。

2. 中鸭的饲养管理　在良好的营养和管理条件下，野鸭60日龄即为体重增长的最高峰，由于体内迅速积累脂肪，激发野鸭飞翔，野性发作。如果在40～65日龄降低营养水平和生长速度,可推迟野性发生。这个时期要适当限制饲喂,增加15%～20%的粗料。80日龄开始要张网围养,以防逃逸,同时搞好种鸭的选留工作。炎夏要让鸭水浴降温,运动场搭建遮阳棚。圈舍保持清洁、干燥和通风。

3.种鸭的饲养管理　繁殖的种鸭既要喂饱又要喂好,基础日粮配方为:玉米55%,豆饼16%,麸皮14%,鱼粉10%,骨粉0.6%。在饲养管理上要做到定时、定量喂料和定时放牧。日喂料3次,高产期夜间加喂1次。夏季要提高饲料浓度,饲料要现拌现喂,不喂变质料,早、中、晚各放水1次,每次为30 min;冬天要搞好防寒工作,注意补充光照,可按每60 m面积安装25 W灯泡一个。另外,要尽量减少和避免环境骤变、惊吓等,保持环境安静,以免引起鸭的应激反应。

(三)疾病防治

野鸭疾病以预防为主,平时常用穿心莲、金银花熬汤拌食饲喂,以减少野鸭发病。野鸭所患的疾病,基本上同家鸭,如鸭疽、霍乱、软脚症等。另外,要做好舍内清洁消毒工作,保持舍内通风透光。免疫注射要避开产蛋旺期。

六、吉安红毛鸭的饲养管理

吉安红毛鸭是近几年江西省遂川一带自然形成的肉鸭品种,是加工板鸭的优质原料。吉安红毛鸭的特点是:生长快,抗病力强,瘦肉率高,产蛋多。体型外貌为公鸭头羽灰红色,体绒和尾羽呈灰白色,被羽褐红色,脚、蹼为橘红色,喙为褐红色;母鸭与公鸭羽色相似,体绒和腹部羽毛以白色为主,背被羽毛褐红色,喙、蹼为橘红色。成年公鸭体重1.75～2.00 kg,成年母鸭1.65～1.90 kg,母鸭115天左右开产,年产蛋220枚,受精率达90%,孵化率为92%。

(一)雏鸭的饲养管理要点

雏鸭是指出生至30日龄之内的小鸭,这一期间的饲养管理要点主要抓好以下几方面:

1.育雏前的准备　准备育雏舍、水陆运动场、保温设施、垫草、竹围、喂料和饮水的用具等。在雏鸭入舍前3天,将雏舍打扫干净,用20%石灰水或2%～3%烧碱喷洒,喂料和饮水的用具洗净后用3%来苏儿消毒或在烈日下晒干备用。垫草要干燥,无霉烂,防止感染曲霉菌。另外,还应做好防鼠害工作。

2.鸭苗的选择　鸭苗要选择同一时间出壳、大小均匀、个体粗壮、绒毛有光泽、脐部收缩良好、眼大有神、行动灵活的雏鸭,凡是腹大、跛脚、盲眼等雏鸭均不适合。

3.分栏　大群饲养,育雏期间要用竹围或栏网将育雏舍间隔分成若干小栏,每个小栏能容纳雏鸭50～70只,以防止打堆挤压。随着日龄增加可扩大群体,再转大栏饲养。

4.保温　由于雏鸭的体温调节机能较差,育雏舍温度要保持20～30 ℃,要求是第1周27～30 ℃,第2周24～26 ℃,第3周以后不低于20 ℃为宜。

5.喂料　雏鸭出壳2 h后开食喂料,喂料和放水可以同时进行,雏鸭5日龄后赶其下水活动,10日龄后可以开始放牧。雏鸭消化机能弱,初生头3天可喂半生熟米饭,第4天开始加入粉料或喂小鸭全价料,同时加喂青料。

6.疫病防治要点

(1)出壳后3天注射雏鸭病毒性肝炎疫苗。

(2)饮水中加入适量的消毒药品,如百毒杀。

(3)育雏室实行严格的消毒隔离制度,非饲养人员不得进入育雏舍。

(二)中鸭的饲养管理要点

中鸭是指31日龄至开产前阶段的鸭。其养管理要点是：

1. 中鸭饲养应减少蛋白质饲料，以青粗料为主 31日龄开始可实行全天放牧饲养，夏季放牧应注意防暑，做到早出晚归，傍晚牧归后，必须给鸭群补喂稻谷，或以玉米粉40%、糠麸类40%、青料20%拌匀补喂。圈养条件下，以全价料喂养为主，到可上市出售时不做种用的要及时上市出售，减少饲养成本。留做种用的可继续饲养至开产前。

2. 疫病防治要点

(1)30日龄时注射鸭瘟疫苗和禽霍乱菌苗。

(2)100日龄时再注射鸭瘟疫苗和禽霍乱菌苗1次。

(3)平时注意内服预防药物。

(三)种鸭的饲养管理要点

饲养种鸭的要求是产蛋多，品质好，受精率和孵化率高，鸭苗健壮。种鸭对营养需要，除了维持生命活动外，还要用于形成蛋，因而需要较多的蛋白质和矿物质饲料。

1. 放牧条件下种鸭的饲养管理要点 放牧可以觅食多种植物等天然饲料，提高产蛋量和蛋的品质，降低成本。可根据不同气候条件采取不同的饲养管理方法。

(1)春季气温回暖，恢复产蛋，要增加放牧时间，进行补料，应加喂一定量的谷实、糠麸、动物性饲料，以加速体况恢复，提早产蛋。

(2)夏季放牧要早出晚归，中午在遮阳棚、树下沟塘边避暑，晚上适当补料。

(3)秋季是第2个产蛋高峰期，秋收时节放牧田间觅食遗谷，可少补料，深秋后增加补料可获得高的产蛋率和延长产蛋期。

(4)冬季天气转凉,鸭群放牧要晚出早归,晚上早入舍避寒,牧地选择朝阳背风地段,要增加补料以增加产蛋量。

2. 圈养条件下种鸭的饲养管理要点

(1)控制运动量。每日戏水2次,每次1 h左右,戏水面积不宜过大,通常每平方米5羽。

(2)饲料。以蛋鸭全价料为主,投喂少量的青绿饲料,或自配饲料,参考配方:稻谷粉20%,鱼粉7%,豆饼21%,菜子饼4%,矿物质5%,玉米30%,糠谷类13%。

(3)饲养密度。以每平方米6羽为宜。

(4)光照。实行全光照或半光照。全光照:晚上用电灯照明至天亮;半光照:电灯照明至晚上9时左右熄灯。

(5)防寒防暑。夏天通风,冬天要围栅防寒。

3. 疫病防治要点

(1)平时注意防疫消毒工作。

(2)圈养鸭实行全进全出制度,清栏后进行严格消毒。

(3)非饲养人员不得进入栏舍。

(4)防鼠灭鼠,保证安全,严防毒死鼠被鸭采食。

第八章　肉鸭疾病防治

第一节　鸭病的综合防治措施

鸭病的发生取决于两个因素:一是致病因素的强弱程度;二是禽体抵抗力的强弱。因此,实施科学的饲养管理,树立“防重于治”的思想,采取必要措施,消灭传染源,断绝传染途径,建立健康群体,是防治鸭病的根本。

现将鸭病预防的一些必要措施总结如下。

一、精心选择鸭场址,合理布局

养鸭场地要远离居民点,远离屠场、市场和交通要道,地势较高而不要位于低洼积水的地方,还要有充足和卫生的水源。

鸭场要合理布局,生产区、行政管理区、生活区要分开。鸭舍应建在高处,舍门朝南向阳,舍内宽敞,通风透光,并有充足活动场所,有保温防暑和安全措施,设计要便于消毒管理,供鸭游泳的池水要定期或必要时更换。兽医室、解剖室、密封的尸池、粪池应与生产区有一定的距离。

二、建立健康鸭群

欲建立健康鸭群必须做到:

(一)实行自孵自养

孵化过程中,要严格按卫生防疫的要求去做,种禽要健康并进行必要的预防接种；孵化用种蛋要尽早消毒，消毒后要防止重复污染；做好孵化室或孵化厂的卫生工作，室内空气保持新鲜，蛋盘不外借，用后消毒；不同来源的种蛋要分别孵化，减少传染机会，也便于查清疫源。

（二）执行“全进全出”的饲养制度

即一栋鸭舍只养同一日龄的鸭。因为不同日龄的鸭有不同易感或易发的疾病，如果一栋鸭舍内饲养着不同日龄的鸭，则日龄较大的患病鸭或已病愈的鸭可能带菌或带病毒，易传染给易感的小鸭，使疾病长期传播，造成经济损失。采用“全进全出”制则可避免这种情况的发生，提高鸭的成活率。

（三）按免疫程序进行免疫

免疫程序应因地制宜，根据本地区有无疫情和鸭群情况具体制定。一般来说，疫区每年应给鸭群接种弱病毒疫苗至少2次。

（四）防止由场外或外地引入菌、病毒或疾病

即贯彻自繁自养原则，尽量避免引进苗鸭、种鸭或种蛋。如须引进，应从非疫区引入，并做好严格检疫，隔离观察2周后，证明健康方可混入鸭群。

三、加强科学饲养管理

科学饲养管理的主要措施有：

（一）选好苗禽，精心育雏，适时开食和饮水

养好禽类的关键是选择优质健壮的苗禽，精心育雏要做到：第1天饮5%糖水、3%维生素B杂水和0.1%氯霉素，第2天饮0.02%高锰酸钾水，第3～6天再饮5%糖水、3%维生素B杂水及0.2%四环素和红霉素水。适时饮水和开食时间应在出壳后24 h。

(二)保持鸭舍清洁卫生,强化卫生管理制度

平时鸭舍进口处要设消毒池,鸭舍和鸭棚内要进行消毒,杀灭空气中、鸭体表、网具、地面、墙壁等处的病原体。

(三)注意保温,保持湿度

温度的忽冷忽热,往往是引起疾病流行的直接原因,尤其在育雏阶段,要注意保持鸭棚的温度。这一点主要取决于管理人员的责任心强弱。另外,鸭棚内的相对湿度也应保持在 70%~80%。

(四)优质全价饲料是健康鸭群的保证

(五)带鸭消毒

对以下 3 种情况可带鸭消毒:

(1)在鸭群发生急性传染病,被隔离封锁后,对鸭舍、活鸭进行喷雾消毒。

(2)一些大型养鸭场,最好每日对窝群或鸭舍进行喷雾消毒。

(3)在鸭群有链球菌或葡萄球菌感染和散发性禽出血性败血病等疫病发生时,每日或隔日对鸭群、鸭舍喷雾消毒。

(六)认真制定和严格执行定期的免疫接种制度

制定合理的免疫程序,适时进行免疫接种是防止鸭病发生的关键措施。

(1)1 日龄皮下注射病毒性肝炎疫苗 1 mL(100 倍稀释液)或卵黄抗体。

(2)2 周龄颈部皮下注射鸭瘟鸡胚化弱毒疫苗 0.5 mL,28 日龄重复注射一次。

(3)1 周龄和 3 周龄时分别注射 1 次小鸭浆膜炎氢氧化铝疫苗 0.5 mL。

(4)60~70 日龄和 120 日龄各注射 1 次禽霍乱菌苗。

(5)成年鸭每半年注射1次鸭肝炎弱毒疫苗0.5～1 mL,鸭瘟鸡胚弱毒疫苗0.5 mL,鸭霍乱苗1～2 mL。同时定期在日粮中添加磺胺-6-甲氧嘧啶0.1%,磺胺甲基异噁唑0.1%,广虫灵0.05%,复方新诺明0.02%～0.04%,优素精0.5%～0.6%等药物饲喂,以预防球虫病的发生。

(七)集约化鸭场的卫生防疫

疫病是危害集约化养鸭的大敌。若卫生防疫稍有疏忽,往往引起大批发病,甚至大量死亡。因此,养鸭必须贯彻"预防为主,防重于治,严格消毒,及时治疗"的总目标。建立健全鸭病防疫体系,制定疫病的净化、扑灭规划及实施方案,营造良好的内外环境条件,确保鸭健康生长发育。

1.种鸭场　种鸭场与商品鸭场、屠宰场或其他养禽场保持在100 m以上。每栋鸭舍之间最近在10 m以上。场区设进场门和粪污运输门。进场门设车辆消毒槽或池,消毒药可用2%火碱水、生石灰等。设人员出入消毒室或消毒走道以及更衣室。鸭运动场或鸭舍内垫干沙土。洗浴池或塘应为流动水,为种鸭创造洗浴、运动和交配的良好条件。产蛋鸭舍内在墙四周设产蛋槽,每5只产蛋鸭设一蛋槽,勤换垫草。要求凌晨产蛋后每隔2 h拣1次蛋,以防细菌污染侵入蛋内。种鸭于产蛋前注射1次鸭肝炎鸡胚弱毒疫苗,2周后重复1次,以后每隔半年注射1次,以提高免疫效果。

2.孵化室　孵化室应设在种鸭场附近,位于上风向,并与商品鸭场隔开一定距离。孵化室严禁非工作人员入内。工作人员进出必须严格消毒,更换工作服、靴帽等。孵化器每次用过后清除污物,用5%次氯酸钠擦洗。蛋盘冲洗晾干后置入孵化器内,进行福尔马林熏蒸消毒(每立方米体积用福尔马林 48 mL,高锰酸钾 24 g)20 min 以后通风备用。出雏器按雏盘或箱用 0.1%新洁尔灭清洗,然后熏蒸消毒。贮蛋室应设蛋熏蒸箱,每日收取的蛋应熏蒸消毒 1 次。严禁入孵粪污蛋或由池塘、运动场拣回的污染蛋,以免孵化中爆破而污染整个孵化器内环境。

3. 育雏舍　育雏舍门口设消毒槽或池。非工作人员不得入内。育雏舍每次用过后进行彻底消毒。铁丝网床或竹板床的床面、角落隔板、墙壁地面等处,用高压水龙头冲洗干净,不应有粪便滞留,待晾干后,关闭门窗,用福尔马林熏蒸消毒或用 0.2%过氧乙酸喷雾消毒整个鸭舍与床面等。育雏应采用全进全出制度。即同日龄的鸭进入,同日龄的鸭转出,中途不得引进新鸭,以便彻底消毒饲养管理。严禁从有疫情的鸭场或专业户购入雏鸭,注意剔出病残弱鸭。

育雏舍注意防寒防暑,要求室内温度为:第 1 周龄为 29.4～32.2 ℃;第 2 周龄为 23.9～26.7 ℃;第 3 周龄为 21.1～23.9 ℃。加强室内通风换气,保持空气新鲜。饲料盘应每次喂过食后用清水冲洗,如果为自由采食者则每日至少冲洗 1 或 2 次。

4. 中鸭舍　中鸭生长阶段是多种疾病暴发的适宜日龄,如小鸭病毒性肝炎、鸭传染性浆膜炎、鸭副伤寒、鸭大肠杆菌性败血病、鸭链球菌病和鸭球虫病以及营养代谢病等。这些疾病的发生都与饲养或环境卫生有密切的关系。加强饲养管理与环境卫生对提高成活率至关重要。

鸭舍进口处设消毒槽或池,非本舍工作人员禁止入内。

每日清扫鸭舍与运动场,加铺干沙、垫草或锯末垫料。鸭舍应通风良好,每平方米 12～15 只鸭为宜。定期加喂驱虫药,预防球虫病的发生。

5. 育成鸭舍　鸭舍与运动场应每日清扫,垫干沙土或木屑。夏天炎热季节设凉棚,防潮防暑;冬天垫草防寒保温。

每批鸭全部出售后进行一次大消毒。如果是按活重鸭分批出售,则 15 天左右消毒 1 次。同时加强禽霍乱及鸭瘟等病防治。

6. 新生雏鸭的保健　雏鸭入舍前对育雏舍和用具进行彻底消毒,提前 12 h 达到育雏要求的温度。雏鸭入舍后先饮水后喂料,并饲喂一些糖水和抗应激的电解质与维生素,或微生态制剂、速补多维素、赐美健、益生素、促菌王、调痢生等,以增强雏鸭的抗病能力。

7. 按鸭的免疫程序进行免疫

第二节　疾病与防治

一、病毒性疾病

(一)鸭流感

鸭流感是由 A 型流感病毒引起的疾病,这是多种家禽和野鸟的共患病,1878 年在意大利的养鸡业中首次严重暴发,以后欧、美、非、亚的一些国家养禽业中相继发生此病。1955 年,才正式证实是由 A 型流感病毒引起的。近年来,我国广东、广西、江苏等省区,有报道禽流感发生,并从病鸡和鸭体内分离到 A 型流感病毒。此病对养鸡业的威胁很大,但在鸭身上只能引起轻度呼吸道症状,单纯鸭流感死亡率很低或无死亡,继发性的细菌感染才是鸭致死的主要因素。另外,鸭常是带毒者,有可能成为人类流感病毒的基因库,所以具有公共卫生学的意义。

1. 病原　鸭流感的病毒是正粘病毒科流感病毒属的 A

型禽流感病毒(欧共体1999年新定义病毒是AI)。流感病毒按其抗原性不同可分为A型、B型和C型,后两者只对人发生感染。只有A型对人、猪、马和禽都致病,它对多种动物的红细胞有凝集作用。适于在鸭胚中培养生长,还可以在肠道和泄殖腔黏膜上皮细胞内大量增殖,并从粪便中排出,污染鸭活动区的湖泊、池塘和河流,但不能长期存活。

研究证明,该病毒的HA基因对鸭的致病力非常重要,另外该病毒的不同毒株,对鸭的致病力不同。1980年,南京农业大学在鸡鸭加工厂的鸭群中分离到了多种A型流感病毒毒株,但这些携带病毒的鸭外观却很健康。捷克斯洛伐克曾分离到一强毒株,对鸭的致死率达40%,我国台湾省也曾分离到一强毒株,使4周龄鸭群死亡率达75%,但许多毒株对鸭无致病力。

该病毒在pH 7~8时稳定,在pH 3时不稳定。受紫外线照射容易灭活。对福尔马林、碘类消毒药很敏感,许多普通消毒药液,如甲醛、过氧乙酸、来苏儿等均能迅速杀灭它。另外,它对热的抵抗力较低,56 ℃时30 min,60 ℃时10 min,70 ℃时2 min即可使其毒力致弱或灭活。但存在于自然环境中的该病毒,在寒冷的环境中存活时间可达数月以上,在-80 ℃时甚至可保持稳定数年。

2.流行病学　本病的发生,有人怀疑与候鸟飞来时带入病毒有关,但大多数报道认为接触传染是重要的传播途径,其传播方式有直接接触和通过气溶胶或污染物的间接接触两种,病鸭和带毒鸭是主要传染源,饲料、水、饲养管理用具、衣物、运输车等都是传播本病的重要传染物。一般经口传染,2~6周龄的雏鸭易感。其发病率和死亡率与病毒株的强弱有关,也与其他病的继发感染有关。

本病在许多养鸭发达的国家都有报道,在一些国家甚至造成较高的发病率和死亡率,但在大多数国家只引起鸭的轻度呼吸道感染或无症状。

3. 症状 该病在鸭体内的潜伏期变化很大,有的数小时,有的可达数天之久,这主要取决于病毒的亚型、感染剂量、传播途径和是否有并发症等。最急性型是由高致病力毒株引起的,常常无明显症状而突然死亡。慢性型是鸭最常见的病型,是由致病力弱的毒株引起。2~6 周龄的雏鸭易感。多数病鸭呈现呼吸道症状,病初打喷嚏,有浆液性或黏液性鼻分泌物,常堵塞鼻孔,引起呼吸困难,致使病鸭为缓解呼吸的困难,常摆头或张口喘息。一侧或两侧眶下窦肿胀。慢性病例缺乏特征性病症,仅见羽毛松乱、鸭体消瘦、生长缓慢。

4. 病变 主要病变是鼻黏膜发炎,在鼻腔和眶下窦中,充有黏液或浆液,有的病例则呈干酪样。鼻咽部和气管黏膜充血,气囊混浊、水肿,或有纤维素性炎症。

5. 诊断 当2~6 周龄雏鸭群中迅速出现鼻炎、鼻窦炎等呼吸道炎症时,就应考虑可能是鸭流感。这时就要进行实验室诊断,否则很难与其他患有呼吸道症状的疾病相鉴别。实验室诊断的要点如下:

(1)病毒的分离。取呼吸道分泌物或泄殖腔棉拭子病料,用生理盐水稀释成10%悬浊液,加入适量青霉素、链霉素,置室温中 1 h 后,给 9~11 日龄鸡胚尿囊腔接种,每胚接种 0.2 mL,37 ℃培养4 天,放冰箱 6 h 杀死鸡胚,收集尿囊液和尿囊液膜做平板血凝试验。据 Allan 氏经验,强毒株在24 h 出现血凝阳性,弱毒株 48 h 后出现血凝阳性。阳性者用各亚型血清、新城疫抗血清、副黏液病毒抗血清等进行 HI 试验。如果平板血凝试验出现阴性结果,可进行继代培养。

(2)病毒的鉴定。排除新城疫病毒的血凝试验:取1滴1:10稀释的非免疫鸡血清和1滴新城疫抗血清,分别滴在玻板上,然后在上面分别加1滴上述呈阳性的尿囊液和1滴5%鸡红细胞悬浊液,混合均匀,如果出现血凝阳性,证明尿囊液中无新城疫病毒。如果在抗血清中出现血凝抑制反应,则证明在尿囊液中有新城疫病毒。

琼脂扩散试验:凡属A型的各亚型病毒的核蛋白,具有型特异性共同抗原。一个A型流感病毒抗原或抗血清能检出所有A型流感病毒的抗体或进行抗原鉴定。型特异性抗原可由感染的鸡胚尿囊浆膜制成。将感染的尿囊浆膜不加稀释做成乳剂,在－20 ℃中冻融3次,3 000 r/min离心10 min,取上清液即为抗原。这种抗原与已知的A型流感抗血清进行琼扩试验,出现沉淀反应,证明为A型流感病毒。

雏鸭接种试验:取尿囊液1 mL,给2～3周龄的雏鸭进行静脉或气管内接种。2～3周后,如果出现鼻炎、鼻窦炎等呼吸道症状和相应的生理病变,即可证明为鸭流感,而尿囊内有A型流感病毒。

荧光抗体法:本法也是利用了A型病毒各亚型具有型特异性共同抗原的特点。针对某一亚型病毒制作荧光抗体,就能检出所有A型病毒的亚型感染细胞抗原。

6. 防治　本病无切实可行的药物治疗方法。为预防其细菌性继发感染。可用抗生素拌入饵料内,饲喂1周左右。

本病从历史上看,均为局部发生,短期内即能得到控制。一旦发现此病,应迅速做出诊断,将鸭群淘汰并进行封锁、隔离和消毒。国外曾应用禽流感灭活疫苗进行免疫接种,但只用于由低等或中等致病力病毒引起的,而不主张用于高致病力毒株引起的。

(二)鸭瘟

鸭瘟,即病毒性肠炎,是以鸭体温升高、黏膜出血、下痢和部分鸭头颈部肿大为特征的急性败血性传染病,故俗称"大头瘟"。本病在养鸭发达的国家曾有过几次较大规模的流行,传播迅速,发病率和死亡率都很高,经济损失严重,如1967年在美国纽约长岛地区暴发,造成100万美元的经济损大。我国1957年沿海地区发现此病。

1. 病原　该病病原为鸭瘟病毒。属疱疹病毒科,存在于病鸭各内脏器官、骨髓、血液、分泌物、排泄物中,肝和脾含量最多。

本病毒对外界环境有一定抵抗力。在低温 −10～−20 ℃条件下能存活347天;50 ℃经90～120 min方可灭活;在室温22 ℃条件下,其传染力可维持30天;但当温度在80 ℃时5 min即可死亡。夏季阳光直射、高温干燥和一般消毒药物,如1%～3%火碱(苛性钠)溶液、10%～20%漂白粉混悬液、5%甲醛溶液等,均能较快地杀死病毒。

2. 流行病学　本病一年四季均可发生,尤以春夏之交及秋季流行严重。不同日龄和不同品种的鸭均可感染。在不同品种中以番鸭、麻鸭和绵鸭最易感,北京鸭次之。在自然感染条件下,成年鸭和产蛋母鸭发病和死亡严重,30日龄以内的雏鸭较少发病。在人工感染条件下,雏鸭却较成年鸭易感,这可能是成年鸭受传染获得自然免疫机会多的缘故。另外,在水网地区尤为明显。

病鸭和带毒鸭是传染源,消化道是主要传播途径。易感鸭接触污染的饲料、水、运输工具而感染,也可通过交配和呼吸道传染。吸血昆虫可能为本病的传播媒介。

3. 症状　潜伏期一般2～4天。病初体温突然升高至43～44 ℃,呈稽留热型,病鸭精神不振,缩颈厌食,渴欲增加，两肢发软，走路蹒跚，双翅下垂，经常卧地，难以走动，若强行驱赶，则见两翅扑地而走。而且病鸭不愿下水，若强赶下水，则很快挣扎回岸。病鸭眼周湿润流泪，有的附有脓性分泌物，鼻腔流出浆液性分泌物，呼吸困难，常伴有湿性罗音。部分病鸭头颈肿胀，形成"大头鸭"。病鸭排泄绿色或灰白色稀粪，泄殖腔黏膜充血、出血、水肿。严重时黏膜松弛外翻，附有黄绿色假膜，不易剥离。

本病发病迅速，发病率和死亡率均高。严重时，病鸭2～3天死亡，一般不超过10天，整个流行过程为2～6周。

4.病变　鸭瘟病变以全身性急性败血症为主要特征。体表及全身的浆膜、黏膜和内脏器官有程度不同的出血斑或坏死。

病死尸体体表有出血斑，皮下组织有不同程度的胶状浸润，尤以"大头瘟"典型病例较为严重，皮下蓄有淡黄色透明的液体。

眼睑粘连，下眼睑黏膜出血。口腔黏膜和咽喉周围见溃疡灶，有黄色假膜覆盖。食道黏膜有纵行排列的灰黄色假膜，此假膜不易剥离，剥脱后可见大小不同的红色溃疡灶和出血斑，腺胃黏膜有出血斑。在腺胃与食道膨大部交界处，有时有一条灰黄色坏死带或出血带。肌胃角质膜下层充血，有时出血。肠黏膜有充血或出血性炎症。泄殖腔黏膜有出血性斑点和不易脱落的伪膜或溃疡。

肝脏不肿大，表面有灰黄色或灰白色大小不等坏死点和小出血点。胆囊肿大，黏膜充血或溃疡。部分脾脏有灰黄色或灰白色的坏死点。肾脏肿大，有出血点。

5.诊断　本病的临床特征为头颈肿大。剖检可见食道黏膜、泄殖腔假膜、出血斑等病变，可做出初步诊断。要进一步确诊，需做病原分离和血清学试验。

诊断时,应注意与鸭肝炎、鸭霍乱、鸭球虫病或成鸭坏死性肠炎进行鉴别。

6. 防治　本病一经发现,立即隔离,对鸭群及场地进行彻底消毒。早期治疗用抗鸭瘟高免血清,每只鸭肌肉注射0.5 mL,还可用聚细胞(一种内源干扰素),每只成鸭肌肉注射1 mL,3天1次,连用2或3次。

本病发生后,传染快,发病率和死亡率均高。因此,要树立"防重于治"的观念,加强综合防病措施。主要措施有:

(1)制定科学的免疫程序。由于鸭瘟的发病日龄已发生很大的变化,曾发生10～15日龄的雏鸭鸭瘟病例,因此广大养鸭户应及时调整免疫程序。5日龄的雏鸭应进行首免,肌肉注射抗鸭瘟疫苗0.3 mL;25日龄的雏鸭进行二免,肌肉注射1 mL,二免后免疫期为6个月;蛋鸭产蛋前或成鸭进行第3次免疫,肌肉注射1 mL,免疫期可达1年。为保护雏鸭,应加强对种鸭的免疫接种,以提高雏鸭的母源抗体水平。

(2)避免各种不良因素。疫苗应冷冻保存,运输过程中应注意保温。配制疫苗应用生理盐水或洁净的冷开水,配好后应在尽可能短的时间内用完,一次不能配得太多;配疫苗时不要乱加抗生素和其他药物,以免影响鸭体内抗体的产生。鸭的免疫接种应在胸部或腿部进行肌肉注射,注意消毒和针头的更换,免疫时剂量要足,紧急接种时剂量加倍。免疫接种前后3天内最好不使用其他药物,如果一定要使用,则不能用含抗病毒的药物,否则会干扰体内抗体的形成。

(3)加强饲养管理。在饲养管理过程中应坚持"预防为主,防重于治"的方针。没有发生过鸭瘟的鸭场应着重做好预防工作,不从有病的地区引进鸭子,必须从外地引种时,一定要经过严格的检疫，隔离观察7天以上，才能并群饲养，防止疫病的传入；对鸭群进行放牧，应首先了解当地的疫病情况，不到有病的地区放牧；饲养密度要适中，加强通风换气，勤添垫料，保持地面清洁干燥，尽可能减少多种因素的应激反应；不同日龄的鸭应分开饲养，饲养肉用鸭应坚持全进全出，以尽可能减少疫病传播和扩散。

(4)开展全面彻底的消毒工作。对鸭舍要进行定期打扫，定期消毒，鸭群出栏后要进行彻底清理、全面消毒，重视对地面、墙壁、用具的消毒，还应注意对鸭舍外的通道、进出人员和运输车辆的消毒。常用的消毒液有福尔马林、高锰酸钾、烧碱、消毒威、抗毒净、氯毒杀等。消毒间隔时间，一般来说每周1次，高温季节每周2次。发现病鸭应立即隔离，死鸭进行无害化处理。

(三)鸭病毒性肝炎

鸭病毒性肝炎是雏鸭的一种传播迅速的急性病毒性传染病，其临床特征为角弓反张，病理变化为肝炎。该病传播迅速，病程极长，死亡率高达90%左右。

1949年春，美国长岛研究所率先从幼龄北京鸭病体内分离出鸭肝炎病毒。其后在许多国家发现了该病。我国在1963年首次在上海发现该病，1980年在北京某鸭场分离到此病毒，此后在福建、广东、四川、广西、江苏等地都有发生此病的报道。

1.病原　该病病原为鸭肝炎病毒，有3个血清型，即Ⅰ、Ⅱ、Ⅲ型鸭肝炎病毒。它们之间无交叉中和反应和交叉保护作用。据报道，Ⅱ型病毒属星状病毒，Ⅰ、Ⅲ型属小核糖核酸病毒科肠道病毒属，能在鸭胚成纤维细胞和鸭胚肾细胞培养物中增殖，对鸭、鸡、鹅、小白鼠等动物的红细胞均无凝集反应。病毒对外界环境抵抗力颇强，在污染的育雏室内病毒能存活 10 周，在潮湿的粪尿中能存活 1 个多月，在 2% 来苏儿液中 37 ℃能存活 1 h。1% 福尔马林、2% 苛性钠处理 2 h，2% 漂白粉处理 3 h，可将其灭活。

病毒存在于病鸭的肝、脾、肺、心、脑等器官和肌肉组织中，尤以雏鸭肝、脾为甚，心、脑、肺次之。

2. 流行病学　本病主要侵害 3 周龄以内的雏鸭，成年鸭也可感染病毒，但不发病，成为带毒者。病鸭和带毒鸭是主要传染源。康复的雏鸭可从粪便中排毒 1～2 个月。被病毒污染的鸭舍、饲料、饲养用具、水、人员、车辆等都可成为本病的传播媒介。易感鸭群通过消化道和呼吸道感染。

本病一年四季均可发生，多数在冬季或早春暴发。传染迅速，发病率可高达 100%，死亡率可高达 90%。

3. 症状　潜伏期为 1～4 天。有些雏鸭发病常无任何症状而突然死亡，几小时后波及全群，出现多种不同临床症状。病鸭精神不振，呆立磕睡，食欲废绝，有些病例出现腹泻，之后出现神经症状，运动不协调，身体一侧斜向，头向后仰，背部着地，转圈下蹲，两脚痉挛性踢蹬，呈角弓反张姿势，又有“背脖病”之称。康复的雏鸭生长缓慢。有的严重的病鸭喙部和爪尖呈紫红色。

4. 病变　典型病变为肝脏肿大、质脆，表面有大小不等的出血点或出血斑。肝呈淡红色或显斑驳状，2～5 日龄的病雏鸭肝呈土黄色或红黄色。胆囊肿大，充满茶褐色或淡绿色胆汁。脾脏有时肿大，表面呈斑驳状花纹样，肾脏肿胀和树枝状充血，胰脏充血呈粉红色。心肌质软，脑充血、水肿及软化。

5. 诊断　主要通过本病流行病学、临床症状和剖检病变初步诊断。对本病的确诊必须通过实验室检查。通过鸡胚接种和病毒做中和试验，是本病较为可靠的诊断方法。

6. 防治　特异高免血清或高免卵黄液可以用来治疗和预防本病。一旦发现本病，立即用抗血清进行注射，每只雏鸭肌肉注射 0.5 mL，可阻止疫病传播和减少死亡，保护率达 90%～100%。

用雏鸭病毒性肝炎弱毒疫苗或灭活疫苗，每只母鸭免疫 2 次，每次 1 mL，间隔 14 天。经免疫的母鸭所产蛋孵出雏鸭，可因被动免疫，维持 2～3 周不感染本病。

（四）鸭网状内皮组织增殖病

本病是由网状内皮组织增殖症病毒引起的以网状内皮细胞增殖为特征的一种肿瘤性疾病，是火鸡、鸡、鸭和其他鸟类的一种共患病。Twiehaus 1958 年从患内脏淋巴瘤的火鸡中分离到一种可使鸡和雏火鸡发生急性死亡的病毒，称为 T 株病毒，以后在澳大利亚、匈牙利、英国、德国和日本相继有报道。本病在鸭的临床特征是贫血和生长迟缓，主要病理变化是肝脏和脾脏坏死，细胞浸润或增生。发病率和死亡率均较低。

1. 病原　病原是核糖核酸病毒科逆病毒属中的网状内皮组织增殖病毒群，主要侵害火鸡、鸡、鸭等 3 种禽类。

本病毒群在形态学上，与禽白血病肉瘤病毒群中的病毒相似，但无血清学的关系。本病毒群中的病毒有囊膜，在 −70 ℃可长期保存。在 −56 ℃下 50% 甘油中的肝乳剂中，可使传染性维持 14 个月；在 4 ℃经 24 h 即可降低传染性，在 37 ℃20 min 传染性至少要丧失 50%，7 h 即可丧失 99%。

不同毒株之间致病力差异很大。强毒株经细胞培养传代后，可使致病力降低。

2. 流行病学　在鸭群中雏鸭较成鸭易感。家鸭的传染来源可能是野鸭，主要传播途径是接触传染。腹腔、肌肉或皮下人工接种,较口腔或鼻腔接种易感。

3.症状　分为急性和慢性两类。急性症状死亡很快,除精神不振外很少出现其他症状。慢性病例体质衰弱,生长迟缓或停顿,羽毛稀少,全身性贫血,很少出现肢体麻痹等神经症状。

4.病变　本病毒群可引起3种类型的病变,每株病毒株主要引起一种类型的病变。T株主要引起内脏增生型病变,SN株主要引起坏死性病变。DIA和T株都可引起鸭贫血。各病毒株均可引起鸡和火鸡的神经性病变,但鸭却少见。

(1)内脏增生型。主要病变为肝脏和脾脏显著肿大,表面有增生性病变,有时还有坏死性病变。肠道病变主要是肠壁增生性变厚,有网状细胞性浸润区和坏死性病变。

(2)神经增生型。在肝脏细胞浸润区,经常见到浸润细胞沿神经纤维排列,有的神经水肿,并发生分离现象。

(3)坏死病变型。主要见于脾脏,还有大区域性出血;其次是肠道上皮组织坏死,上皮细胞脱落,并残留有溃疡灶,有时延伸至肌层。

5.诊断　主要依靠病理变化、病毒的分离与鉴定和血清学试验来进行诊断。病理变化以组织增生、坏死和贫血为特征,但要与类似的淋巴肉瘤病毒群病相鉴别。

6.防治　本病目前尚无治疗方法。由于本病为一种新的疾病,也无系统的预防方法,只能采取一般性防疫消毒和卫生管理措施。至今还没有使用疫苗进行免疫接种的试验报道。

(五)鸭痘

鸭痘是由痘病毒引起的一种急性传染病,其临床症状是皮肤、口腔、眼睛上出现痘斑。本病在我国未见报道,而印度于1965年有自然感染病例的报道。

1.病原　病原为鸭痘病毒，是禽痘病毒群中的一个新成员。目前对其生物学了解甚少，但在临床症状和病理变化上，与其他禽痘相似。

2.流行病学　各种日龄的鸭均可感染，雏鸭比成鸭易感。

3.症状　该病症状分皮肤型、眼型、口腔型3种类型，其中以皮肤型最常见，约占90%，眼型占7%，口腔型占3%，混合型也有，但很少见。

病初体温稍高，迟钝，食欲下降，产蛋下降或完全停止。

(1)皮肤型。在鸭的嘴角和与鸭喙连接的皮肤上、眼睑处皮肤上，均出现大小不等的结节状痘样疹，并经常汇集成较大的疣状结节。其他如跗关节以下的足部趾或蹼上，也会出现结节状痘状疹。

(2)口腔型。最初在口腔黏膜上出现灰白色痘疹。在口角处有结节样疹，逐渐变黄，后期形成溃疡，经10～15天愈合，不形成伪膜。

(3)眼型。病初有水样分泌物，后逐渐形成脓性结膜炎，常将上下眼睑黏合在一起，严重时，一侧或两侧眼睛失明。

4.病变　皮肤上痘状结节在上皮层发生坏死，破坏了正常的细胞结构，表皮下层细胞增生，个别细胞明显膨大。真皮下层基底部发生水肿，有异嗜性细胞和其他炎性细胞聚集。该处毛细血管扩张，充满血液细胞。痘样结节状病变干涸后成痂，痂脱落后留下一个暂时性的瘢痕。

5.诊断　典型的皮肤损害，可作为诊断依据。眼型和口腔型较难诊断。进一步确诊要进行病毒分离和病理组织学检查。

6. 防治　本病死亡率较低。一般采用常规综合性措施预防。目前，尚无有效的治疗方法，也未见疫苗接种报道。一旦发生本病，为了防止继发性细菌感染，可使用碘制剂涂擦痘疹。

（六）番鸭细小病毒病

番鸭细小病毒病是 20 世纪 80 年代末发现的一种仅限于雏番鸭发生的病毒性传染病，其临床主要症状为腹泻、喘气、软脚。由于该病主要发生于 3 周龄以内的雏番鸭，故俗称“3 周病”。

本病 1989 年首次报道于法国。1985 年以来，我国福建省一些地区的养鸭场陆续发现本病。其发病特点很像小鹅瘟，发病率和死亡率较高。

1. 病原　本病病原是细小病毒科、细小病毒属的番鸭细小病毒，为球形单股 DNA 病毒，无囊膜。可在番鸭胚中增殖，并能致死 10～12 日龄鸭胚，也能在鸭胚原代细胞中增殖，且病毒滴度很高。

本病毒对紫外线照射敏感，但对乙醚、氯仿、胰蛋白酶、酸、热均不敏感。亦不能凝集哺乳动物、禽类和人类的红细胞。

2. 流行病学　本病只感染雏番鸭，1～5 周龄为易感期，7～20 日龄最易感。病的流行无明显季节性，死亡率较高，达 40%～50%。本病毒通过何种途径传播尚不清楚。

3. 症状　据林世棠等报道，本病临床症状为气喘和腹泻，多数病鸭流鼻涕、甩头、呼吸困难、张口呼吸或气喘。粪便稀薄呈灰白色或灰黄色。而法国弗尼尔报道，本病临床症状为角弓反张和腿麻痹等神经性症状。病后期，喙发紫，喘气频繁，最后衰竭而死。病程 2～5 天，少数可达 1 周以上。康复鸭呈现极度消瘦，营养不良和无毛，成为“僵鸭”。

4.病变　剖检可见主要病变为胰脏坏死和充血，肝稍肿大，部分病例脾肿大、充血和出血。肠道呈卡他性炎症和肠黏膜有不同程度充血、出血，尤以十二指肠和直肠后段为甚。

5.诊断　据流行病学调查，本病仅限于2～4周龄雏番鸭，其他年龄鸭和其他禽类不发病，主要临床症状为腹泻、喘气、软脚，再结合剖检变化，做出初步诊断。要确诊，必须取病死番鸭的肝、脾、胰进行实验室病毒分离、接种和鉴定。

6.防治　各种抗生素和磺胺类药物对本病均无治疗效果。本病的特异性免疫有赖于被动免疫。对已感染发病的早中期雏番鸭，每只皮下注射1 mL番鸭细小病毒血清，治愈率可达50%。对已感染发病的雏番鸭的同群雏鸭，每只皮下注射抗血清0.5～0.8 mL，保护率可达80%～90%。对初出炕的雏番鸭，每雏注射0.3 mL抗血清，可预防本病感染，保护率达95%左右。也可采用免疫蛋黄或康复番鸭蛋黄制成的卵黄匀浆，进行治疗或紧急预防。应用鹅制或羊制的抗血清，用于本病的紧急预防和治疗，也具有较好的效果，但剂量需加大1倍。必要时，在第1次注射后10天左右再注射1次，尤其是作预防注射，可提高保护率。

应该指出的是，加强雏番鸭的饲养管理和饲养场、工具、种蛋等的消毒，才是防病的主要措施。

附：鸭新城疫

鸭新城疫是由副粘病毒引起的一种疾病，该病主要是无症状性感染，很少引起重病。国内外学者对该病的调查研究结果，可归纳为：

(1)鸭对新城疫病毒的敏感性较差。

(2)鸭主要通过呼吸道和消化道感染。

(3)鸭能携带该病毒，但带毒时间和排毒多久，尚需进一步研究。

(4)鸭在新城疫病毒的传播作用上,目前看来不太重要。

(5)在一般情况下,鸭新城疫多呈现无症状感染。至于出现死亡或有其他症状,可能与病鸭日龄和病毒毒力有关。

(七)番鸭白点病

它是番鸭发生的一种以肝、脾出现大量白色坏死点为特征的疾病。其传播快,发病率及致死率均高。用各种抗菌药物及现有各种高免血清(雏鸭病毒性肝炎高免血清、抗小鹅瘟高免血清,抗番鸭细小病毒高免血清)治疗无效。因本病的病理变化极具特征性,故本地俗称为"番鸭白点病"。

1.流行病学　1998 年冬本病先在个别养殖户发生。因肝脏具有白点状坏死并具心包炎、肝周炎变化,养殖户误以为巴氏杆菌病和浆膜炎,用各种化学药物及抗生素治疗无效。本病传播迅速,即有番鸭的地方就有本病的存在。因其有高发病率和高致死率,故极具危害性。迄今为止只发生于番鸭,尚未见有其他家禽发病。本病最早发生于 10 日龄,最晚 2 月龄,通常多见于 10～25 日龄(此时是死亡高峰),发病率可达 100%,死亡率在 50%左右,严重者可达 90%以上。该病一年四季均可发生,尤以夏天潮湿季节多见,主要以消化道及接触性传染为主。

2.临床症状及病理变化

症状:发病急。病鸭精神沉郁,羽毛松乱无光,乏力,软脚。呼吸急促,怕冷,扎堆,拉稀,最后衰竭死亡。病程为 2～3 天。

剖检病变:主要见肝脏散布有多量灰白色病灶。病灶由针尖大小到粟粒大小不等,尤以脾脏为甚。其实质切面均可见多量粟粒大灰白色结节,与正常组织分界明显。在肝脾表面往往会被覆有黄白色纤维性蛋白膜。肺充血、出血，有时亦有灰白色结节。肾脏充血稍肿，肠道一般为卡他性炎症，有时某段也会发生肠壁增厚并有大量的白色坏死点。

组织学变化：取病鸭的心、肝、脾、胰、肠组织制成石蜡切片。HE染色、镜检，心瘀血，肝脏组织轻度瘀血，肝细胞肿大，颗粒变性，组织内有局灶性淋巴样细胞浸润。脾脏小动脉管壁呈透明变性，白髓部分呈空泡状，小肠绒毛排列紊乱。

3. 诊断

(1)病毒分离培养。鸭胚接种，无菌取病死鸭有典型病变的肝组织制成抗原，接种于13日龄番鸭胚和麻鸭胚。每种鸭胚各5枚，每胚0.2 mL，置38 ℃恒温培养、观察96 h后，攻毒胚全部被致死。死亡番鸭胚的病变主要表现为皮肤出血、水肿，尤以躯干为甚。试验证明不凝集鸡、番鸭、麻鸭和山羊红细胞。

(2)动物回归试验。用收获的鸭胚组织液攻击3日龄健康番鸭，156 h后全部致死，死亡率100%，其病理变化与自然病例完全一致。取病鸭肝组织液攻击健康番鸭或番鸭胚均能致死，病变与上相同。

(3)传染性试验。如以攻毒后番鸭(经严格消毒，橡皮胶封密封攻毒部位)与健康鸭同圈混养，定期施用抗菌药物以防其他细菌性疾病的发生，健康鸭则于140 h后发病，148 h死亡，病变典型。接触和消化道感染是本病传染的一条重要途径。

4. 防治　用自制的灭活疫苗，在雏鸭5日龄时每只肌肉注射0.5 mL。因本病发病日龄很早，所以应特别注意雏鸭早期的环境卫生，并防止在免疫时受污染使强毒在机体未产生足够抗体水平时感染发病。

特异性疗法:用当地分离毒制成的高免血清和高免卵黄抗体均有较好的治疗效果。此病易继发浆膜炎、大肠杆菌病,因此应用抗浆膜炎“白点病”二联高免血清,效果则更理想。如辅以适量抗菌药物治疗将更会起到事半功倍的作用。实践证明,抓住治疗时机很重要,治疗也应尽量做到“早、准、狠”。

(八)雏鸭甘保罗病(法氏囊炎)

1.临床症状　病鸭精神委顿,羽毛蓬松,食欲减少或废绝;大部分病鸭喜卧,两腿无力,走路摇摆;排浅白色或浅绿色含有气泡的水样稀粪,粪中混有白色尿酸盐,泄殖腔周围羽毛被粪便污染。

2.剖检变化　法氏囊肿大2~3倍,表面暗紫色,切开后囊腔内有紫色糊状渗出物,皱壁黏膜暗红色,明显增厚,出血;胸肌、腿肌有明显的出血,呈斑点状或条纹状;病死鸭的肝表面呈土黄色或淡灰色,轻微肿大;肾有不同程度的肿大,输尿管内有白色尿酸盐沉积;肌胃和腺胃交界处有出血带,腺胃乳头肿胀;肠道黏膜有出血点,盲肠扁桃体肿大、出血。

3.实验室检查

(1)血清学检查。采集病鸭心血,分离血清与甘保罗病标准抗原做琼扩试验,结果为阳性;用病死鸭的法氏囊为病料制成组织匀浆上清液,与该病标准阳性血清做琼扩试验,结果为阳性。

(2)复制试验。取病死鸭法氏囊,称重后加等量生理盐水,剪碎研磨,取悬液(0.5 mL/羽)经滴鼻感染20日龄的雏鸭、仔鸡,感染48 h后,仔鸡出现症状,剖检见有甘保罗病的特征性病变,而雏鸭只出现一过性精神不振。

4.防治　鸭发病后立即停止放牧,每只鸭肌肉注射鸡甘保罗病高免蛋黄抗体 1.0 mL 后，病情迅速得到缓解。同时对鸭舍、用具等进行消毒，注意鸭舍的温度和通风。

二、细菌性疾病

（一）鸭霍乱

禽霍乱又称家禽出血性败血病。本病是由多杀性巴氏杆菌引起，也称巴氏杆菌病，是鸡、鸭、鹅和火鸡的一种接触性传染病。发生在鸭体上，主要临床特征为排绿稀粪，浆膜上有小出血点，肝脏上布满灰黄色点状坏死灶。此病发病急，死亡快。本病是危害养鸭业的一种严重传染病。

1. 病原　为多杀性巴氏杆菌（禽型），革兰氏阴性，近似卵圆形的小杆菌，常单独存在，有的成对，也有的呈短链状或丝状。不形成芽孢，无鞭毛，不能运动。新分离出的菌体有荚膜，经人工培养后，荚膜消失。

本菌有 16 个血清型，其中 4 个血清型与禽霍乱有关。本菌对一般消毒药抵抗力不强，在 5% 石灰乳、1% 漂白粉、1% 石炭酸、3%～5% 煤酚皂溶液中，数分钟即可杀死；在 60 ℃时 10 min 即可灭活；在直射阳光下很快死亡，而在干燥空气中可存活 2～3 天；在血液、分泌物或排泄物中能存活 6～10 天；在腐败尸体中能存活 3 个月；埋在土壤中可生存 5 个月。

2. 流行病学　本病无明显季节性，在我国北方地区以春秋季多发，南方地区以秋冬季多发。气温较高、多雨湿潮、天气骤变、饲养管理不善等多种因素，都可促使本病发生和流行。

各种家禽和多种野鸟都能感染本病，尤以鸭、鹅、鸡最易感。各种日龄的鸭均可感染。但以 30 日龄以内的雏鸭发病率较高，死亡率也高，成年鸭发病较少。死亡率也较低。病鸭、带菌鸭以及其他病禽是本病的传染源，其他如往来人员、运输工具、野生动物和禽类也可能成为本病的传播媒介。本病的传播途径一般是消化道和呼吸道，呼吸道传染是经飞沫传染或尘埃传染，消化道传染是通过采食和饮水。

本病的流行特点是传播稍缓，且有间歇性。

3. 症状　据病程长短和严重程度，本病分为最急性、急性和慢性 3 种类型。

(1)最急性型。表现为鸭子突然死亡。有时前一天晚上还很好，第 2 天突然死亡；有的鸭子在游泳或放牧途中，突然死亡。

(2)急性型。鸭群采食量减少，精神不振，产蛋量下降。病鸭步履蹒跚，不愿下水，羽毛松乱，不食，体温升高到42～44 ℃，嗉囊积食胀大；倒提起，口鼻流出酸臭液体，也有咳嗽、喘气、摇头症状，俗称“摇头瘟”；病鸭下灰白色、灰黄色或黄绿色痢，后期瘫痪，1～3 天死亡。

(3)慢性型。疫情后期，部分病鸭转为慢性，体质消瘦。下肢关节肿胀，跛行。病程较长时，肿胀关节硬化，继发感染化脓，若不及时治疗，可导致败血死亡。

4. 病变　最急性病例，体表检查可见眼结膜出血发绀，剖检可见浆膜点状出血，肝表面有细微的灰白色或灰黄色坏死病灶，这是典型病变。也有皮肤见出血点，心外膜和心冠脂肪有出血点，心包液增多，呈淡黄色透明状；也有的胆囊肿大，肠道黏膜呈现充血和出血性炎症；也有的肠段呈现卡他性炎症，肺有炎症、气肿和出血性病变。

慢性病例多呈关节炎型：关节肿胀，关节囊壁增厚，关节腔内有暗红色混浊而黏稠液体，也有的关节腔内有干酪样物质。肝脏一般有脂肪变性，或有坏死灶。

5. 诊断　本病依据流行病学和临床剖检不难诊断。要确诊，还需进行细菌学检验。

6. 防治

(1)接种疫苗目前我国生产的禽霍乱疫苗有两种：一种是弱毒疫苗；另一种是油乳剂灭活菌苗，可定期进行接种。

(2)治疗。多采用肌肉注射和拌饵投喂双管齐下。用青霉素钠盐 80 万 IU，用复方安基比林液稀释，每只鸭肌肉注射 1 万～2 万 IU，每日治疗 1 次，连续 2 天，同时每 50 kg 饲料加入土霉素 40～50 g 饲喂，连喂 5～7 天。或者在革兰氏阴性菌继发感染情况下，青霉素钠盐，每瓶 80 万 IU，链霉素 100 万 IU，溶于生理盐水中，给 40～80 只病鸭治疗，以每只肌肉注射 0.5～1 mL 为宜，每日治疗 1 次，连续 2 天，同时喂服土霉素 5～7 天。

(二)鸭疫巴氏杆菌病

鸭疫巴氏杆菌病，又名鸭传染性浆膜炎或鸭败血病，是侵害雏鸭的一种慢性或急性败血性传染病，以全身浆膜面发生纤维素性炎症为特征。

1. 病原　病原为鸭疫巴氏杆菌，革兰氏阴性菌，不运动，无芽孢，多为小杆菌，也有椭圆形，单个存在，少数成双，偶尔长丝状。瑞氏染色呈两极浓染，印度墨汁染色可见细菌的荚膜。

本菌不能在普通琼脂培养基和肠道培养基培养，需用巧克力培养基。在自来水和垫料中可存活 13 天和 27 天，对青霉素、新生霉素、氯霉素、链霉素、红霉素、氨苄青霉素、四环素等均敏感，对卡那霉素和多粘菌素 B 有耐药性。

2. 流行病学　本病 1932 年首先在美国纽约长岛发现，6 年后美伊利诺斯州也发现此病。此后，英国、加拿大、挪威、原苏联、澳大利亚等均发现此病。1982 年后国内才有报道。

2～8周的雏鸭易感本病，其中以2～3周龄鸭最为易感。发病无明显季节性，但以春冬寒冷季节最易发。主要经呼吸道和皮肤伤口感染。有雏鸭舍鸭群密度过大，空气不流通，场地潮湿、肮脏，饲料中蛋白质含量过低，缺乏维生素和微量元素均可能导致本病的发生。污染鸭群中，感染率可高达90％以上，而死亡率高低不等，低的5％，高的可达80％。

3. 症状　病初，患鸭表现为眼和鼻腔流出浆液性或黏性分泌物，使眼眶周围的绒毛粘连在一起；轻度咳嗽、打喷嚏，然后出现运动失调，头颈战栗，倦怠，昏睡，排黄绿色粪便。病鸭腿软衰弱，行走困难。病程后期，患鸭出现瘫脚，无法站立并出现神经性症状，如痉挛、摆头、角弓反张，常见抽搐而死。

4. 病变　主要病变是全身浆膜面发生纤维素性炎症，尤以纤维素性心包炎、纤维素性肝周炎及纤维素性气囊炎最为明显。病程较长的病例，炎性渗出物呈干酪样。

(1)心脏。急性病例心包炎、心包积液、心包膜有纤维素性渗出物附着。慢性病例，心包内有纤维素块填充，心包膜与心外膜粘连。病程较久者，渗出物呈干酪样。

(2)肝脏。肝脏表面覆盖着一层灰白色或灰黄色纤维素膜，容易剥脱。肝呈土黄色或红褐色。肝实质较脆，胆囊肿大，有时肝脏也稍肿大。病程较长的病例，肝表面渗出物有机化，形成淡黄色的干酪样团块，不易剥脱。

(3)气囊。多数病例的气囊壁上附有纤维素性渗出物。病程较长的，渗出物可部分钙化。

(4)脾脏。有的病例脾脏明显肿大，呈红灰色斑驳状，表面附有纤维素性薄膜，有的肿胀不明显。

(5)腔上囊。体积很小,黏膜上皮变性脱落。

(6)其他脏器。肺间质水肿,纤维素性脑膜炎、输卵管炎、关节炎等。

5.诊断　根据临床症状、病变相、发病流行情况,可以初步诊断。确诊时还要进行实验室诊断。

6.防治

(1)加强饲养管理,预防雏鸭发病。包括冬季防寒,夏季防暑,合理放养,经常通风,勤换垫草,"全进全出"等。

(2)治疗。①氯霉素按0.04%～0.06%混料投喂,连用3～5天,同时加喂维生素添加剂;②庆大霉素每千克体重肌肉注射4 000～8 000 IU,每日1或2次,连用2～3天;③复方敌菌净按0.04%混料,4～6天一个疗程;④磺胺喹沙啉按0.1%～0.2%混料,连喂3天,停药2天后,再连喂3天。

(3)接种菌苗。国内外均有研究,并在生产中试用,获得较好免疫效果。另外,国外还在试验气雾免疫和口服疫苗免疫,已在美国和加拿大试用,效果不错。国内有报道,用油佐剂灭活疫苗皮下注射,效果最佳。

(三)鸭副伤寒病

鸭副伤寒病是由沙门氏菌引起的一种急性或慢性传染病,以下痢和内脏器官的灶性坏死为特征。

1.病原　病原为沙门氏杆菌属的多种细菌,有6或7种,其中最主要的是鼠伤寒沙门氏菌。革兰氏阴性菌,无芽孢,有鞭毛,能运动,能在多种培养基生长。其抵抗力不强,60 ℃ 5 min死亡,一般消毒药可很快将其杀死。病菌在土壤、粪便和水中生存时间很长。

2.流行病学　本病在雉科禽类、游禽类、鸣禽类以及属于不同科属的禽类均可感染,并能相互传染。雏鸭尤其易感，常呈暴发流行。3月龄以上鸭很少发生。

鼠类和苍蝇是副伤寒菌的主要带菌者，在马、牛、羊、猪、犬、猫等家畜体内及皮毛兽、肉食兽等都可能是带菌者。其传播方式主要是通过消化道传染，也可以通过种蛋传染。

3. 症状　本病潜伏期一般为10～20 h，少数潜伏期长。其症状分急性、慢性和隐性3种类型。

(1)急性。常发生在3周龄以内的雏鸭。感染的雏鸭精神委靡，不思饮食，两翅下垂，缩颈呆立，不愿活动，两眼流泪或有黏性分泌物。常见下痢、颤抖和共济失调，最后常因抽搐、角弓反张而死，病程一般1～5天。

(2)慢性。常发生在1月龄左右的雏鸭和中鸭中，表现为精神不振，食欲降低，粪便软稀，严重时下痢带血，逐渐消瘦，羽毛松乱，也有喘气、关节肿胀、跛行等症状。通常死亡率不高，只有在其他细菌继发感染情况下，才呈现较高死亡率。

(3)隐性。不表现临床症状，但其粪便中带菌，能导致本病流行。常见于成年鸭。

4. 病变　刚出壳不久而死亡的雏鸭，大都是卵黄吸收不全，脐部发炎。肠黏膜呈现卡他性或出血性炎症，肝脏稍肿瘀血。较大些的病鸭，肝肿大，古铜色，表面常有灰白色坏死点，盲肠内有干酪样物质形成的栓子，直肠扩张增大，充满秘结的内容物。心包炎和心肌炎。肾脏苍白。气囊膜混浊不透明，常附有黄色纤维素性渗出物。

5. 诊断　本病主要靠实验室诊断，分离和鉴定病原菌。

6. 防治

(1)预防。防止种蛋污染，保持产蛋箱清洁卫生，经常更换垫料，种蛋及时分类、消毒、入库；各种工具、设备定期消毒，注意灭鼠灭蚊蝇。饲料、饮水要消毒，防止雏鸭感染；

加强饲养管理,防寒、防暑、防潮、通风,常换垫草。

(2)治疗。用土霉素、痢特灵、氯霉素均有良好效果。前两者拌饵,后者肌肉注射,双管齐下,治疗3天即可痊愈。

(四)鸭大肠杆菌病

鸭大肠杆菌病是一种急性败血性传染病,其临床症状多种多样。通常为亚急性的心包炎和气囊炎,也可表现为致死性的败血症和慢性肿瘤样的大肠杆菌肉芽肿等症状。

1.病原 病原是大肠杆菌,革兰氏阴性,不形成芽孢和荚膜,有鞭毛、能运动。它有许多血清型,大多数不致病,能致病的有 O_{78}、O_{2}、O_{118}、O_{119}、O_{73}和 O_{11}等。这些血清型在特殊培养基上生长时能被刚果红着色,这一特点可用于致病性大肠杆菌的鉴定。

大肠杆菌对理化因素很敏感,55 ℃ 1 h 或 60 ℃ 20 min 即可杀死,在室温中可生存1～2个月,在土壤和水中可达数月之久。对氯敏感,每升水中含有0.2 mg 游离氯即能杀死本菌,一般常用浓度的消毒药也可在5 min 内将其杀死。

2.流行病学 大肠杆菌在自然界广泛分布,各种日龄鸭均易感染,但以雏鸭最易感。发病的鸭场往往是卫生条件差、潮湿阴霉、不通风。发病季节多为秋末、春初,其他季节也有零星感染。

本病传染源主要是病禽和带菌的禽类,通过呼吸道和消化道进入体内,也可通过皮肤伤口感染。鸭舍内吸血昆虫和体表寄生虫都有可能是发病的重要因素。种蛋被大肠杆菌污染,会直接影响孵化出雏率,也会引起雏鸭的大肠杆菌病。

3.症状 新出壳的雏鸭患病后,体质软弱,合眼缩颈,腹围较大,常有下痢,多因败血症死亡。较大些的雏鸭,则呈现精神不振，无食欲，呆立缩颈嗜睡，两眼和鼻孔有黏稠分泌物，排灰绿色稀粪，喘气、体弱，常因败血脱水而死。患病成年鸭，表现喜卧，不愿活动，站立时，可见腹部膨大下垂，呈企鹅状，手触有液体波动感，穿刺有腹水流出。

4. 病变　鸭大肠杆菌病主要以败血症的病理变化为主要特征。肝肿大，呈青铜色或胆汁状的铜绿色。脾肿大，呈紫黑色斑纹状。卵巢出血，肺有瘀血或水肿。全身浆膜呈急性渗出性炎症，心包膜、肝被膜和气囊壁表面附有黄白色纤维素性渗出物。腹腔有渗水性炎症，腹水为淡黄色，肠道黏膜呈卡他性或坏死性炎症。

5. 诊断　本病临床症状与鸭疫巴氏杆菌病很难区别，必须进行病原菌的分离和鉴定，才能确诊。

据美国有关资料报道，鸭大肠杆菌病，以胆、心血和胆囊为病料检出率最高，其次是肝脏和脾脏。而鸭疫巴氏杆菌与此略有区别(图 8-1)。

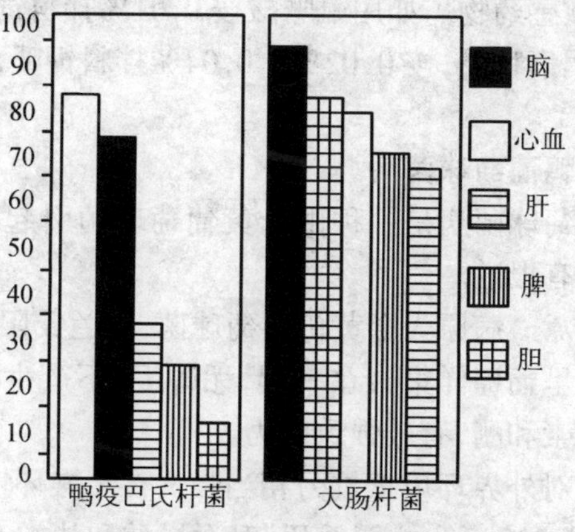

图 8-1　鸭疫巴氏杆菌和大肠杆菌从各器官分离率比较

雏鸭可从心血、卵黄囊和脐炎病变处取样分离大肠杆菌,成年鸭宜从心血和腹膜炎渗出物中分离。分离出细菌后,给敏感鸭接种,引起发病和典型的病理变化,即可确诊。

6. 防治

(1)预防。加强饲养管理,严格防疫卫生管理制度。注重工具设备消毒,定期对带禽鸭舍消毒,饮水、饲料定期添加抗生素,引种蛋或鸭苗要从无疫区引进,尽可能防止寄生虫病发生。

(2)接种菌苗。美国曾用致病大肠杆菌 O_{78} 菌苗,制成灭活疫苗,并与鸭疫巴氏杆菌苗制成联苗,在鸭场应用,效果显著。

我国选用常见的大肠杆菌血清型菌株,制成多价大肠杆菌灭活苗,经鸭场试用,效果也不错。

(3)治疗。抗生素、呋喃类和磺胺类药物对本病均有疗效。由于一般肠道内细菌易产生抗药性,因此需做药敏试验,选用敏感药物。如用氟哌酸按 0.01% 拌料饲喂,连喂 3 天,或者用痢特灵,按 0.02%~0.04% 拌料饲喂,连用 5~7 天。

(五)鸭葡萄球菌病

鸭葡萄球菌病是一种由金黄葡萄球菌引起的传染病,近几年常有报道。

1. 病原　病原为金黄色葡萄球菌,革兰氏阳性,菌体成对排列或呈葡萄样集聚在一起,无鞭毛,不产生芽孢,能产生多种毒素和酶,有较强致病力。

本菌对外界环境抵抗力相当强。在干燥环境中可存活数周,60 ℃ 30 min 才能杀死;对石炭酸和盐类有较强抵抗力;对各种药物,尤其是抗生素类药物,易产生耐药性。

2. 流行病学　葡萄球菌广泛分布于自然界,经常存在于禽类体表皮肤羽绒上，能引起多种禽类感染，尤其是鸭、鹅，其次是鸡和火鸡。鸭皮肤外伤和黏膜损伤，是本病发生的主要因素。种蛋和孵化器被污染，会造成胚胎早期死亡，孵出的雏鸭易死亡，也容易患脐炎。

3. 症状　本病可分为脐炎型、皮肤型、关节炎型和内脏型4种。

脐炎型：常发生于7日龄以内的雏鸭，表现为体质瘦弱，缩颈合眼，不思饮食，卵黄吸收不良，腹部膨大，脐部肿胀发炎，常因败血而死。

皮肤型：常发生于3～10周龄的雏鸭，多因皮肤外伤引起感染，表现局灶坏死性炎症或腹部皮下炎性肿胀，皮肤呈蓝紫色，触诊皮下有液体波动感。病程稍长，皮下化脓坏死，引起全身性感染，食欲废绝，最后因体质衰竭而死。

关节炎型：常发生于中鸭和成年鸭，趾关节和跗关节肿胀，跛行。病程较长。

内脏型：常发生于成年鸭，表现食欲减退，精神委靡，有的腹部下垂，俗称"水裆"。

4. 病变　脐炎型，脐部常有坏死性病变，卵黄稀薄如水；皮肤型，皮下有出血性胶样浸润，液体呈黄棕色或棕褐色，也有坏死性病变；关节炎型，关节肿胀，关节内有浆液性或纤维素性渗出物，病程稍长，渗出物呈干酪样；内脏型，肝肿大和充血，淡黄绿色，滑膜增厚和水肿。显微镜下观察肝细胞坏死，血管周围单核细胞和异染性白细胞浸润，心外膜有小出血点，泄殖腔黏膜有时有坏死性溃疡灶，腹膜发炎，腹腔内有腹水和纤维素性渗出物。

5. 诊断　据流行病学、临床症状和剖检病变，可初步诊断，还可取病鸭心血、肝、脾或关节囊为病料，分离出金黄色葡萄球菌确诊。

6. 防治

(1)预防。据综合预防措施,加强卫生管理即可。

(2)治疗。许多分离菌对一种或多种抗生素或呋喃、磺胺类药物有抵抗力,最好在疾病早期就做药敏试验,选择敏感药物,有针对性地进行治疗。若无条件做药敏试验,可选用庆大霉素、卡那霉素、红霉素、氯霉素进行治疗。庆大霉素每只雏鸭用2 000~4 000 IU,每日1次,连用2~3天;卡那霉素每只雏鸭用5 000~8 000 IU,每日注射1次,连用2~3天;红霉素粉剂拌料内服,每只雏鸭10~15 mg,每日2次,连用3~5天;氯霉素粉剂拌料内服,每只雏鸭50~80 mg,每日2次,连用3~5天。

(六)鸭链球菌病

鸭链球菌病是一种急性败血性传染病,主要感染雏鸭,成年鸭较少感染。

1. 病原　本病病原是兽疫链球菌,革兰氏阳性菌,有荚膜,在血液琼脂平板上生长良好,菌落无色透明露珠状,产生明显的β-溶血。在做快速诊断时,可与粪链球菌具有鉴别意义。

本菌具有很强的致病力,不能在pH 9.6以上的环境中生长,也不能在6.5%氯化钠中生长。对青霉素最敏感,其次是新霉素和痢特灵,对一般消毒药均敏感。

2. 流行病学　各日龄鸭均易感,发病率和死亡率一般较低。常见于潮湿脏乱、空气污浊、卫生条件差的鸭舍中。中鸭和成年鸭可经皮肤外伤感染,雏鸭多经脐带感染或蛋媒感染。本病无明显季节性,多见于舍饲期的鸭。

3. 症状　不同日龄临床表现不同。

雏鸭:精神沉郁,羽毛松乱,呆立不动,腹部膨大,脐部发炎,部分出现神经症状,痉挛,转圈,常因脱水或败血死亡。

中雏鸭多发生于10～30日龄雏鸭，常呈急性败血症。精神不振，步履蹒跚，体温高，腹泻，食欲废绝，最后全身痉挛而死。

成年鸭：呈关节炎型，趾关节和跗关节肿胀，跛行，腹部膨大下垂，在无其他临床症状情况下，突然死亡。

4. 病变　主要病变特征是肝脏肿大，被膜下有局限性密集的小出血点，脾脏肿大，呈紫黑色，有时出现坏死灶。肺瘀血，有时水肿。病雏鸭可见卵黄吸收不全，脐发炎肿胀。中雏鸭肝脏浊肿，质地较软，呈淡绿色，被膜下有密集的小出血点，心包炎。成年鸭与中雏鸭病变相似，常有腹膜炎病变，腹腔内积有炎性分泌物。

5. 诊断　本病临床症状和病理变化与大肠杆菌病、沙门氏杆菌病、葡萄球菌病、鸭疫巴氏杆菌病极相似。因此，诊断主要靠细菌学检查。血液、肝、脾和其他病变中很容易分离到链球菌。

6. 防治　按一般卫生措施预防。治疗本病，首选药物是青霉素，其次是庆大霉素和新霉素，也可酌情选用四环素和痢特灵。长效青霉素，每千克体重肌肉注射5万IU，加普通粉剂2万～5万IU，连续3天。青霉素与氨基糖苷类抗生素（如庆大霉素）合用，效果最好。

（七）鸭关节炎综合征

鸭关节炎综合征，是由多种细菌引起的一种传染病，主要症状为关节肿胀，跛行，逐渐消瘦。

本病最早发现于丹麦。1979年，在我国北京某鸭场发现此病，此后也常有散发病例的报道。

1. 病原　本病病原为多种细菌，现已分离出的有鼠伤寒沙门氏杆菌和肠炎沙门氏杆菌的变种、金黄色葡萄球菌、大肠杆菌、链球菌、假单胞菌。在不同国家和地区，主要病原体也不同。

2.流行病学　本病在一般禽类均有发生。这些病原菌广泛分布于自然界，卫生条件较差的鸭舍均有可能感染本病。病鸭和带菌鸭是主要传染源，传播途径是空气和饮食，常通过消化道和皮肤外伤而感染。

本病无明显季节性。雏鸭发生较少，育成鸭、种鸭和填鸭发生较多。

3.症状　病鸭以关节炎性肿胀和功能障碍为主要症状，以跗关节发病率最高，其次是膝关节、髓关节和趾关节，翅关节发生最少。发病关节肿胀，呈红紫色，触诊有热感，病初局部较软，后逐渐变硬，不能屈伸，表现严重跛行或不能行走。采食量减少，逐渐消瘦，甚至引起死亡。

4.病变　剖检发病关节可见，肿胀的关节囊内，积有大量炎性渗出物，色混浊，内有纤维素性物质，有时混有血液。病程较长时，呈渗出性坏死性病变，积蓄物为灰黄色干酪样。有些病鸭的腱鞘发炎肿胀，有炎性渗出物。

5.诊断　可据临床症状和病理变化初步诊断。若进一步确诊和方便治疗，要从肿胀的关节囊炎性渗出物中提取分离细菌。

6.防治　预防本病要抓好鸭舍卫生管理，勤通风，勤换垫料，

工具设备人员常消毒，种蛋及孵化设备要清洁消毒不外借，饲料要保存良好，定期进行带禽鸭舍喷雾消毒等。清除鸭舍及活动场所的尖锐物，避免鸭体受伤。

发现病鸭要及时隔离，重病号早淘汰，轻病例可用氟派酸、土霉素、氯霉素、卡那霉素等广谱抗生素拌料内服，连用5~7天，都有较好疗效。

(八)鸭结核病

鸭结核病是由禽结核杆菌引起的一种慢性病,主要发生于种鸭。本病国内外均有报道,危害程度不同。在饲养蛋鸭为主的地区,日龄较长,易发此病,在饲养填鸭为主的地区,日龄较短,不常见此病。

1. 病原　本病病原是禽结核杆菌,其最大特点是抗酸染色性。它具有多形性,有时短杆状,有时球形,有时长杆形。无鞭毛,无芽孢,无荚膜。对外界环境抵抗力与其他型结核杆菌相仿,65 ℃湿热中 15 min 杀死,85 ℃2 min即可杀死,100 ℃1 min 即可杀死。在阳光下可存活 18～31 天,5 cm 深土壤中可存活 2 年,鸭舍中可存活 4 年。其表面含有一层类脂的蜡膜。能溶解这层蜡膜的消毒药,杀菌效果最好。

禽结核杆菌主要侵害禽类,鸭最敏感。分为 2 个血清型,即 I 型和 R 型,其中 R 型可分为 2 个亚型。

2. 流行病学　所有的鸟类都可感染禽结核,家禽比野禽更易感发病,可造成一定的经济损失。

病禽是本病的传染源,结核杆菌大量汇集在病禽的粪便中,易感禽很容易经口进入消化道,或经鼻吸入污染的空气感染。

3. 症状　本病潜伏期很长,约在 2 个月以上。一般无特征性症状,病程长时,由于结核病变严重,会出现体质消瘦、贫血、不愿下水游动、产蛋率下降或停产。病鸭的种蛋孵化率和出雏率均会下降。

4. 病变　本病主要病理变化是肝或脾有结核结节。剖检可见,病死禽内脏器官出现黄灰色干酪样结节。结核结节容易切开,无钙化,有纤维素性包囊,上附黄色坏死性碎片。尤其在肝脏中,结节数量有时可达数百个。其他器官如脾、肺、肠道也有发生,骨骼和骨髓有时也有。

5.诊断　本病多发生于成年鸭或老年鸭。死后剖检有典型结核病灶,病灶涂片可见有抗酸染色性的结核杆菌,易于诊断。

6.防治　本病无治疗价值。要控制本病,就必须将病群全部清除,控制鼠类,以及引进新禽前对鸭舍和工具设备严格消毒,根据日龄分舍饲养,并与其他畜禽分开。饲养管理期间,严格遵循卫生管理制度。

(九)鸭伪结核病

鸭伪结核病是家禽和野禽共患的一种接触性传染病,以发生与结核结节类似的干酪样结节为特征,故称"伪结核病"。

1.病原　本病病原为伪结核耶森氏菌,革兰氏阴性,为球形至杆状的多形性杆菌,无荚膜,无芽孢,有鞭毛。

本菌对寒冷抵抗力强,对热敏感。可在18～20 ℃水中繁殖,60 ℃ 40 min可致死。对磺胺-5-甲氧嘧啶、庆大霉素和卡那霉素敏感,对四环素和土霉素中度敏感,一般消毒药即可杀死。

2.流行病学　火鸡、鸡、鸭、鹅、雉、鹧鸪、野鸽、金丝雀等都曾发生本病,许多哺乳动物也能发病,如豚鼠、小白鼠、家兔和猴等。本病主要通过被病禽或病畜粪便污染的土壤、水、饲料传播。皮肤创伤也可感染。

3.症状　临床症状变化相当大,最急性时可能不见症状突然死亡,病程2～3天的病例,表现为突然下痢,并出现急性败血症。病程稍长时表现为精神委靡,呼吸困难,消瘦,虚弱,麻痹。

4.病变　最急性病变为脾脏肿大和肠炎。较慢性的病例,肝、脾、肺肿大,在肝、脾、肺和胸肌中有粟粒大黄白色病灶。通常有严重的肠炎,也有的是出血性的。

5. 诊断　根据其临床症状和病理变化,初步诊断,要与鸭霍乱和鸭结核病相区别。要确诊需进行细菌分离和鉴定。急性病例可采血涂片染色镜检,慢性可采取病变组织,进行细菌学诊断。

6. 防治　本病可采取一般常规防疫消毒措施预防。发病后采取隔离、消毒和淘汰病禽的措施。治疗,一般认为氯霉素(0.6 mg/L)、硫酸链霉素(0.5 mg/L)连饮2天后,再改用四环素(0.5 mg/L)饮水,可减少死亡损失;或者,用磺胺-5-甲氧嘧啶粉剂按0.05%~0.2%混料饲喂,连喂3~5天;或者,用10 mL含药量40 mg的庆大霉素注射液,可供20只以内病鸭注射,连用2~3天。

对慢性病例无治疗价值,应予以淘汰。

(十)鸭丹毒

鸭丹毒是由丹毒杆菌引起的一种急性败血性传染病。

1. 病原　本病病原是丹毒杆菌,又称红斑丹毒丝菌,革兰氏阳性菌,但多次人工培养后可能变为阴性。无鞭毛,无芽孢,无荚膜,在各种培养基均能生长。对各种环境有很强的抵抗力。一般消毒药能杀灭本菌,0.1%汞、0.05%氢氧化钠溶液能很快杀灭,但本菌对福尔马林有抵抗力。

2. 流行病学　本病以鸽、火鸡和鸭最易感,鸡一般仅为散发。另外,牛、羊、猪以及各种鱼类也可感染。

本病在鸭中发生首先发现于美国伊利诺斯州,后来新泽西州、弗吉尼亚州和纽约州的长岛等均有发生,欧洲也有本病的报道,我国尚未见报道。

3. 症状　本病常呈急性败血症经过,在无明显临床症状情况下突然死亡,发病率一般为30%,死亡率一般为

10%～20%。未死者可转化为慢性，表现关节炎和生长发育不良。

4. 病变　心外膜下有小点状出血，特别是在冠状沟和纵沟部较多见。肝脏肿大，色黄，质脆，呈斑驳状，偶有针尖大小的米黄色病灶。脾脏肿大，质脆，黑紫色。有慢性病例呈关节肿大。关节囊有纤维素性渗出物。有的病例，出现纤维素性气囊炎，附有分泌物，肺和小肠均有充血性病变。

5. 诊断　症状和病变为败血症表现，与鸭霍乱相似，没有特征性，必须进行细菌分离与鉴定，才能确诊。

6. 防治　预防要加强卫生消毒防疫措施，用具设备以1%～2%氢氧化钠消毒最好，也可用碘制剂及含氯消毒药。治疗首选药物是青霉素，其次是红霉素。

(十一)鸭坏死性肠炎

鸭坏死性肠炎，俗称"烂肠病"，是发生在种鸭的一种传染病。最早发生于美国纽约的长岛地区。

1. 病原　本病病原尚未确定。美国曾从病死鸭小肠内分离出类似巴氏杆菌的球杆菌，还从小肠内容物中分离到多种血清型的埃希氏大肠杆菌和大量活的具有鞭毛的原虫。此外，还有埃氏三鞭毛滴虫、鸭毛滴虫、六鞭滴虫等。这些微生物和原虫在正常鸭的肠道内也有，是否是本病的致病因素，至今尚缺乏足够证据。但有的学者报道，鸭的鞭毛虫能导致肠炎，也有学者认为鸭毛滴虫是不致病的。近来，美国长岛鸭病研究室常从患有坏死性肠炎的病死鸭中分离出魏氏梭菌，这与鸡坏死性肠炎的致病菌相吻合，但致病性尚有待研究。至今尚未有从病死鸭体内分离出病毒的报道。

2. 流行病学　本病主要发生于种鸭，雏鸭少见。一年四季均可发生，但以晚秋和冬季多发。在鸭的品种中，以北京鸭多发，其他如黑鸭、野鸭、家鹅、加拿大鹅也有发生，饲养管理条件不良，是本病发生的主要因素。

3. 症状　病鸭临床特征是体质衰弱，食欲降低，不能站立，成为公鸭踏啄伤害的对象，头背部羽自行脱落。蛋鸭产蛋量下降。常突然死亡，一般死亡率为1%左右，有时高达40%。

4. 病变　主要病理变化是坏死性肠炎。肠管肿胀，色泽消退，部分肠管呈暗红色，空肠和回肠相连部分高度膨胀，苍白，易破碎。肠内有大量液体，常混有血液，有些病例为黄色颗粒样碎块，病程稍长者，肠黏膜呈黄白色坏死性病变，坏死组织紧贴于肠壁，以回肠段最严重。母鸭输卵管内有干酪样物质堆积。

5. 诊断　根据流行病学、临床症状和病理变化，初步诊断。目前尚难进行病原性确诊，但应注意与沙门氏杆菌、鸭霍乱、鸭球虫病和鸭瘟等鉴别。

6. 防治　预防工作上，要加强鸭群饲养管理，改善环境卫生，注意水源是否污染等。治疗方面，可优先选择新霉素和红霉素，按100 kg饲料加入20～30 g的比例饲喂，连用7天；其次可选青霉素和链霉素，对严重病鸭，每只肌肉注射青霉素10万～15万IU，链霉素15万～20万IU，每日1次，连用2天。

(十二)肉毒中毒症

肉毒中毒症是由肉毒梭菌的毒素引起的疾病，又称软颈病、延脑性麻痹、西部鸭病、碱病。

1. 病原　本病病原是C型肉毒梭菌，是一种腐生性的革兰氏阳性菌。细菌本身并不致病，但能产生神经性毒素，引起鸭中毒。这种毒素是迄今所知的几种毒性最强的毒素之一。肉毒毒素比较耐热，80 ℃ 6 min能被破坏，在液体中 100 ℃15～20 min，固体中 2 h 才能被破坏。该毒素对胃酸、胃蛋白酶和胰蛋白酶有较强抵抗力，24 h 内不能被破坏。

2.流行病学　本病主要发生在碱性浅滩水域地区。主要发病季节是夏季，天气干旱少雨，湖泊水浅，常有一些腐败的鱼类和小动物尸体中含有大量肉毒梭菌、绿脓杆菌等，一旦被健康鸭吞食后，就会引起中毒。其他如被肉毒梭菌污染的饲料，也可引起中毒。

3.症状　鸭子中毒分急性和慢性两种。急性中毒症状表现为全身性痉挛、抽搐而死；慢性症状突出特征是全身性麻痹，头下垂，软弱无力，体质衰弱，精神迟钝，羽毛逆立，游泳困难，两翅下垂，食欲废绝，1～3 天后死亡。有些中毒轻微的可康复。

4.病变　剖检后，除肠道前段空虚无物外，无肉眼可观察到的组织学病变。

5.诊断　据麻痹症状和吃入腐败食物等做出诊断，没有特征病变。确诊时，必须进行实验室诊断。测定肉毒毒素，或用抗毒素治疗有效可以进一步证明。

6.防治　不吃腐败饲料，放牧水边的腐败鱼虾及其他动物尸体要及时处理掉。一旦鸭群中毒，有条件的可用肉毒梭菌抗毒素治疗，每只鸭注射 2～4 mL。初期可使用泻剂，硫酸镁 2～3 g，加水溶解后灌服，加速毒素排泄。口服四环素、氯霉素、青霉素等抗生素，也可抑制肠道内的肉毒梭菌产生毒素。

(十三)鸭衣原体病

鸭衣原体病是由鹦鹉衣原体引起的禽类、哺乳动物和人共患的一种全身性接触传染性疾病。由于人类最早发现本病是由鹦鹉传染的，故称鹦鹉热、鹦鹉病，以后发现其他禽类也可感染,故又称鸟疫。

1.病原　本病的病原是一种专性细胞内寄生物——鹦鹉衣原体,属裂殖菌纲、衣原体目、衣原体科。它们介于病毒和立克次氏体之间,多年来常被称为"大病毒"。但是,有关形态学、增殖方式、化学和新陈代谢的大量研究都充分证明了它们的非病毒性质。

鹦鹉衣原体对低温的抵抗力较强,在禽类的干燥粪便和垫草中可存活数月。它对酸碱类的消毒药的敏感性较低,5%碘酊、70%酒精和3%氢氧化钠溶液,在几分钟内即可破坏其感染性。易被季胺盐类消毒剂如新洁尔灭、消毒净等灭活。抗菌药物中,对金霉素、四环素、红霉素、氯霉素较敏感。

2.流行病学　各种家禽和多种野禽对衣原体都有易感性。鸭衣原体在禽类衣原体中,毒力较低。因此,很少导致鸭衣原体病的暴发和流行,一般呈隐性感染。但于20世纪50年代,捷克斯洛伐克曾发生过一起严重的流行,造成较高的死亡率。一般在饲养密度过大、鸭舍通风不良、营养不良等因素下,在有沙门氏杆菌、大肠杆菌、鸭疫巴氏杆菌等并发症情况下,容易造成本病的暴发和流行。

不同日龄的鸭,易感性也不同,幼龄鸭较成年鸭易感,其他鸟类也易感,成为带菌者。其分泌物和排泄物带菌,污染环境后,经消化道和呼吸道,也可经蛋传播或经皮肤伤口感染。

3.症状　急性幼年病鸭发生颤抖。步履蹒跚和恶病质;食欲丧失并腹泻;排泄物呈绿色水样。在眼和鼻孔周围具有浆液性或脓性分泌物。这种分泌物在眼周围的羽毛内结痂。当疾病发展时,病鸭明显消瘦,肌肉萎缩,呈恶病质状态,终因体质衰竭,痉挛而死。发病率为10%~80%,死亡率为0%～30%，决定于其感染时的年龄（幼年鸭更易感）以及是否有并发症。

4. 病变　肉眼可见病鸭流泪，发生结膜炎和鼻炎，有时发生全眼炎、眼球萎缩和眶下窦炎症。剖检可见胸肌萎缩和全身性多浆膜炎。常有浆液性或浆液纤维素性的心包炎、肝肿大、肝周炎和脾肿大。肝和脾上有时有灰色或黄色坏死灶。

5. 诊断　其临床症状和病变与鸭传染性浆膜炎、沙门氏菌病等多种鸭病相似，必须进行实验室诊断才能确诊。

6. 防治　减小放养密度，勤通风，科学饲养，加强卫生检疫消毒工作，作为预防本病的基本工作。一旦发现本病发生，氯霉素是首选治疗药物，按0.04%～0.08%拌料，连喂5～7天。如发现其他并发症，可同时选用庆大霉素、卡那霉素等肌肉注射，进行综合治疗。

（十四）鸭慢性呼吸道病

鸭慢性呼吸道病是由鸭霉形体引起的传染性疾病。病鸭以出现眶下窦炎为特征，故又有“鸭传染性窦炎”之称。该病发病率有时很高，但死亡率较低。一般病鸭均可自愈，但产蛋量减少，生长发育受阻，对养鸭业造成较高的经济损失。

1. 病原　关于鸭传染性窦炎的病原问题争论较多，尚未取得一致意见。国内外微生物学工作者多倾向于鸭霉形体是传染性窦炎的病原这一说法，人工接种也复制出了本病。

鸭霉形体是 Roberts 从鸭的鼻窦炎中分离到的，能凝集鸭的红细胞而不能凝集鸡的红细胞。对青霉素、醋酸铵有较强抵抗力。典型的菌落较小，直径通常为0.1～1.0 mm，光滑，圆形，稍平。姬姆萨染色的涂片中，可见有纤细的杆状、丝状及环状等多种形态。

2.流行病学　本病一年四季均可发生，尤其以冬春寒冷季节多发。雏鸭发病的最早日龄为5日龄左右，而以1～2周的雏鸭最易发，填鸭和成鸭则较少发生。但在流行高峰期，育肥鸭也可发生。雏鸭的发病率为40%～80%，而死亡率一般低于5%，若发生并发症或继发性感染，则死亡率明显升高。

病鸭和带菌鸭是本病的传染源。呼吸道是本病的主要传播途径，也可能经蛋垂直传播。由污染的种蛋孵化出的雏鸭常可能带菌，当遇到育雏鸭舍温度过低、通风不良、密度过大、氨含量过高等不良因素时，即可导致本病暴发。

3.症状　本病潜伏期不长。病初可见一侧或两侧眶下窦部位肿胀，形成有波动感隆起的鼓包。随着病程的发展，肿胀部位变硬，鼻腔出现炎症，鼻孔流出浆液或黏液状鼻汁，病鸭打喷嚏、甩头。有些病鸭眼内蓄积有浆液——黏性分泌物，病程较长时，眼睛会失明。

患本病的病鸭很少会死亡，常能自愈，但愈后生长缓慢，肉鸭品质下降，蛋鸭产蛋率下降。

4.病变　病鸭剖检时，眶下窦内常充满浆液性或黏性分泌物，窦腔黏膜充血增厚，有的有大量干酪样物质。气囊壁增厚、混浊。结膜囊和鼻腔内有黏性分泌物。

5.诊断　根据流行病学、临床症状及病理变化可初步诊断。要确诊，应从眶下窦分泌物中分离出霉形体。

6.防治　预防本病主要加强饲养管理，注重鸭舍卫生，严格消毒，防寒保暖，减少放养密度，经常通风等。发生本病时，全鸭群混饲强力霉素、林肯霉素、北里霉素、利高霉素等。病鸭可肌肉注射链霉素，连用3～5天，也可用手术排脓后敷入消炎药物，基本上可控制本病的发展。

另据报道，鸭群使用霉形体灭活苗，效果良好，能有效地控制本病的发生。

三、真菌性疾病

（一）曲霉菌病

曲霉菌病是多种禽类和哺乳动物（包括人）常见的霉菌感病。几乎所有禽类均能感染，发病率高，可造成大批死亡。其特征是呼吸道发生炎症，所以又称曲霉菌性肺炎。主要发生于幼鸭，呈急性经过，成年鸭多为散发。

本病在我国南方较多发生，北方多见于地面育雏的鸭群。

1. 病原　本病病原为曲霉菌，一般常见而且致病力最强的烟曲霉菌。这些霉菌和它所产生的孢子，在自然界广泛分布，常染垫草和饲料。从烟曲霉菌和它的孢子中可以提取出一种对家兔、犬、豚鼠、小白鼠和禽类的血液、神经与组织有毒害作用的毒素。

曲霉菌对外界环境的抵抗力很强。120 ℃干热 1 h 或煮沸 5 min 方可杀死，一般消毒药液，如福尔马林、碘酊、水杨酸等，需 1～3 h 才能杀死。

2. 流行病学　各种家禽和野禽均易感，尤其是幼禽更易感，成年禽仅为散发，且多为慢性。小火鸡对本病最敏感，雏鸭次之。主要的传染源是被曲霉菌污染的垫草和饲料。当温度和湿度合适时曲霉菌大量增殖，可经呼吸道和消化道感染，也可经孵化设备和种蛋感染。

3. 症状　潜伏期 3～10 天。病鸭主要症状是呼吸困难，呼吸频率加快，有的伸颈张口呼吸。病雏精神委靡，不爱走动，多缩颈呆立，闭目昏睡，羽毛逆立蓬松，无光泽，翅下垂,口腔与鼻孔流出浆液性分泌物,当气囊有损害时,呼吸时发出干性特殊的沙哑声,口渴,部分病雏下痢,急剧消瘦,死亡。慢性症状不明显,主要呈现阵发性喘气,食欲不良,下痢,逐渐消瘦而死。

4.病变　急性经过的病雏,剖检可见肺和气囊有多少不等的灰黄色和乳白色小结节,鼻、喉、气管、支气管黏膜充血,有淡灰色渗出物。肝脏瘀血和脂肪变性。慢性病例有支气管肺炎变化。肺、气囊和胸腹腔中有一种以针尖至小米粒大小的结节,有时互相融合成大的团块。结节呈灰白或淡黄色,柔软而有弹性,内容物呈干酪样。有时在肺、气囊和腹腔内有用肉眼即可见到的成团霉菌斑,有的被纤维素浸润,并呈灰绿色或浅绿色粉状物。此菌落还见于鼻腔、眶下窦、喉、气管和胸腹腔黏膜上。肠黏膜充血,有时可见腹腔炎。

5.诊断　必须结合流行病学、临床症状、病理变化和微生物检查,才能确诊。

6.防治　不使用发霉的垫料,不喂发霉的饲料,是本病预防的主要措施。垫料要常翻晒,发现长霉时,可用福尔马林熏蒸消毒,孵化器要孵前或入孵 12 h 内消毒,鸭舍要常通风,防潮湿。一旦发现本病发生,要及时隔离病鸭、更换饲料和垫草,消毒鸭舍。鸭群发病后应更换放牧地,脱离污染环境。

治疗本病无特效药,可试用制霉菌素气溶胶吸入,有较好的防治效果。或在饲料中拌入制霉菌素,按每 80 只雏鸭一次用 50 万 IU,每日 2 次,连用 3 天。口服碘化钾有一定的疗效,每升饮水加碘化钾 5～10 g。还可将碘1 g、碘化钾 1.5 g溶于 1.5 L 水中,进行咽喉注入。饮水中添加硫酸铜(1∶2 000 倍稀释)连喂 3～5 天也有一定疗效。另据报道,用克霉唑(三苯甲咪唑)治疗也有一定效果。口服灰黄霉素,每只鸭服 500 mg,每日 2 次,连服 3 天也有疗效。

(二)黄曲霉毒素中毒病

黄曲霉毒素中毒病是由黄曲霉毒素引起的一种霉菌中毒病,是以损害肝脏为主要特征的。

1.病原　本病的病原是黄曲霉。黄曲霉并不是都能产生毒素。目前已知的能产生毒素的黄曲霉菌有 8 种。在各种黄曲霉毒素中,以 B_1、B_2、G_1、G_2 4 种在自然界存在最为广泛,其中又以 B_1 毒素产生最多,毒性最强,G_1 次之。黄曲霉毒素在温暖潮湿条件下,很容易在谷物中生长繁殖并产生毒素(最适温度:24～30 ℃,最佳为 27 ℃。最适相对湿度为 80%以上)。饲喂发霉的饲料,则会引起黄曲霉毒素中毒。

黄曲霉毒素是目前发现的各种真菌毒素中最稳定的毒素。高温、强酸、紫外线照射都不能将其破坏,加热至 268～269 ℃时开始分解,在高压锅中 120 ℃ 2 h,毒素仍存在。强碱和 5%次氯酸钠可使黄曲霉毒素 B_1 完全破坏。

2.流行病学　黄曲霉毒素中毒病可发生于多种动物和禽类,人也可发生。近年来家禽黄曲霉毒素中毒病在世界各地广为发生,估计每年死于本病的畜禽达数十万只。家禽对黄曲霉毒素很敏感,容易发生中毒,引起发病和死亡。家禽中又以雏鸭和火鸡最易感。不同种类不同品种的鸭易感程度也不同。北京鸭对黄曲霉毒素的耐受性较其他鸭大。不同日龄的鸭对其敏感性也不同,雏鸭比成年鸭更易感,因而成为饲料毒性测定的首选实验动物。

3.症状　病鸭最初采食量减少,生长缓慢,羽毛脱落,走路不稳。肢体由于皮下出血而呈紫红色。雏鸭死于共济失调、抽搐,死时角弓反张,死亡率 100%,成年鸭症状与雏鸭相似，常见口渴，下痢，精神委顿，步态不稳，排出血色或绿色稀粪。慢性中毒时，食欲减退，消瘦、衰弱、贫血，时间长久可产生肝癌。

4. 病变　剖检时，特征性病变在肝脏，急性中毒时，肝脏肿大，色质变淡，有出血斑点，胆囊扩张。肾脏色淡稍肿大。胰腺有出血点。胸部皮下和肌肉常见出血。慢性病例，肝脏由于胆管明显增生而发生硬化，病程越长肝硬化越明显，肝脏可见白色小点状或结节状增生病灶，肝脏色泽变黄，质地坚硬。病程超过 1 年以上的，肝脏可能出现肝癌结节。心包和腹腔中积液增多。小腿和蹼有严重的皮下出血。

5. 诊断　可根据临床症状和病变进行初步诊断，但欲确诊尚需用可疑饲料饲喂 1 日龄雏鸭，进行黄曲霉毒素的生物鉴定。

6. 防治　预防黄曲霉毒素中毒的根本措施是不喂发霉饲料。要加强饲料保管工作，防止发霉。鸭群如发生黄曲霉毒素中毒，应立即更换饲料。发病后可给予盐类泻剂，并采用对症疗法。

(三)雏鸭念珠菌病

鸭念珠菌病又名鹅口疮，是由白色念珠菌引起的一种霉菌性传染病。

1. 病原　本病原是白色念珠菌，革兰氏染色阳性，但着色不均匀。它在自然界广泛存在，在健康的畜禽及人的口腔、上呼吸道和肠道等处寄生。

2. 流行病学　本病常见于鸡、火鸡、鹅、鸽、野鸡，松鸡和鹌鹑也有发病报道。鸭很少有报道。幼禽的易感性和死亡率均较成年禽高。4 周龄以下家禽感染后，迅速大批死亡。3 月龄以上家禽，多数可康复。

本病主要通过消化道传染,也可通过蛋壳感染。不良的卫生条件和使机体致弱的因素都可诱发本病。过多地使用抗菌药物,易引起消化道正常菌群的紊乱,也是诱发本病的一个重要因素。

3. *症状*　小鸭发育不良,被毛松乱,精神委靡,不愿活动,常聚堆。病鸭喘气,嗓内发出咕噜声,叫声嘶哑,濒死抽搐。

4. *病变*　其病理特征是上消化道黏膜发生白色的假膜和溃疡,气囊混浊,呼吸困难,气喘。剖检可见:尸体消瘦,口、鼻腔有分泌物,口、咽、食道黏膜增厚,形成白色或灰色假膜或溃疡状斑,并常波及腺胃、胸、腹。气囊混浊,常有淡黄色粟状结节。

5. *诊断*　须经剖检及微生物检验方可确诊。

6. *防治*　平时注意卫生管理,常通风防潮,避免过多使用抗菌药物。一旦发病,可用制霉菌素治疗,按每千克饲料加0.2 g药,连用2～3天即可。

四、寄生虫病

(一)球虫病

球虫病是严重危害鸭的急性病,其特征为粪血。发病率高,生长受阻,增重缓慢。

1. *病原*　鸭球虫属孢子虫纲、球虫目、艾美耳科。据国外报道,家鸭球虫有10个种,分3个属,即艾美耳属、泰泽属和温扬属。后者致病力较弱。家鸭球虫大部分寄生于肠道,少数种寄生于肾脏。球虫在肠道内经裂殖生殖和配子生殖两个阶段发育成卵囊,卵囊经肠道排出后,在外界环境中完成孢子生殖阶段,即发育成孢子化卵囊,鸭吃到这种孢子化卵囊后方能致病。

2. 流行病学　凡被病鸭或者带虫鸭的粪便污染过的饲料、饮水、土壤、用具，都可成为卵囊的携带者和传播者。饲养人员也可以机械传播。各种年龄的鸭都有易感性，其中以2～6周龄由网上饲养转为地面饲养的雏鸭最易感。死亡率高，病鸭康复后成为带虫鸭。本病的发生与气温和雨量关系密切。10 ℃温和潮湿天气与环境发病率高。

3. 症状　急性病例多发生于雏鸭，尤其是2～3周龄鸭。通常感染3天后出现畏寒、缩颈、不食、好渴、喜卧等症状，排暗红色或深紫色血便，常出现急性死亡，死亡率为20%～70%。有的6天后食欲逐渐恢复。耐过的病鸭生长缓慢。急性病例有时在4～6天后转为慢性病例，食欲恢复，不具明显症状，偶尔拉稀，成为传播本病的传染源。

4. 病变　主要病变在小肠，尤以毁灭泰泽球虫的危害性严重，急性型呈严重出血性卡他性小肠炎。肠壁肿胀出血，内容物为淡红色或鲜红色黏液。有的肠黏膜见红白相间的小点，有的肠黏膜上覆盖着一层糠麸状或奶酪状黏液，或有淡红或深红色胶冻状血性黏液，但不形成肠芯。肠绒毛上皮细胞大量脱落。十二指肠有出血点或出血斑。菲莱氏温扬球虫致病力不强，病变见于回肠后部和直肠，轻度出血，偶尔在回肠后部黏膜上有出血点，直肠黏膜红肿。

5. 诊断　粪检时，粪便中有大量肠上皮细胞和红色团块。粪便经水洗、沉淀、漂浮，于400倍显微镜下可见大量卵囊。病死鸭肠绒毛上皮细胞镜检时发现其中有大量虫体，再加上剖检病变和临床症状综合诊断。

6. 防治　预防时，要注意保持鸭舍干燥，定期清除粪便，进行鸭舍带禽消毒等。在2～3周龄，从网上转到地面饲养时，要进行药物预防，如用磺胺六甲氧嘧啶，按0.1%混料，连喂5天，停3天，再喂5天；磺胺嘧啶，按0.08%混料,连喂1周等。病鸭群治疗,可用磺胺二甲嘧啶按0.1%混料,连喂1周;复方新诺明按0.1%混料,连喂1周。

(二)住白细胞虫病

住白细胞虫病已在欧美一些国家造成危害,如沿北美东北海滨地区,鸭每年发病率高达20%。我国尚未发现。

1.病原　本病病原是西氏住白细胞虫。吸血蝇、蚋是它的终宿主,又是传播媒介。

2.流行病学　西氏住白细胞虫对鸭和鹅有致病力。在美国曾经一个州一次暴发,使35%鸭死亡。本病多发于7月份。

3.症状与病变　雏鸭废食,乏力,倦怠,呼吸困难,有的雏鸭在24 h死亡,大多数在感染后11～19天死亡。病变可见贫血、肝脾肿大和肝变性。成年鸭只出现倦怠等症状,很少出现急性症状,死亡率也低。

4.诊断　根据发病季节、症状和病变,可做出初步诊断。要确诊,必须能从病鸭血液脏器涂片以及肌肉小白点的组织压片中找到虫体及裂殖体。

5.防治　预防要防止昆虫进入鸭舍和杀灭鸭舍周围媒介昆虫。药物预防:可用磺胺二甲氧嘧啶25～73 mg/kg或痢特灵100 mg/kg或复方敌菌净200 mg/kg,混料投喂。治疗可选用磺胺二甲氧嘧啶500 mg/L饮水3～7天,然后再用300 mg/L饮水2天;磺胺二甲氧嘧啶400 mg/kg和息疟定4 mg/kg混料,连用1周后,改用预防剂量;复方敌菌净200 mg/kg或痢特灵100～150 mg/kg。混料连用,为防止药物中毒,先用5天后,停药2～3天,然后再用。注意适时更换药物,以免造成抗药性。

(三)绦虫病

绦虫病是主要危害雏鸭的寄生虫病。

1. 病原　本病病原主要是剑带绦虫和膜壳绦虫。这些绦虫都较大，一般长 10～30 cm。

2. 流行病学　中间宿主为剑水蚤，此外淡水螺可作为某些膜壳绦虫的保虫宿主。鸭吞食感染的水蚤后致病。本病主要危害 2 周至 4 月龄的雏鸭，温带多在春末和夏季发生。

3. 症状　感染严重时，雏鸭表现明显全身症状，成年鸭也能感染，但症状较轻。

病鸭出现消化机能障碍，排出灰白色稀粪，混有白色绦虫节片，食欲减退。到后期完全不吃，生长停止，消瘦，精神委顿，不喜活动，离群，腿无力，向后坐倒或突然向一侧跌倒，不能起立，一般在发病后 1～5 天死亡。

当大量虫体聚集在肠内时，可引起肠管阻塞；虫体代谢产物被吸收，病鸭呈现痉挛，精神沉郁，最终贫血和渐进性麻痹而死。

4. 病变　剖检可见小肠发生卡他性炎症和黏膜出血，其他浆膜组织也常见有大小不一的出血点，心外膜上更为显著。严重时，可见肠内大量的虫体聚集，阻塞肠管。

5. 诊断　根据剖检病变及分离出虫体确诊。

6. 防治　要避免在死水塘放养鸭子，或经常换水，保持清洁；经常检查，对已感鸭群有计划地进行驱虫，以防止散播病原；幼鸭和成年鸭应分开饲养、放养；治疗可选用槟榔煎剂、硫双二氯酚、丙硫苯咪唑、吡喹酮、南瓜子等。

（四）雏鸭鸟蛇线虫病

雏鸭鸟蛇线虫病又称鸭鳃丝虫病，是由鸟蛇线虫引起的一种寄生虫病。多发于我国南方，发病率和死亡率均较高。

1. 病原　我国有两种鸟蛇线虫，即台湾鸟蛇线虫和四川鸟蛇线虫。本病病原主要是台湾鸟蛇线虫,有些地区由四川鸟蛇线虫引起。它们的中间宿主为剑水蚤。台湾鸟蛇线虫成虫寄生于雏鸭皮下组织。雌虫呈白色半透明长丝状,长 100～240 mm,雄虫很小,长 6 mm 左右。鸟蛇线虫幼虫在水中被中间宿主——剑水蚤吞食后,在其体内发育成感染性幼虫,鸭吞食了此种剑水蚤时,大部分幼虫移行至鸭颈部皮下,少部分移行至腿部、肩胛部皮下,逐渐发育成成虫,使雏鸭致病。

本病多发生于华南地区和台湾省,主要侵害 3～8 周龄的雏鸭,多在干旱季节(1—4 月份或 9—10 月份)发病,发病率和死亡率均很高。

2. 症状和病变　潜伏期 1 周。病鸭消瘦,于颌下、颈部、腿部等皮下常见有小指头或拇指头大小的瘤状肿胀,颌下尤为明显,此肿胀在初期柔软,能波动,中有多量血液。随着雌虫的成熟逐渐变硬。肿物呈豆大、鸽蛋大乃至胡桃大,突出于颌下。压迫鳃、咽部及邻近器官,引起呼吸和吞咽困难,声音嘶哑。波及眼部时,可导致失明。压迫腿部神经时,引起步行障碍。病鸭常因吃不饱而逐渐消瘦,以至营养不良或窒息而死。雏鸭感染四川鸟蛇线虫后以颌下和两肢出现瘤样病灶最多,其次是眼、颈、额顶、颊、嗉囊、胸、腹及肛门周围等部位。凡是接触水的部位,均有病灶出现。

3. 诊断　根据病鸭颌下和腿部出现瘤样肿胀和压迫附近组织所引起的相应症状,以及剖检病死鸭时从瘤样肿物中可检出虫体,或在患部边缘皮肤上的小孔周围,以手指按压肿胀部,从小孔内流出的液滴,将其制成压滴标本后镜检,可见到活跃的微丝蚴,即可确诊。

4. 防治　预防要加强管理,育雏场要建在有流动水的场地,防止剑水蚤寄生,造成废水环境;不要到可能有病原存在的稻田、河沟等处放牧；鸭舍和活动场所要定期清扫消毒，及时清除鸭粪；发病群，要进行预防性和治疗性驱虫，以控制本病的发生。

对发病鸭进行药物治疗，台湾鸟蛇线虫病可用高锰酸钾0.5%注入患处，将肿胀部位注满为止，多数1次，个别2次，通常2天可见肿胀部位萎缩，治愈率可达98.2%；也可用左旋咪唑，用量为40 mg/kg体重，配成10%水溶液，逐只喂服，每日1次，连喂2天，11天后痊愈；或用1%丙硫苯咪唑油悬浮剂或1%左旋咪唑注射液，患部注入。四川鸟蛇线虫病用1%四咪唑(噻咪唑)颌下注射0.2～0.5 mL，腿部0.1～0.2 mL，直接注入病灶内，经3 h后成虫和微丝蚴可全部死亡，5～12天肿胀消失。

(五)鸭多型棘头虫病

鸭多型棘头虫病是由线形动物门的棘头虫纲的棘头虫引起的疾病。

1. 病原　鸭的棘头虫病多由大多型棘头虫、小多型棘头虫、鸭细颈棘头虫引起的。这些棘头虫分布在我国的广东、四川、贵州以及台湾省等地，虫体呈长圆柱形、纺锤形或半圆形，虫体前端有一吻突，吻突上又有小钩和棘，故称棘头虫。

棘头虫的中间宿主是甲壳纲的虾蟹。成虫在小肠内产卵，卵随粪便进入水中。虫卵被中间宿主吞食，卵膜消化。棘头蚴自卵中逸出，经2个月左右发育成幼虫。鸭吞食了含有侵袭的幼虫的虾蟹而感染。

2. 流行病学　本病常呈地方性流行，多发生在春夏季节，1～3月龄雏鸭最易感染，能引起大批死亡。除感染鸭、鹅外，多种野生水禽也易感。

3. 症状　大多型棘头虫和小多型棘头虫均寄生于鸭小

肠前段，鸭细颈棘头虫多寄生于小肠中段，以吻牢固地附着在肠黏膜上，引起卡他性肠管炎症。有时吻突埋入黏膜深部，穿过肠壁，甚至造成肠壁穿孔，并继发腹膜炎，引起化脓性炎症。因此，病鸭表现为下痢、消瘦，生长和发育受阻，大量感染而饲养条件又差时，可引起幼鸭死亡。在尸体剖检时，可以在肠道黏膜上看到突出的黄白色的小结节。

4. 诊断　根据流行病学（调查有无适合的中间宿主，多发生于1～3月龄的幼鸭和夏秋季节）和症状，可初步诊断。然后再用离心沉淀法或离心漂浮法检查粪便，找到虫卵，或者对死亡病鸭剖检，在小肠壁上找到大量虫体，才能确诊。

5. 防治　在发生过本病的鸭场内，秋季放牧结束后2周进行1次驱虫，春季产卵前1个月再进行1次驱虫。成年鸭和幼鸭混牧时，除对成鸭驱虫外，对幼鸭于放牧开始后20～25天，进行成虫期前驱虫。最好成年鸭、幼鸭分群放牧。如无安全水域，或将雏鸭在陆地上饲养到2～3月龄时再放牧。引进新鸭，须先检查有无棘头虫寄生。如有，驱虫后10天再放入水域中放牧。

治疗可用四氯化碳，按每千克体重口服1 mL，用小胶管灌服，或二氯酚，每千克体重500 mg，都有较好的驱虫效果。

（六）寄生虫混合感染

1. 病原　由带虫成年鸭散布引起。

2. 临床症状　病鸭表现下痢，有时粪便带白色或绿色，泄殖腔周围沾满粪便；食欲减退或废绝，生长发育不良，逐渐消瘦；呼吸困难，不时张口，有时有咳嗽；站立不稳或不能站立，常伏坐在地上，双翅下垂并不断抖动。重者精神委顿，闭目缩颈，口腔内有多量黏液，喂给食物不能吞咽，不久即告死亡。

3. 病例剖检　小肠内有绦虫或棘口吸虫、蛔虫，盲肠内有棘口吸虫。

4. 防治　成年鸭寄生虫感染后症状往往不一定明显，容易被忽视。因此，不管有否症状，对鸭群进行定期驱虫，及时清洁和消毒栏舍及周边环境，对粪便进行堆积发酵处理，是预防肠道寄生虫的有效方法。雏鸭和成年鸭隔离饲养对雏鸭的健康生长很有意义。

药物治疗，用丙硫苯咪唑，以 15 mg/kg 体重的剂量拌料投喂，对无食欲的重症病鸭则人工喂服。

五、营养性疾病

(一)蛋白质缺乏症

1. 病因　在鸭子的配合日粮中，蛋白质是不可缺少的物质，但也不可过量。出现以下任何一种因素，均会导致蛋白质缺乏症。

(1)在配合日粮中，蛋白质含量过低，尤其是动物性蛋白不足，不能满足机体的需要。

(2)日粮中蛋白质饲料品质低劣，尽管在含量水平的计算上达到标准，也不能满足机体需要。如饲料霉变或含有毒素，还会引起相应疾病。

(3)在蛋氨酸、赖氨酸和色氨酸 3 种氨基酸中，缺乏其中任何一种，都会发生相关的蛋白质缺乏症。

(4)鸭群患有慢性消化不良或有其他胃肠炎等疾病时、由于消化率降低，也会发生蛋白质及其他营养性缺乏病。

2. 症状　蛋白质缺乏，会导致生长缓慢，体况逐渐消瘦，体重下降，产蛋量减少，蛋重和蛋的品质降低。各种氨基酸缺乏，会引起不同症状。例如：

(1)赖氨酸缺乏，引起生长发育停滞，体质消瘦，骨质钙化不良，皮下脂肪减少。

(2)缺乏蛋氨酸,引起发育不良,肌肉萎缩,羽毛无光泽,肝肾机能不全,使胆碱或维生素 B_{12}缺乏症更严重。

(3)缺乏色氨酸,生长受阻,常引起滑腱。

(4)缺乏精氨酸,公鸭精子受抑制,失去配种能力,生长受阻,体重很快下降,翅羽向上卷曲。

(5)缺乏甘氨酸,羽毛生长发育不良,出现肢体麻痹,活动迟缓。

(6)缺乏缬氨酸,生长发育停滞,运动功能失调。

(7)缺乏苯丙氨酸,甲状腺和肾上腺机能受损,腺体分泌受阻,出现相应疾病。

3. 防治　注意平时观察,对有关临床症状要深入调查研究,注意与类似病症的鉴别,及时采取补充蛋白质饲料或添加某种必需氨基酸的相应措施,以达到防治的目的。

(二)维生素A缺乏症

1. 病因　日粮中缺乏维生素A,或者对维生素A消化吸收不良引起。

2. 症状　当产蛋母鸭与其雏鸭的日粮缺乏维生素A时,雏鸭患维生素A缺乏症。引起软骨细胞生长迟缓和抑制。病鸭生长发育停滞,体质逐渐消瘦,羽毛松乱无光泽,运动无力,两脚颤抖、瘫痪。眼、消化道及呼吸道流黏液,严重时可导致失明。

成年鸭长期缺乏维生素A,食欲降低,采食量减少,体态消瘦,肢体无力,走路不稳,生产能力下降,产蛋率降低,种蛋受精率降低,眼结膜发炎,有黏性渗出物,上下眼睑肿胀,角膜混浊软化或有穿孔,双目失明。抗病力降低,容易继发感染其他一些疾病,从而造成严重损失。

3. 病变　在肿胀的结膜囊内,蓄积有大量干酪样渗出物,眼球萎缩凹陷。口腔、咽、食道黏膜发炎,常有散在的白色小坏死灶。肾小管出现尿酸盐沉积，输尿管内也可能充满尿酸盐。呼吸道黏膜上皮角质化，呈鱼鳞状，腺体萎缩变性。生殖道上皮增生角质化。

4.诊断　根据症状及剖检病变诊断。

5.防治　日粮中要有足量的 β-胡萝卜素，雏鸭和种鸭可补充适量的鱼肝油；注意不用失效的放置时间过长的维生素添加剂，舍饲期注意添加优良的复合维生素添加剂。一旦鸭群中发现本病，要及时在日粮中加入 2～4 倍的维生素 A 制剂，一般在 2 周后可康复。若在日粮中加入鱼肝油，每千克饲料加入 2～4 mL，疗效会更好。

(三)佝偻病

1.病因　佝偻病是由于钙、磷和维生素 D 缺乏，或因饲料中钙、磷配比不合理而逐渐形成的一种疾病。也有人认为佝偻病是指磷和维生素缺乏，而钙的缺乏症称为骨质松软症。另外，如阴雨天气、舍饲缺乏运动或日晒、地面潮湿、肠炎下痢等，也都是发生佝偻病的重要因素。

2.症状

(1)雏鸭和中鸭病初表现生长缓慢，步态不稳，关节僵硬，常常蹲卧。长骨头端增粗，骨质疏松，尤以跗关节最严重。鸭喙变软，易扭曲变形，啄食困难。

(2)于填鸭本病一般发生于中鸭转入填鸭阶段，病初无明显临床症状，两腿逐渐变软，无力，走动困难，常伏卧，最后瘫痪不能站立。发病率一般较低，有时也高达 50% 以上，但很少死亡。

(3)产蛋鸭患病后骨骼脱钙，骨质疏松软化，容易骨折。产蛋量减少，蛋壳变薄易碎，常有软壳蛋和无壳蛋。

3.病变

(1)雏鸭和中鸭。喙色泽变浅，质地变软，类似橡皮。

长骨钙化不良,严重脱钙。骨髓腔变大,骨骼变薄变软,长骨头和跗关节增粗,有的长骨弯曲,成为"O"形腿。肋骨与胸骨或肋软骨结合部结节状肿大,但较少见。

(2)填鸭。喙和胸骨变软,肠骨和股骨骨质疏松,质地变脆。

(3)产蛋鸭。骨质疏松,胸骨变软,肋骨端可能有结节状肿大。

4.诊断　通过临床症状和病理变化,即可确诊。

5.防治　日粮中添加足量的钙、磷和维生素D,要重视钙、磷比例的平衡;舍饲常通风,注意保温防潮,保持良好光照;阴雨季和产蛋高峰期,注意补加钙、磷和维生素A制剂。一旦发病,病初及时调整钙、磷含量,大量补加维生素A制剂,也可加鱼肝油。每日补加1或2次,可连续补加5~7天。

(四)幼鸭白肌病

1.病因　在幼鸭日粮中,因长期缺乏维生素E或硒而引起该病的发生。一般在饲料中正常的含硒量为0.14 mg/kg,低于这个水平就容易导致本病的发生。维生素E的正常含量为每千克饲料11 IU,不能低于这一指标,否则易患白肌病。

2.症状　缺乏硒或维生素E常引起肌肉组织变性,肌肉色泽发白,故又名"白肌病"。病初患鸭精神委靡,食欲降低,体质消瘦,喙和腿部颜色发白,羽毛逆立,流鼻涕,甩食,拉稀,头颈部肿大,不爱走动,随着病情发展,出现两腿麻痹;软弱无力。走路打晃,头颈左右摇摆,有时向后翻滚,喜卧不能站立,最后倒卧一侧,抽搐而死。本病在一些缺硒地区经常发生,发病率较高,死亡率可达10%以上。

3.病变　主要病变包括:

(1)脑软化症。小脑发生软化和肿胀，脑回不明显，有出血、水肿、坏死性病变。坏死区不透明，呈黄绿色，部分神经变性，脱出髓鞘。

(2)渗出性素质。主要病理变化为机体微血管通透性增高，在头颈、胸前和腹部皮下有渗出性黄色胶胨样病变，肌纤维间水肿，心包液、腿部肌肉常有出血斑。

(3)肌肉营养不良。胸肌、腿部肌肉和肌胃的平滑肌发生组织变性和坏死，呈现"白肌病"。运动失调，站立不稳，全身衰竭，大量死亡。

4.诊断　根据本病病因调查，结合临床症状和病变，即可做出诊断。

5.防治　预防要注意饲喂维生素 E 含量较多的饲料，如新鲜青饲料。缺硒地区或饲喂缺硒的日粮时，应加入含硒的微量元素添加剂，每千克饲料应含硒 0.14～0.15 mg。饲料保管时，不要受热，防止酸败，应置放在通风、干燥、凉爽的地方，保存时间不宜过长，需长期保存时，应加入适量抗氧化剂。

发现该病后，由缺硒引起的，可及时采用 0.005%亚硒酸钠液，皮下或肌肉注射，每只鸭 1 mL，几小时后可见症状减轻，随后按每千克料加入亚硒酸钠 0.5 mg，1～2 天后即可康复。如由于缺乏维生素 E 引起的，每只鸭经口喂给 300 IU，每日 1 次，连用 2～3 天；每只雏鸭给予维生素 E 50～100 mg，连喂 15 天。严重病例难以康复。

(五)骨短粗病

1.病因　本病又名脱腱症、滑腰症，因发生原因较复杂，目前已证实的有以下两种因素：

(1)营养因素。这是一种最重要而又非常广泛的因素。如饲料中缺乏锰、胆碱、烟酸、叶酸、生物素或吡哆醇等；日粮中蛋白含量高而吡哆醇含量低，则更易引发本病，加重症状；赖氨酸含量过高或甘氨酸含量过低，会使本病加剧；日粮中缺硒、早期增重率过高或饲料配方不平衡，也可导致本病发生；日粮中缺钙或钙、磷比例降低，可使雏鸭发病率升高，症状加重。

(2)环境管理因素。这一方面研究不深，据报道，网上饲养，环境湿度过大，某些病毒性感染以及遗传因素等，都可能是本病发生的因素。

2. 症状　发生于1～3周龄的雏鸭。临床症状表现为两腿曲，呈“O”形或“X”形，胫跗和胫蹠关节增粗，腓肠肌腱向关节一滑动或脱出，生长发育迟缓或成残鸭，甚至死亡。

3. 病变　病鸭跗跖骨近端弯曲，有不同程度增粗，从外形上变短粗，故名“鸭骨短粗病”。关节皮下结缔组织灰白增厚，腓肠腱移位，从胫跖骨远端两踝间脱出，移向关节内侧，该处皮肤增厚粗糙。局部因摩擦损伤感染后，则关节炎性肿胀，关节面粗糙，关囊内有炎性渗出物。

4. 诊断　根据发病病因、临床症状和病理变化，进行综合分析做出诊断。

5. 防治　加强饲养管理，调整饲养密度，加强通风，谨防潮湿，清洁消毒，实行全进全出制。从网上饲养改为地面饲养，严重病例立即予以淘汰。调整日粮营养水平，保证每千克饲料中至少含锰 40～50 mg，胆碱 200 mg，烟酸 55 mg，生物素 88 mg，维生素 B 12.6 mg，硒 0.16 mg，钙与磷的含量为饲料量的 0.6%。

(六)番鸭锰缺乏症

1. 病因　日粮中缺乏锰，或者对锰的吸收不良引起。特别是番鸭易患此病，番鸭受自身新陈代谢或其他因素的影响，对锰元素的需要量比普通家鸭要多一些，具有对锰元素需要的特殊性。目前,国内尚少见番鸭专用饲料,养殖番鸭普遍使用肉鸭系列饲料,故在番鸭的育雏后期至育成前期最容易发生锰缺乏症。

2. 症状　病鸭发生脱腱,发病主要集中在 1 月龄前后出现,公番鸭的发病明显多于母番鸭,在相同的饲养管理条件下,一般要高出 2.3 倍。病鸭鸭蹼向内弯曲,双腿内转较多,呈“内八字”半蹲伏姿态,不能站立,只能用胫趾关节支撑站立或行走。两腿同时患病的番鸭常伏卧在地,当受到惊吓时则以跗关节着地展翅前行。

3. 病变　剖检病鸭见胫、趾关节肿大,多见胫骨与跗骨向内侧弯曲,腓肠肌腱从其髁部脱出,关节腔、关节面及内脏器官均无明显眼观病变。

4. 诊断　根据发病病因、临床症状和病理变化,进行综合分析做出诊断。

5. 防治　预防措施主要是采用阶段性补锰的办法。预防是在番鸭 3～4 周龄,病后治疗常在 4～6 周龄,应将日粮中的锰元素含量提高到 90 mg/kg,且同时在饮水中添加浓度为 0.01%高锰酸钾溶液进行补锰,可以获得理想的防治效果。

六、中　毒　病

鸭与毒物接触后引起的疾病叫中毒。中毒的一般特征为:饲喂不久后突然死亡;同群鸭的症状与病变相同;体温正常;个体大的鸭先发病;多有神经机能紊乱症状,如拒食,沉郁,腿软无力,不愿运动或步履不稳,蹒跚,痉挛。中毒的途径一般有经口摄入、呼吸道吸入、皮肤接触和注射器注入等。

目前报道的出现明显症状的鸭中毒病有以下几种:

(一)食盐中毒

1. 病因　饲料中含盐量达3%,或鸭每千克体重食入3.5~4.5 g时,即可引起中毒,重者死亡。雏鸭比成鸭更容易中毒。

2. 症状与病变　雏鸭发生食盐中毒后,不断地鸣叫,无目的地冲撞,头向后仰,以脚蹬地,胸腹朝天,头颈不断旋转。

剖检时,可见嗉囊充满黏性液体,黏膜脱落,腺胃黏膜充血,有时形成假膜,小肠发生急性卡他性肠炎或出血性肠炎。有时可见皮下组织水肿。多数病例在输尿管内有盐类结晶沉着。

3. 防治　预防食盐中毒,要严格控制饲料中食盐含量,对雏禽尤应注意。饲喂咸鱼时,要特别注意食盐中毒问题,平时要经常供给充足的饮水。发现有发病症状,立即停止喂食盐或含盐多的饲料,供给充足的清洁饮水或糖水。

(二)马铃薯中毒

1. 病因　发芽的马铃薯,在芽孔部和胚芽部含有毒素。该毒素能溶解细胞,对黏膜有强烈刺激性,对运动呼吸中枢有麻痹作用。

由于饲喂发芽而未经处理(如加热等)或处理不彻底的马铃薯,往往发生中毒。

2. 症状　患鸭精神不振,眼半闭,羽毛逆立,步履不稳,不愿行走。重症病鸭口腔黏膜、冠、髯发紫,昏迷,抽搐,全身痉挛,最后因呼吸麻痹窒息而死。

3. 病变　剖检病鸭血呈暗红色。肝脾肿大瘀血,胃肠卡他性炎症。腺胃黏膜脱落或有出血点。心包积液,心内外膜出血。

4. 诊断　要确诊必须进行马铃薯毒素定性检测,将剩余马铃薯发芽部分切开，于芽附近加硝酸，立即呈玫瑰红色，证明喂鸭的马铃薯含有毒素。

5.防治　预防要做到不喂发芽马铃薯，或经晒干或青贮发酵处理后再用。治疗可内服10%葡萄糖液10 mL，或内服0.02%高锰酸钾或0.5%鞣酸溶液10 mL，或肌肉注射20%安钠咖注射液1 mL。

（三）一氧化碳中毒

1.病因　一氧化碳中毒多发生在育雏期的雏鸭。由于育雏室内通风不良，或煤炉装置不合适，或煤烟道不畅等造成空气中的一氧化碳浓度增高所致。鸭对一氧化碳非常敏感，我国北方冬季用烧煤取暖的鸭舍发生较多。

2.症状与病变　急性中毒表现为精神不安，昏迷，嗜睡，呆立，呼吸困难，随后病雏不能站立，倒于一侧或伏卧，头向后伸，临死前发生痉挛或惊厥。亚急性病例，病雏羽毛松乱，精神沉郁，食量减少，生长缓慢。

剖检时，急性中毒主要变化是肺和血液呈樱桃红色，亚急性中毒时见明显病变，不易诊断。

3.防治　育雏室要求通风良好，煤炉要安全，烟道要畅通，加煤或封火时一定要加盖。遇有中毒病例，只需将病禽放在空气新鲜场所，呼吸清新空气，不需治疗，即可逐渐好转。

（四）有机磷农药中毒

1.病因　肉鸭误食喷洒过农药的作物、种子，或用过量的农药驱虫，常常引起中毒，这在散养的鸭群中相当普遍。引起家禽中毒的常用有机磷农药有1605（对硫磷）、1059（内吸磷）、3911（甲拌磷）、敌百虫、乐果、甲胺磷、久效磷、喹硫磷、甲基异柳磷、甲基硫环磷、治螟磷、倍硫磷等多种。

有机磷农药是一种神经性毒剂,可经消化道、呼吸道、皮肤和黏膜吸收,进入体内后,通过血流迅速分布到全身器官组织,透过血脑屏障,对中枢神经系统产生毒害作用。

2.症状　最急性中毒不显症状而突然死亡。病程稍缓的病例表现厌食,不喜走动,流涎,鼻腔流出浆液性鼻液,瞳孔缩小,可视黏膜苍白,两翅下垂,两腿无力,下痢,呼吸困难,运动失调,随着病情发展,伸颈抬头,最后昏迷倒地死亡。

3.病变　血液凝固不良,鼻腔黏膜充血、出血,内有浆液性黏液。肺充血、肿胀,支气管内充有白色泡沫。肾肿大质脆,肾膜充血,切片暗红。小肠黏膜充血与出血。

4.诊断　根据发病原因调查、临床症状及剖检血液凝固不良、支气管内有泡沫,做出诊断。

5.防治　平时注意防止饲料和饮水被农药污染,使用敌百虫驱虫时,要严格控制剂量。

治疗时,先灌服盐类泻剂,使鸭尽快排除消化道内未吸收的农药。尚未出现症状的病鸭,每只口服 0.1 mg 阿托品;中毒较轻的,肌肉注射硫酸阿托品 0.5 mg 和 10% 葡萄糖生理盐水 2 mL;中毒较重者,每只大腿内侧肌肉注射硫酸阿托品 1.5 mg,双复磷 10 mg 及 10% 葡萄糖生理盐水 5 mL。

(五)喹乙醇中毒

1.病因　喹乙醇使用不当(用量过大、使用过久、拌料不匀等)造成的中毒。喹乙醇又名快育灵,既能促进鸭子的生长发育,又能抗菌和杀菌,价廉物美,常用做鸭饲料的添加剂。

2.症状　采食减少甚至停止,精神不振,缩颈,动作迟钝,翅下垂,行走摇摆,腿麻痹,脚软,严重时出现瘫痪。病鸭上喙出现水泡，后破裂，脱皮干涸龟裂。喙上短下长，眼单侧或双侧失明。

3.病变　急性病例无明显病变。慢性病例渐瘦，发育不良，上喙出现水泡、皱缩，甚至畸形，喙与软骨较软，肝脏微肿，肠道轻度肿胀。

4.诊断　通过调查发病原因、临床症状及病理变化，进行综合诊断。

5.防治　严格按说明书控制喹乙醇用量，自己拌料必须均匀。发现中毒症状，立即停药。对症治疗，可在饮水中交替投放0.1%～0.15%碳酸氢钠、6%～8%白糖或3%～4%葡萄糖，也可同时投喂5～10倍营养需要量的复合维生素或0.1%维生素C。切忌投用抗生素药物。

（六）呋喃类药物中毒

1.病因　呋喃类药物用量过大，或使用时间过长，或在饲料和饮水中搅拌不匀，造成鸭群中毒。

2.症状　病鸭表现兴奋不安，口渴而抢水喝，不食，站立不稳，乱跑，鸣叫，扭颈，头不能直立，向左右旋转，严重时出现痉挛、抽搐，倒地而死。有的鸭还会出现呕吐黄液，眼结膜发绀等症状。

3.病变　剖检可见病鸭尸僵不全，全身水肿和瘀血，尤其肺内、口腔、嗉囊、腺胃、肌胃内容物和黏膜都被染成黄色，小肠及大肠多半肠段充血、出血，整个肠管浆膜呈黄褐色。胆囊肿大，胆汁充盈。

4.诊断　根据用药量，临床症状及剖检变化即可确诊。也可用剩余调料投喂几只健康鸭，看是否出现症状来判明。

5.防治　严格控制用药量，投喂要拌匀。中毒后，无特效药。中毒轻者，或试用蔗糖水解毒或口服硫酸镁促使排出；中毒重者，可肌注维生素C和维生素 B_1 混合液（维生素 C 100 mg/5 mL 和维生素 $B_1$5 mg/2 mL)，每只雏鸭 0.5 mL，每日 1 次。可同时口服 10%葡萄糖溶液。

(七)亚硝酸盐中毒

1. 病因　主要是由于采食了经堆放发热而变质，或加工不当的泡菜和白菜而中毒。因菜中含有硝酸盐，在堆放过程中，条件适合转化为亚硝酸盐，喂鸭后陆续出现中毒死亡。

2. 症状　采食菜后约 1 h，患鸭出现不安，流涎，口吐白沫，行走无力，摇摆并呈瘫痪状。眼结膜发绀，呼吸困难。

3. 病变　剖检可见，血液凝固不良，呈酱油色。食道和嗉囊内充满菜料，并有浓烈酸败味。小肠黏膜充血，大肠臌气。心肌无弹力，心外膜有出血点。肝质软、肿胀，呈黄白色。

4. 诊断　确诊必须经实验室诊断。

5. 治疗　静脉或肌肉注射 1%美蓝溶液。美蓝溶液配方：1～2 g 美蓝溶于 10 mL 纯酒精中，加 90 mL 生理盐水混合，每千克体重注射 0.1 mL，必要时重复一次。

(八)恩诺沙星中毒

1. 病因　恩诺沙星 120 mg/kg 体重肌肉注射 5 日龄番鸭，或用 2%恩诺沙星注射液，每羽肌肉注射 0.5 mL，即可引起中毒死亡。

2. 症状　中毒 3 min 后即出现神经症状，全身震颤，不久即开始出现死亡。

3. 病变　肝脏肿大，暗红色，条索状或呈斑点状出血；胆囊胀大，充满胆汁；肠道出血，部分肠段黏膜脱落；脑膜有散在出血点；脑水肿、充血、出血。

4. 诊断　根据病理变化和实验室诊断即可确诊。

5. 防治　番鸭对恩诺沙星较敏感，特别是雏番鸭要禁用恩诺沙星。

七、肉 鸭 杂 症

(一)北京鸭光过敏症

1. 病因　据报道分析是因为北京鸭饲料中含有光过敏物质，在阳光照射下而发生的一种疾病，现有关报道都证实了采食大软骨草草子内含光过敏的混合物，再加上阳光照射，是本病的病因。

2. 症状　本病临床特点在于上喙背侧和蹼背侧的水泡以及上喙水泡破溃后遗留下的瘢痕和变形。一般症状表现为精神不振，食欲减退，初期体温正常，后期稍高，眼有分泌物，甚至粘连。上喙失去原有黄色，局部先发红，形成红斑，1～2 天发展成水泡，淡黄透明。同时，鸭蹼上也出现水泡。后期，水泡破裂结痂、脱落，变为棕黄红色或暗红色。鸭喙变形，缩短，舌尖部外露，发生坏死。

3. 病变　主要见于上喙和蹼上的弥漫性炎症、水泡以及水泡破溃后结痂、变色或变形。皮下血管断端血液呈紫红色。凝固不良如酱油样，膝关节部肌膜有紫红色条纹状出血斑及胶样浸润。消化系统见舌尖部坏死，十二指肠卡他性炎症。有的病例肝脏见大小不等的坏死点。

4. 诊断　主要依据病因调查和喙上、蹼上出现水泡等特征性症状，做出诊断。

5. 防治　不喂混有大软骨草草子的饲料。发病后无有效治疗方法，可对症治疗。有结膜炎者，用抗生素药物冲洗；有水泡者，用龙胆紫和碘甘油涂抹等。

(二)鸭恶癖

1. 病因　由于饲养管理不当引起的一只或多只鸭的不

良行为，如啄肛、啄羽。这些不当行为包括饲养密度过大，运动不足，通风不良，光线过强，饲料单一，营养不全，饲喂习惯不好等。啄肛癖多发生于产蛋母鸭，尤以产蛋后期的母鸭为多，啄羽癖多发生在中鸭或后备鸭转成年鸭开始生长羽毛或小毛时。这些行为都会造成鸭生长发育不良，甚至造成死亡。

2. 防治　要根据发生的病因，采取相应的措施。供给丰富的蛋白质、无机盐和维生素。疏散饲养密度，避免过分拥挤，改善通风与光线强度。啄羽癖可添加硫化钙(天然石膏粉末)。也可用电烙铁将喙尖烧烙。有啄肛癖的鸭，要进行隔离或淘汰或治疗。治疗可用0.1%高锰酸钾水洗患部。

(三)鸭阴茎脱落

1. 病因　鸭阴茎脱落，俗称“掉鞭”，是鸭群常见疾病。本病多发生在冬季。鸭群中公母鸭在陆地或鸭舍交配，此时偶有其他公鸭靠近并啄正在交配中的公鸭阴茎，致使阴茎受伤疼痛出血而不能缩回，发炎、水肿乃至溃疡。另外，也可能由于游泳的水塘、河沟受到污染，公鸭在交配时，由于阴茎露出后而被蚂蟥、鱼类等咬伤，或因交配时阴茎受损伤而被细菌侵入感染发炎。

2. 症状　如因外伤引起，可见阴茎有伤痕。新伤则有血痕。如若发炎。则见阴茎肿胀、瘀血。如果病程较长则常发生溃疡和坏死，呈紫红色或发黑。因有炎性分泌物，时见垂落的阴茎黏附泥土，结成硬结。

3. 防治　在冬季交配时，需注意种鸭群内公母鸭要有合理的比例，一般公母比例以1:(6～8)为宜。公鸭过多不仅浪费饲料，而且会发生啄咬阴茎的恶癖，尤其是康贝尔鸭更易发生。当阴茎受伤不能回缩时，应及时将鸭隔离用

0.1%高锰酸钾水冲洗干净，涂以磺胺软膏，协助将其受伤的阴茎收纳回去。如果业已发炎肿胀、溃疡或坏死，则不易治愈。

（四）皮下气肿

1. 病因　本病又称气嗉或气脖子。此病多发生于雏鸭和中鸭时期，偶尔亦可见于填鸭。这种病态是由于管理不当，捉拿粗暴，使颈部气囊或锁骨下气囊破裂，或因其他尖锐异物刺破气囊而使气体溢于皮下，形成皮下气肿。此外，也可能因肋骨、乌喙骨和胸骨等有气腔的骨骼发生骨折时，使气体窜入皮下而形成臌气。

2. 症状　颈部气囊破裂，可见颈部羽毛逆立，轻者气肿局限于颈的基部，重的可延伸到颈的上部，并且在口腔的舌系带下部出现臌气泡。若腹部气囊破裂或由颈部蔓延至胸腹皮下，则胸腹围增大，确诊时胸腹壁紧张，叩诊呈鼓者。若不及时治疗，气肿继续增大。病鸭表现精神沉郁，呆立，呼吸困难。

3. 防治　饲喂时注意避免鸭群拥挤摔伤，捉拿时防止粗暴摔碰，避免损伤气囊。发生皮下水肿后，可用注射针头刺破膨胀皮肤，使气体放出，但不久又会膨胀，故必须多次放气方可奏效。最好用烧红的铁条，在膨胀部烙个破口，将空气放出。因烧烙的伤口暂时不易愈合，所以溢出的气体可随时排出，缓解症状，逐渐痊愈。

（五）龙骨黏液囊炎

1. 病因　龙骨黏液囊炎最常发生于生长快、体重大的肉鸭。在粗糙的铁丝网上饲养的鸭最易发病。因龙骨部承受着全身体重的压力，受铁丝网的摩擦，弄伤皮肤并发生感染，引起炎症，继而形成胼胝或发生黏液囊感染。感染引起乳酪状渗出物积聚。

2. 防治　不要在网上饲养体重大的肉鸭。必要时可加盖塑料网，以防擦伤皮肤。治疗可采用局部外科处理，局部消毒，涂擦鱼石脂或磺胺软膏。

(六)鸭心脏破裂症

1. 病因　本病是小鸭的一种不明病因的杂症。本病在国内外偶有出现，发生在5—9月份，气温较高，且鸭舍潮湿，在饲养密度大的条件下，饲料中蛋白质含量较高，生长发育速度较快的鸭群多发，发病年龄为2～4周龄。

2. 症状与病变　本病无明显先驱症状，突然倒地或站立不安，头摆动，头颈后仰，两脚乱踏，倒卧后两腿游动，张口喘气，很快死亡。中间过程不超过5 min。

死亡患鸭均为健壮体重、体下脂肪多的小鸭。喙苍白，腿色浅，多数口和鼻腔内流血，气管内也有血液。心囊破裂，心包积血。主动脉并未有胆固醇蓄积或动脉粥样变。因失血，肝脏、肠系膜和肾脏色泽变浅，呈贫血症状。

3. 诊断　据临床表现为急剧死亡，口鼻流血，剖检见心包积血、全身贫血，加上发病年龄和季节的特性，做出诊断。

4. 防治　因病因不详，难以防治。美国有专家认为可能与遗传和先天性疾病有关。

(七)鸭淀粉样病变

1. 病因　鸭淀粉样病变又名“鸭大肝病”或鸭“水裆病”，是一种不明病因的慢性疾病。淀粉样物质在肝和其他器官的沉积终将导致病鸭的死亡。这种病主要发生于成年鸭，是各地成年鸭损失的最常见的病因。

2. 症状　主要见于成年鸭，以产蛋母鸭为主，罕见于公鸭。初期病鸭沉郁喜卧，不愿活动，行动迟缓，食欲减少或正常。有的鸭腿脚肿胀，严重者跛行。病鸭不愿下水，行走打晃，腹部因腹水而膨大、下坠，故名“水裆”。触诊腹腔中有大量液体，有时可摸到大而硬的肝脏。有的病鸭呈企鹅状站立，病鸭死前无挣扎症状。

3. 病变　大部分病例发育正常。部分病例有多少不等的腹水，最多时达 700 mL，呈淡黄色，透明，也有的为血性腹水。有些病例腹膜及内脏器官浆膜表面粗糙，有纤维素渗出，时有卵泡脱落或破裂后所形成的大小不一的卵黄凝结物或凝块，呈卵黄性腹膜炎。个别严重者，腹腔内各器官发生粘连。肝脏明显均匀肿大，比正常鸭大 1～3 倍，故名"大肝病"。肝大以右叶更为显著，边缘钝圆，颜色一般为灰黄、棕黄或黄绿色，质地较韧，橡皮样。肝包膜一般光滑，有肝周炎者则表面粗糙，有纤维素物覆盖，个别病例肝包膜增厚，呈灰白色。

病理组织学观察见淀粉样物质在内脏器官中广泛沉着，其中以肝脏和小肠黏膜沉着最大，其次为肾上腺、脾、肺、肾、胰脏。

4. 诊断　根据临床症状、病理解剖为依据，初步诊断。如确诊，必须送实验室做病理组织学检查。

5. 防治　病因不详，预防、治疗都较困难。

(八)肉鸭腹水症

1. 病因　肉鸭腹水症是多种因素引起的一种综合征。据目前资料，可将致病因素分为以下 5 类：

(1)营养因素。高能量日粮，使发育中的肉鸭生长过速，对氧需求量增加，而鸭舍内却因饲养密度过大、通风不良、二氧化碳或一氧化碳浓度过高而缺氧，造成腹水。或者，饮水或日粮中的钠盐过量，维生素 E、硒缺乏等，也可引起腹水。

(2)霉菌毒素。日粮中谷物发霉，肉骨粉或鱼粉霉败，均产生大量毒素，肉鸭摄取后易腹水。

(3)化学毒物因素。日粮中痢特灵含量过高或质量差，或日粮中添加了其他有害物质，造成腹水。

(4)高海拔地区饲养。高海拔地区缺氧引起组织胺增加，机体组织血管扩张，使肺动脉压增加，右心扩张衰竭，导致腹水症。

(5)遗传因素。

总之，病因是多方面的，目前初步认定腹水症主要是右心衰竭导致循环障碍造成的。

2. 症状　发病日龄为2～7周龄发育良好、生长速度较快的肉鸭。多发生在寒冷季节。公鸭多发。初期病鸭喜卧，不愿走动，精神不振，羽毛蓬乱，腹部膨大，触之松动有波动感，腹部皮肤变薄发亮，羽毛脱落，捕捉时易抽搐死亡。

3. 病变　可见喙缘、脚蹼及骨骼肌发绀。剖开腹腔可见大量清亮、茶色或啤酒样积液，积液中或有纤维素絮状凝块。心脏体积增大，质地变软，右心室极度扩张，心壁变薄，右心房内充满血凝块，心包积液。肝脏肿胀，颜色深红。肝包膜增厚，色灰白。肝边缘钝圆，切面流出暗红色液体。肺充血水肿，肾充血肿胀。

4. 诊断　据发病日龄、临床症状和病理变化特征，做出综合诊断。

5. 防治　首先调查清楚可能的发病因素，采取相应对策。如改善鸭群环境条件，通风换气或降低饲养密度，变换饲料或适当降低日粮的能量或减少采食量，控制生长速度。在日粮中添加维生素C(添加量为500 g/t饲料)等。

第九章 肉鸭的主要产品加工

第一节 鸭肉加工

一、鸭肉的营养价值

鸭肉营养丰富,蛋白含量高于牛、羊肉,而且其中的必需氨基酸含量也明显高于牛、羊肉。其脂肪含量低于猪、牛、羊肉,其不饱和脂肪酸比例偏高。鸭肉中无机盐含量丰富,其中有磷、钠、铁、钙、钾、锌、铜、锰以及微量的硒、钴、钼、镁、镍、铬、钴、铯等,是人类食物中微量元素的重要来源之一。此外,鸭肉中还含有大量维生素,尤其是含丰富的B族维生素。

二、鸭肉的保存和加工

(一)鸭肉的保存

鸭肉营养价值较高,但也易腐败变质。其最主要的原因是由于微生物作用、发酵作用和氧化作用,从而引起鸭肉中的蛋白质分解和脂肪酸败,其中以微生物作用最为严重。

微生物必须在温度、水分、空气等外界环境条件适宜时才能活动。经研究证明,微生物在10 ℃不通风的气温条件下,24 h就可以使禽肉变质。保存鸭肉的方法很多,我国农村有熏、腊、风、腌等技术。从经济效果看,采用低温保存是比较合适的，既方便又适宜大批量保存、生产和运输。保存温度越低，其保存时间就越长。我国出口家禽冻结温度要求不高于 -6 ℃，储存肉不得高于 -12 ℃。国际上要求达到 -18 ℃。鸭肉的冷冻、冷藏工序一般为：预冷→装盘→速冻→包装→冷藏。

(二)鸭肉的加工

我国养鸭历史悠久，吃鸭是由来已久的习惯，无论北方还是南方，人们都爱吃鸭，烹调方法也多种多样。这里介绍几款我国著名的鸭菜和几款家庭菜肴。

1. 南京板鸭　板鸭是我国著名特产，生产历史悠久，以南京板鸭最为有名。

南京板鸭加工季节一般以大雪至立春前腌制为宜，这个阶段加工的板鸭储存时间可达 4 个月以上。小雪至大雪和立春至清明期间腌制的板鸭因气温较高，只能储存 1～2个月。

原料：2 kg 左右鸭屠体若干，右翅下开膛。

调料：盐、生姜、八角茴香、葱。

制作：鸭屠体斩去翅膀上两节及双脚，撕去鸭舌，用冷水洗净体内的残血和破碎的内脏，再用冷水浸泡 4～5 h，沥干水分进行整形。整形时，将鸭体放在砧板上，背朝下腹朝上，头里尾外，左右双掌叠起，放在胸骨部使劲下压，将三叉骨压扁，使鸭体呈扁形，即成鸭坯。鸭坯的腌制要经过抹盐、扣卤、复卤、叠坯、排坯、晾挂六道工序。

(1)抹盐。每 50 kg 盐加 100 g 八角茴香。盐和八角茴香炒干、磨细、混合均匀。按鸭的体重逐只配料，用量为净鸭重的 1/16。先以 3/4 的盐从右翅下开口处放入体内，摇动鸭体，使其在胸腹腔内散布均匀，其余 1/4 均匀擦在皮肤上和大腿、胸肌上，刀口和口腔内尤其要擦透。

(2)扣卤。将擦好盐的鸭坯,依次叠放入缸内。经 12 h 的腌制,其肛门部已收缩,取出鸭体压挤,使肌肉中一部分水分和血卤排出,再将鸭坯叠放入缸中,经 8 h 后第 2 次排卤,清除鸭体剩余血水。

(3)复卤。用鸭体渗出的血水作原料,每 100 g 血水加 50 kg 盐,煮沸后撇去表面上的血沫和污秽,冷却后,加入打扁的生姜 25 g、八角茴香 12.5 g、葱 100 g,煮沸,倒入缸内冷却,使卤水清澈微香,即制成老卤。在右翅刀口处灌入老卤。每缸可卤板鸭 30 只左右,可连续卤 5 或 6 次,当卤色变成淡红后,则应烧卤后再继续使用。若盐分不足时,可适当加盐,老卤越陈越好。

(4)叠坯。复卤后将鸭放在砧板上,再次用手掌压成扁形,然后叠入缸内,头朝缸中心叠放,以免刀口渗水的血卤污染鸭体。

(5)排坯。叠坯 2~4 天后,进行排坯。取出鸭用清水将鸭体冲洗干净,挂在木档钉上,拉开鸭颈,拍平胸部,修整腹肌(即将两腿之间和肛门周围整成球形),使外形美观。然后用清水冲去体表杂质,挂在通风处晾干,待水净皮干后再收回复排。

(6)晾挂。复排后,鸭坯要转入仓库晾挂。仓库应四周通风良好,不受日晒雨淋。挂鸭的架子中间安装木档,木档间距 50 cm,木档两边钉钉,两钉距离 15 cm,每个钉可挂 2 只鸭坯。两坯间用一根秫秸从腰部隔开。2~3 周后即可上市。

南京板鸭具有"干、板、酥、烂、香"的特点。烹调前,需用清水浸 4 h 左右,漂淡盐味。待鸭体变软后洗尽灰尘,捞出沥干,再下锅煮熟。煮时要将水加热至 80 ℃左右放入板鸭,停火焖 50 min,再加火烧 15 min,使水温回升至 80 ℃

左右，往锅内略加凉水，提起鸭腿让水从右翅下开口处流尽，再放入锅内，盖好锅盖小火焖40 min即熟。煮时可加些葱、姜、八角茴香之类。煮熟的板鸭要凉切，当天煮当天切。

2.白市驿板鸭　白市驿板鸭是重庆市著名特产，距今已有100余年的历史，以其色、香、味、型俱佳而闻名于世。

原料：肌肉丰满、有皮下组织、重2 kg左右的当年鸭屠体。

调料：按腌100只光鸭计算，需用食盐1.5～2.5 kg，白酒0.25～0.5 kg，白糖0.5～1 kg，桂皮100 g，花椒50 g，干姜20 g，八角茴香、小茴香各5 g，玉果、丁香、广香各7.5 g，并备亚硝酸盐5～10 g。

制法：将白酒喷洒在鸭体上，其他调料粉碎后和食盐混合（食盐可先炒一下），均匀抹在鸭坯的胸腹腔内以及外表，然后放在腌缸内，腌渍时间视气温高低而定。冬天一般需40～60 h，夏季需18～20 h，期间翻动1或2次。腌好的鸭起缸后，用毛巾逐只抹去污物，然后用两块竹片交叉将鸭绷直。

将绷直的鸭坯挂于通风处或烘房内风干，把风干后的鸭坯放在谷壳上面反复翻动熏烤40～50 min，在其表面涂一层芝麻油，使之表面金黄，腹腔干燥即成半熟成品。吃时，用沸水煮20～25 min即熟，然后加入少许香油、白糖、花椒面，斩块装盒即可，尤以热吃最佳。

制成的白市驿板鸭光泽呈均匀金黄色或棕色，肉质带玫瑰红或淡红色，外观呈扇形，有四川腊味及香料混合的清香味道。白市驿板鸭属半熟成品，应挂在通风凉爽处保存。为了防止蚊蝇叮爬，可在体表和腹腔内涂刷一层油，也可洒上少量的白酒。

3.北京烤鸭　北京烤鸭是我国名产，驰名中外。烤鸭色泽鲜亮,香味浓郁,皮脆肉嫩,肥而不腻,具有特殊风味。

原料:人工填肥的北京鸭,以55~65天活重2.5 kg以上的最适宜。

调料:少许糖稀或蜂蜜,汤水。

制作:

(1)原料整理。将鸭倒挂,放血致死,褪毛干净,用气针插入皮下打气,使鸭子的皮下充满气体。打气时,不要用手捏住躯体,以免形成凹坑,而影响烤鸭的质量和外形的美观。打气后,在右翅下切一开口,取出全部内脏,用清水冲洗2或3次,去净残留的脏器和血污。用一勺开水先烫刀口处侧面,使刀口的表面及四周皮肤收紧,严防从刀口处跑气,之后用沸水淋浇其他部位。待鸭皮层的毛孔收缩,表皮绷紧,说明表皮已烫好。毛孔收紧,烤制时可减少从毛孔中流出融化的皮下脂肪;皮层紧缩变厚,烤制后鸭的皮尾具有酥脆的特点;同时,也使充在皮层下的气体尽量膨胀,表皮显出光亮,烤制时着色均匀,淋沸水后在鸭的5~6颈椎处用钩挂住,晾干,在皮上均匀涂一层糖稀或蜂蜜。阴雨天鸭皮潮湿,不易吸收糖稀,应多涂一些。为了增强着色力,可在糖稀晾干后再涂一次,但不能过多,过多容易烤焦。

(2)烤制。表皮的糖稀晾干后,即可烤制。烤制前,用一截带节的高粱秆塞住鸭肛门,然后往腹腔灌入100 ℃的汤水70~100 mL。灌水的目的是为了在烤制时形成外烤内煮的环境,使腹内熟得快,并具有外脆内嫩的风味。灌水量以不致从右翅下切口流出为宜。烤制时,背部向火,悬挂在150~290 ℃的烤炉内,经常变动方向,约经1 h,待鸭体全身呈枣红色,从皮里面向外渗透油滴时,说明烤鸭已熟。另外,还可以观察膛水。在摘钩前,拔去肛门部的堵塞,如果从肛门流出汤水呈乳白色,并带有黑色血块,说明烤鸭已熟透;如果流出的膛水呈粉红色而带没有凝固的血块,说明烤鸭没有熟透,还要回炉处理。

烤鸭在冬季室温 10 ℃时,不用特殊设备可保存 1 周。如有冷冻设备可长期保存。吃前,要短时间烤制,然后切成薄片,要片片有肉、片片有皮,加大葱和甜酱卷荷叶饼吃,也可制成冷盘,配上佐料食用。鸭骨架可用来熬汤。

4. 酱鸭

原料:光嫩鸭 1 只。

调料:红米、盐、冰糖、黄酒、八角、桂皮、葱、姜。

制法:

(1)光鸭剖腹,挖去内脏洗净,斩去嘴巴、脚爪、翼梢,割去鸭膻,再放入沸水锅中氽一下捞出,鸭腹内壁用盐擦匀。

(2)锅内置清水 1 kg,将红米、葱、姜、八角、桂皮用布包好放入锅中,用旺火烧到汤汁呈红色时,即捞出香料包。

(3)鸭子下锅,加冰糖、盐、黄酒,用小火煨 2 h 左右,待鸭子酥烂,汤汁剩约 200 g 时,用旺火收汁。一面用勺子舀汁,不断往鸭子身上浇汁,一面兜锅使鸭子在锅中不停转动,至汤汁剩约 100 g 时,将鸭子捞出放在盛器内。鸭身上浇上余汁,待冷却后切块装盘。

5. 香酥全鸭

原料:净嫩光肥鸭 1 只。

调料:姜(拍松)10 g,桂皮 2.5 g,黄酒 50 g,葱结 15 g,八角 2.5 g,花椒盐 0.75 g,椒盐一碟,甜面酱一碟,生油 1 kg(实耗 100 g)。

制法:

(1)光鸭洗净,剖腹去内脏,里外抹上花椒盐。鸭胸骨用力拗断,以防蒸后皮肉被骨头顶破。

(2)把光鸭放在瓷盘内,葱、姜、桂皮、八角放在鸭子上面，淋上酒，上笼蒸至酥烂，取出晾干，拣去花椒、姜、葱、桂皮、八角。

(3)锅内放生油。待油烧至八成热时，把鸭子放入锅内炸至呈金黄色、皮脆肉酥时取出，沥去油，斩块装盘。上桌时随带椒盐、甜面酱。

注：花椒盐制法：细盐 50 g、花椒 15 g，入锅一起炒熟，研碎即成。

6. 五香卤鸭

原料：净嫩光肥鸭 1 只。

调料：酱油 100 g，白糖 100 g，黄酒 25 g，葱结 25 g，姜片 25 g，盐 25 g，麻油 25 g，味精 2.5 g，桂皮 10 g，大茴香 10 g，丁香 5 g。

制法：

(1)光鸭拔去细毛，从腋下开膛，挖去内脏，洗净血水。然后放入沸水锅中煮一下，去掉血沫后捞出，放入水中洗净。

(2)锅中放光鸭，加酱油、白糖、黄酒、葱、姜、盐、桂皮、大茴香、丁香、清水(1 kg)，用旺火烧开去沫后，改用小火焖烧 1 h，再放味精和麻油，待卤汁稠浓后，冷却，斩块装盘。

7. 混饨鸭

原料：光嫩鸭 1 只(约 2 kg)、猪夹心肉 100 g，白混钝皮子 24 张。

调料：黄酒 50 g，酱油 10 g，盐 12.5 g，白糖 5 g，葱结 2 根，姜片 4 片，味精 25 g，麻油 15 g。

制法：

(1)夹心肉洗净去皮，斩成茸，放在碗中，加酱油、味精、糖、麻油拌和成混饨馅，包入皮中。

(2)光鸭剖开脊骨，取出内脏，洗净后放在沸水中烫一下，再放在清水中漂洗干净。

(3)大沙锅底部放一竹垫,将光鸭胸脯朝下放在竹垫上,加葱、姜、酒、清水(水要淹没鸭子)。用旺火烧开,撇去浮沫后盖上锅盖,改用小火焖烧3 h左右。待鸭子酥烂后,揭开锅盖,拣去葱、姜,取出竹垫。鸭子翻个身,胸脯朝上,加盐烧滚。锅中放清水,将混饨放入,用旺火煮熟后。捞出放入鸭子沙锅中即成。

8.京葱排鸭

原料:光嫩鸭1只(约1.5 kg),京葱100 g,笋片25 g。

调料:黄酒15 g,酱油50 g,白糖12 g,味精1.5 g,生油1.5 kg(实耗250 g),麻油10 g,猪油50 g。水淀粉15 g,葱结1个,姜1片,鲜汤适量。

制法:

(1)光嫩鸭洗净,用刀在鸭脊背上从头至尾纵长剖开,吹干水分后,用酱油涂满鸭皮(上色)。京葱去皮洗净,切成5 cm长的斜片;

(2)锅烧热,放油1.5 kg。待油烧至六成热时、将鸭入锅炸至金黄色,捞出沥油。锅内留油15 g,放葱结、姜片下去略煸后,把鸭子放入(胸部朝下)。加黄酒、酱油、白糖、鲜汤(汤要淹没鸭子)。

(4)待汤烧开后,用小火焖至酥烂捞出,放在盆中,轻轻将鸭骨头抽出。拆骨时,不能将鸭肉拆碎,以保持鸭子外形的完整。拆骨后,鸭胸部朝下,倒入卤汁。

(5)锅内放油10 g,待油烧热后,投京葱、笋片下去略煸,再将鸭子和卤汁慢慢倒入锅中(不要破坏外形),加味精,改用小火收浓卤汁,再用水淀粉慢慢淋入着腻。加些猪油、麻油,翻个身,出锅装盘。

9.烩三样

原料:鸭掌12只,鲜蘑菇150 g,鸭心10只,青豆50 g,

鲜汤 400 g,热火腿片 25 g。

调料:猪油 60 g,盐 3 g,味精 1.5 g,黄酒 10 g,水淀粉 15 g,葱 10 g,姜片 10 g。

制法:

(1)鸭脚和鸭心洗净,在沸水中氽一下后,放入锅中,加葱、姜,煮约 1 h 后捞出,再放到冷水里拆去鸭掌骨,鸭心切成片待用。

(2)锅内放鲜汤和鸭掌、鸭心片、鲜蘑菇、热火腿片、青豆、猪油(50 g),烧开后,下黄酒、味精,淋上水淀粉,浇上猪油(10 g),装盘。

10.一鸭三吃

原料:嫩光鸭 1 只(约 1.5 kg),腿肉片 150 g,菜梗块 5.0 g,水发木耳 25 g,冬笋片 50 g,开洋 25 g。去皮熟莲心 25 g,熟腿肉丁 50 g,水发香菇丁 50 g,鲜蘑菇 50 g,糯米饭 300 g。

调料:葱末 75 g,姜末 50 g,葱段、青蒜段共 15 g,黄酱 15 g、黄酒 50 g,盐 15 g,味精 15 g,醋 2.5 g,淀粉 15 g,白糖 25 g,酱油 50 g,生油 500 g(实耗 100 g)肉汤少许。

一鸭三吃分别为烧鸭、爆炒什件和鸭包饭。

(1)烧鸭。将光鸭开膛,挖去内脏,割下双腿,拔去细毛,洗净,挂起晾干水分。取一汤碗,加入葱、姜末 100 g,酱油 25 g,黄酒 25 g,糖 10 g,生油 25 g,调成汁水。然后将晾干的鸭子放入碗中,用手抹擦鸭身,使腌渍入味。然后在锅中加生油 50 g,烧热,将鸭子下锅,待两面煎成金红色,即将碗内汁水倒入,加清水和黄酱,至沸滚后,转用小火焖 20 min,再转大火将汤汁熬至浓稠(约两调羹)。将鸭子取出,斩成块,装盆,浇上原汁即成。

(2)爆炒什件。将鸭子的各种内脏处理一下:鸭肫要剪开，刮去内金，洗净；鸭肝要剪去苦胆；鸭肠要剪开，用盐拌和后捏去黏液，洗净。然后，将鸭肠切成寸段，肫、肝、心批成薄片待用。

锅内放清水，烧至滚沸，将菜梗块、冬笋片、木耳放入烫熟，取出。再加腿肉片、肫片、肝片、肠段、心片，烫至六成熟，取出，倒去水。取一碗，放入葱、青蒜段、酱油、黄酒、醋、肉汤(50 g)、淀粉、味精、盐(5 g)，调成芡汁。锅中放入生油少许，烧热，将什件投入，爆炒 30 s 即倒出，滤去油。将菜梗、冬笋、木耳投入原锅煸炒，再加什件、芡汁，翻炒到芡汁稠浓后即成。

(3)鸭包饭。鸭腿用酱油抹上色后，放入锅内，用油煎黄煎熟后取出。拆去腿骨，鸭肉批成斜刀片，整齐排列在碗内四周。原锅内放葱花煸香后，把腿肉丁、莲心、开洋、鲜蘑菇丁、香菇丁倒入，加盐、味精、肉汤、酱油，倾入糯米饭，拌炒均匀后即倒入鸭碗内，上蒸笼。蒸约1 h 后，即覆入盆内成鸭包饭。

第二节 鸭内脏加工

鸭的内脏中比较高档的产品有鸭胗肝和肥肝。

一、鸭 胗 肝

鸭胗肝，亦称鸭肫，即鸭的肌胃。加工方法如下：

将鸭胗从右面的中间用刀斜形剖开半边，除去胗内容物，刮净鸭内金(即胗内的那层黄色角质内皮)，用水洗净后，加少许盐用手轻轻揉擦，以除去酸臭味，再洗净。

洗净后的鸭胗，按每 100 个加盐 0.75 kg 拌匀进行腌制，经 12～24 h，取出用清水洗去附在胗上的污物，用细麻绳在胗边穿起来,每 10 个一串,吊起在日光下晒 3～4 天,约至七成干时取下整形。方法是:把胗放在桌上,以右手掌后部。用力压扁揉搓两块较高的鸭胗,使其成为扁平状,既呈现外观美,又便于储存和运输。

制好后的鸭胗,可晾挂在通风凉爽的室内保存,晾挂时间最长的 6 个月。也可保存于缸内,以减少水分蒸发及降低氧化速度。腌制成的鸭胗经日晒晾挂后,重量减轻,通常干制品为新鲜鸭胗重量的 50%。

鸭胗的吃法也很多,这里介绍一款江浙一带的特色菜——笋烩菊红。

原料:净鸭肫 200 g,冬笋片 100 g,熟火腿片 25 g,熟青豆 25 g。

调料:熟猪油 250 g(实耗 50 g),盐 2 g,黄酒 10 g,味精 1.5 g,水淀粉 25 g,鲜汤 300 g,胡椒粉 0.5 g,麻油 10 g,葱段 10 g。

制作方法:

(1)鸭肫用刀批去三层老皮,再批成片待用。

(2)锅烧热后放猪油。待油烧至五成热时,放肫片下去,并划散至熟,再倒出沥油。

(3)锅内留余油 30 g,下葱、鲜汤、笋、青豆,再放细盐、黄酒、味精,烧沸后下肫片,随即用水淀粉着腻,淋上麻油 10 g 装盒,撒上胡椒粉即成。

二、鸭 肥 肝

目前,鸭的肥肝是禽产品中的高档商品,价值高,经济效益显著。

据研究,禽类肝脏合成脂肪的能力远强于哺乳动物。水禽在肝脏中合成脂肪的量占合成脂肪量的 90% ～

95%，这是水禽肝脏能迅速肥大的主要原因。一般正常肝重50～70 g，肥肝可达500 g以上。

1.屠宰与加工　屠宰前停食8 h。宰后用手拔去羽毛，屠体移至温度为4～10 ℃的冷藏装置冷凝10～12 h。然后开膛取肝，注意把胆囊及肥肝上的结缔组织剔去。

保存肥肝可采用速冻后冷藏的方法，来延长储存期。将刚摘下的肥肝，逐只装入塑料袋，放入－28 ℃的速冻库中速冻24 h，然后取出加以整形。整形时先剔除肥肝上的结缔组织和摘除胆囊后残留在肥肝上的绿色痕迹，再用小刀刮除肥肝上的血斑，最后分等级装入箱中，存放在－18～－20 ℃的冷库中，可保存2～3个月。

正常的肥肝，肝叶均匀，轮廓分明，表面光滑，富有弹性，色泽一致(淡黄色或粉红色)。破裂的肥肝，被胆汁污染和病变的肥肝要剔除。分级标准一般根据重量来定，同时要加以感官判断。

特级肝：重600 g以上。

一级肝：重350～599 g，要求肝叶完整，软硬适中，无血斑和胆汁印迹。

二级肝：重250～349 g，要求瘀血直径在5 mm以内，肝裂纹不超过2 cm，质地柔软，无病肝。

三级肝：重150 g以上。

等外肝：重150 g以下。

参 考 文 献

1. 岳永生等. 养鸭手册. 北京:中国农业大学出版社,1999

2. 王春林. 中国实用养禽手册. 上海:上海科学技术文献出版社,2000

3. 黄世仪. 鸡鸭鹅饲养新技术. 北京:金盾出版社,2000

4. 郭予强,肖智远. 肉鸡、肉鸭、肉鹅高效益饲养技术. 北京:金盾出版社,2000

5. 周中华,黄世仪等. 肉鸭高效益饲养技术. 北京:金盾出版社,2000

6. 王光瑛等. 养鸭生产新技术. 北京:农业出版社,1992

7. 王春林,朱德才. 禽病诊断与防治手册. 上海:上海科学技术文献出版社,1997

8. 孙书静. 网上快速饲养速肥新技术. 养禽与禽病防治,2002(4)

9. 凌志勇,林林. 肉鸭冬养快长速肥新技术. 养禽与禽病防治,1999(2)

10. 骆国胜. 提高樱桃鸭场父母代种鸭育成均匀度的技术措施. 养禽与禽病防治,1999(3)

11. 土干奠权. 集约化鸭场的卫生防疫措施. 畜禽业,2002(5)

12. 王耀邦,叶伟成等. 一种番鸭病毒病的预防和控制. 2001 (33). 6

13. 王健,段修军等. 骡鸭生产性能初报. 当代畜牧,2002(6)

图书在版编目(CIP)数据

肉鸭养殖技术/岳永生主编．—北京：中国农业大学出版社，2003.1

ISBN 7-81066-554-5/S·414

Ⅰ.肉…　Ⅱ.岳…　Ⅲ.肉用鸭-饲养管理　Ⅳ.S834.4

中国版本图书馆 CIP 数据核字(2002)第 093807 号

出版发行　中国农业大学出版社
经　　销　新华书店
印　　刷　莱芜市圣龙印务有限责任公司
版　　次　2003 年 1 月第 1 版
印　　次　2007 年 6 月第 2 次印刷
开　　本　32　　12.25 印张　　272 千字
规　　格　850×1 168
印　　数　5 501～7 500
定　　价　17.00 元

图书如有质量问题本社负责调换

社址　北京市海淀区圆明园西路 2 号　**邮政编码** 100094

电话　010-62732633　**网址**　www.cau.edu.cn/caup